MW00629387

BIOÉTICA

LA MEDICINA NATURAL: UNA ALTERNATIVA MODERNA

DR. NORMAN GONZÁLEZ CHACÓN

CRÉDITOS
Autor: Dr. Norman González Chacón
Edición: Yasmín Rodríguez, The Writing Ghost, Inc.

Diseño de Cubierta: Gil Acosta
Montaje y Producción: The Writing Ghost, Inc.

Este libro contiene información que pretende ayudar a los lectores a estar mejor informados sobre cuidados de salud. Se presenta como información médica general. Cada persona siempre debe consultar a su doctor sobre sus necesidades individuales.

Catalogación de la Biblioteca del Congreso: 2016916315

ISBN-13: 978-0-9981089-5-7

Primera Edición, 2016

PREFACIO

Existen muchas expresiones —las encontramos en cada país y región del mundo— de lo que comúnmente denominamos medicinas naturales, tradicionales o alternativas. A pesar del posicionamiento oficialista, estatista y no pocas veces coercitivo de la medicina alopática, existen diferentes expresiones, tradiciones, tratamientos y prácticas de salud, así como diversidad de plantas y fórmulas herbarias, aplicaciones y modalidades autóctonas que sirven efectivamente en diferentes comunidades.

La gente ha aprendido a depender de ellas: su arraigo en la población es cada vez mayor, así como disminuye la confianza en la medicina convencional, que no ofrece cura y para colmo advierte una larga lista de efectos secundarios.

De tal magnitud e importancia es la eficacia de estas medicinas naturales, tradicionales, alternativas o complementarias (designadas colectivamente por la OMS como medicinas tradicionales complementarias, o MTC) que la Organización Mundial de la Salud (OMS) ha realizado varios estudios que la han llevado a exigir la incorporación de estas prácticas a los sistemas de salud en todos los países del mundo. La efectividad y rentabilidad de las MTC frente al fracaso de la medicina convencional en el tratamiento de las enfermedades metabólicas han impuesto a las primeras sobre la segunda. *(Véase OMS: Serie de Informes Técnicos 916; Dieta Nutrición y Prevención de Enfermedades Crónicas 2003; Estrategias de la OMS sobre Medicina Tradicional 2014-2023)*

Para que las MTC puedan ser incorporadas a los sistemas de salud, las prácticas y modalidades existentes de MTC deben ser depuradas de todo lo que no tenga una explicación científica aceptable, que parta de un principio natural científicamente comprobable y que no tenga efectos secundarios que puedan hacer daño. Esos son los conceptos básicos que se deben tener en cuenta, aunque existen muchas otras reglas y leyes de funcionamiento que no deben ser soslayadas, las cuales estamos clasificando para su beneficio y pureza biológica.

Para lograr la conceptualización y depuración que le permita a la MTC integrarse a la academia, es indispensable reconocer las bases filosóficas que la sostienen y diferencian ante los ataques de otras profesiones; en fin, una base bioética que la proteja de sofismas y prácticas espurias y de acciones legales, y una base científica que parta de las ciencias naturales puras sin la intervención de la manipulación biológica o genética.

Uno de los grandes logros en nuestro país ha sido conseguir leyes estatales gubernamentales que regulan la práctica de la naturopatía bajo una reglamentación propia de la misma. Pero se libró una batalla, proceso en el cual hubo una fuerte oposición. No fue fácil; no solo se gestó el proceso bajo una fuerte oposición de todos los componentes de la clase médica, que acusaron a los naturópatas de invadir su práctica, lo que los llevó a ser acusados, juzgados y convictos criminalmente, sino que esa oposición encontró apoyo bajo una interpretación peregrina del Tribunal Supremo adversa a los naturópatas, con el efecto práctico de criminalizar y suprimir la naturopatía que tanto bien le había hecho a un gran sector del pueblo. Ante la expresión masiva de ese mismo pueblo, la asamblea legislativa y el gobernador de Puerto Rico le dieron el espacio legislativo, separado y diferenciado, a la naturopatía. Pero ello también conllevó enfrentar la oposición de los sectores críticos representados en una Comisión Evaluadora en la cual este autor tuvo que esgrimir todos los argumentos científicos que validan la naturopatía y las razones biológicas que la respaldan.

De esa experiencia, y luego de más de cuarenta años de práctica clínica, sale el trabajo restante que nos ha permitido sostenerla ante todos los foros científicos que se han atrevido a cuestionarla.

Otro logro significativo y reciente, que tomó tiempo y luchas en gestarse, fue la autorización por el Consejo de Educación de Puerto Rico de dos universidades para ofrecer una maestría en ciencias naturopáticas, que permitirá la continuidad de la profesión. Dichos grados son los únicos que se ofrecen en suelo americano que contemplan el ejercicio de la naturopatía tradicional. Este gran avance nos permite preparar naturópatas profesionales que se esparcirán a ofrecer sus servicios a las diferentes comunidades que lo requieran.

Colaboramos con ambas instituciones universitarias personalmente y mediante la creación del Instituto Bioético Dr. Norman, que hemos puesto al servicio de los estudiantes y egresados de las universidades mencionadas. El mundo tiene un buen ejemplo de lo que se puede hacer realidad en cada país que lo requiera.

Es nuestra intención poner estos conocimientos, adelantos y servicios al alcance de todos y de todas las naciones, a fin de fortalecer a los que aman esta ciencia y desean que sea integrada a los sistemas de salud, para que sirva naturalmente a todos los pueblos.

En este volumen me limito a:

1. Los aspectos generales que delinean la bioética que se debe aplicar en esta práctica salubrista.

2. La filosofía que debe caracterizar y prevalecer en la práctica de esta ciencia y su inserción en la corriente académica.

3. Los beneficios económicos para los pacientes que requieren servicios y para los sistemas de salud gubernamentales y privados.

4. Los aspectos nutricionales básicos que la diferencian.

5. Los conceptos que separan la medicina natural bioética de otras prácticas de alternativa.

6. Los factores de sangre que se deben tomar en cuenta para la debida purificación y desintoxicación del organismo.

7. La importancia del estudio y práctica de las leyes universales de la salud y del orden natural.

8. Técnicas y prácticas que podrían incorporarse a la Naturopatía y que son compatibles con esta ciencia. Entre ellas, la acupuntura, la interpretación nutricional del laboratorio clínico convencional, y el parto natural.

Espero que la información que aquí comparto sirva para afianzar a los que se sirven de esta ciencia, así como para establecer un puente conceptual con otros profesionales de la salud.

Tabla de Contenido

PARTE I

INTRODUCCIÓN

Dr. Norman González Chacón

INTRODUCCIÓN

Mis últimos 50 años de vida los empleé mayormente en ayudar a la gente a mejorar su salud en busca de soluciones para los graves problemas que sufre la humanidad. Estudié las ciencias naturales, así como la botánica.

Mi buen deseo de ayudar a que la gente se curara se vio tronchado por la ciencia misma. La realidad me golpeó. A pesar de los grandes adelantos científicos y de la deslumbrante tecnología, la comunidad científica no ha logrado encontrar la cura efectiva de la gripe, catarro, artritis, diabetes o hipertensión. Tampoco se ha encontrado la cura de ninguna de las condiciones de salud más conocidas y populares que sufre la gente, y mucho menos, de las más graves y catastróficas, como el cáncer.

En mi incesante búsqueda de soluciones, encontré una pequeña luz en la oscuridad que me pareció que se fortalecía, y podía ser el remedio para los problemas de salud que sufre la gente. Se trataba de la medicina natural que practican los curanderos regionales de todo el mundo en forma ancestral o primitiva. Fue esa medicina natural tradicional la que originalmente inspiró a la medicina convencional y a las farmacéuticas modernas a buscar, entre las plantas del mundo natural, lo que en teoría podría ser la cura para las enfermedades modernas.

Los científicos de laboratorio comenzaron a analizar las plantas que los nativos usaban con distintos fines curativos, y a separar sus componentes para descubrir cuáles de los mismos servían para determinado propósito. Lo aislaban, sintetizaban químicamente, producían y patentizaban de forma masiva y comercial. Ese fue el comienzo de la medicina moderna, la que inicialmente impactó al mundo con descubrimientos deslumbrantes y prometedores tales como: la penicilina, las vacunas, los antibióticos y la aspirina. Ese deslumbrante brillo inicial se fue opacando a medida que se descubría que todo ese caudal de conocimiento científico, que se fue acumulando, no podía contener ni curar la gran ola de las distintas enfermedades que amenazaban a la humanidad. A pesar de toda la tecnología descubierta y desarrollada por los grandes consorcios farmacéuticos, las mismas enfermedades, junto a otras nuevas que surgieron, continúan afectando a la gente de forma amplificada. No se encuentra una medicina que las cure, a pesar de todo ese avance científico.

Es importante señalar que el avance de la ciencia y de la tecnología, así como de la medicina moderna, no ha sido un símbolo de progreso positivo en contra de las enfermedades. Muchos científicos ven esta realidad no solo como una gran falla de la medicina moderna, sino como una corriente general que afecta la educación en todas las disciplinas del conocimiento humano y de las diferentes profesiones y vocaciones, las cuales sufren el impacto moderno de la metodología errática; la medicina moderna no es capaz de crear soluciones prácticas y generales a los problemas que enfrenta la gente y a las necesidades del siglo actual. A pesar de contar con adelantos tecnológicos extraordinarios, no ha sido efectiva en aplicar conceptos que resuelvan la gran crisis general que afecta a todas las esferas de la sociedad.

En medio de todos estos interrogantes que inquietan la mente buscadora de soluciones, nos vemos en la necesidad de revisar los nichos que en el pasado sirvieron de fundamento a las ciencias naturales, de los cuales a su vez surgió la medicina moderna. Se trata de una ciencia descartada, y que en una etapa le sirvió de escalón a la medicina moderna. Es la medicina natural con sus remedios sencillos, que va surgiendo como una posible solución práctica a los problemas de salud de una sociedad enferma, que se debate entre el uso recreativo de drogas adictivas adquiridas en el mercado negro y de drogas farmacológicas recetadas por médicos. Es a ese fenómeno, que se impone por virtud propia, al que en muchas partes del mundo se le ha llamado medicina holística. En América le llaman Alternativa, en Centro y Sur América es Medicina Natural y en Europa y en los Estados Unidos de América del Norte es Naturopatía. Sin importar los diferentes nombres, se trata de un fenómeno natural que surge de la necesidad de la gente de resolver sus problemas de salud en una forma efectiva y económica.

Esta medicina es una fuerza natural que está naciendo en todas partes del mundo simultáneamente, y que requiere de estudio, organización, y de una nueva definición de conceptos que le permitan crecer legítimamente y subsistir entre otras formas de medicina sin contaminarse, perder su identidad y su originalidad, corromperse por la interferencia de entidades comerciales o adulterarse o pervertirse por otros intereses creados. Esta nueva modalidad curativa necesita de todo el endoso de las escuelas y universidades, y el de todos los que de alguna manera nos podemos beneficiar de este regalo de la naturaleza. Nos vemos en la obligación de protegerla de todas estas tendencias falsas que la amenazan. Cuando vemos que una ciencia natural como ésta se ve en peligro de ser atacada y adulterada, no podemos quedarnos cruzados de brazos, y debemos defenderla.

La esperanza de encontrar una cura para el cáncer o para la diabetes es una retórica que no se hace realidad. Sin embargo, los que sobreviven el cáncer no lo hacen porque la quimioterapia los curó, o porque una cirugía a tiempo extirpó la malignidad. Se salvaron porque su organismo desarrolló la fuerza inmunológica y emocional que necesitaba para curarse, a pesar de los tratamientos de quimioterapia, cirugías y de todos los procedimientos que la medicina

17

moderna ha hecho para destruir el cáncer. Se curó a pesar de todos esos tratamientos porque su organismo tenía la tolerancia y fortaleza para combatir todos los procesos adversos.

Por otro lado, en toda profesión de la salud debe existir un gran espacio para la ética. Cuando se puedan establecer los parámetros de ambas medicinas, la convencional y la natural, ante la academia, los estudiantes y ante los profesionales de la salud de las diferentes especialidades, se descubrirá que la ética fue pisoteada y despreciada como filosofía para ayudar a modelar los parámetros genuinos de la medicina moderna. Preocupados por las diferentes tendencias que han incidido en la medicina natural, las cuales han impedido el uso de los remedios naturales y su aplicación exitosa en beneficio de la humanidad, encontramos una filosofía que puede ampararla. Es la medicina bioética natural, la cual nos hemos esforzado en depurar de sofismas orientalistas de izquierda, postulados pseudo-científicos sin base real, tendencias mercantilistas, creencias místicas sin fundamento y otras cientos de tendencias que día a día aparecen confundiendo el mundo filosófico de ambas medicinas. Por esa razón, nos vemos en la necesidad de usar la bioética como parte de la filosofía protectora de la medicina natural moderna. Según García, Delgado y Rodríguez:

> "La bioética global es uno de los enfoques bioéticos de más actualidad en el quehacer académico, científico, sociocultural y político mundial. Su auge en la última década se explica por su unidad de origen con la bioética puente propuesta por V.R. Potter en 1971; el creciente interés de las sociedades modernas por el uso adecuado de los conocimientos científicos y las tecnologías; las tensiones y preocupaciones acerca de las consecuencias adversas en la vida y la salud en función del mal uso de los

conocimientos y las tecnologías; y las posibilidades que ofrece para pensar las problemáticas ambientales y encontrar soluciones a los daños provocados por la actividad humana. La sostenibilidad de la vida, incluyendo la humana, en el planeta, es uno de sus asuntos emblemáticos, donde ética y conocimiento científico establecen un importante diálogo para enfrentar la crisis de la humanidad."[1]

Sin lugar a dudas, la bioética es una de las disciplinas de mayor necesidad en el mundo, tanto en el quehacer académico y científico como en el medio sociocultural y político. Nacida de la evolución filosófica de Van Rensselaer Potter,[2] la bioética global fue formulada en la década de los ochenta en estrecha relación con sus ideas originales, donde la bioética se define como un puente al futuro y un puente entre las especialidades éticas y las ciencias naturales. Hago énfasis en el término "ciencias naturales" debido a que el desarrollo de la tecnología científica y de las ciencias de la tecnología ha complicado el panorama original. Han confundido el término y la definición de lo que son las ciencias naturales básicas y las ciencias naturales pseudo-científicas. En estas últimas, la tecnología química ha dominado el estilo y el manejo de los conceptos que determinan el uso o abuso de la ciencia en la aplicación de lo que es moral, justo y ético en cada una de las aplicaciones y decisiones clínicas, médicas, biológicas o químicas que tienen que ver con el cuerpo y la mente de los seres en sus diferentes creencias, estilos de vida y preferencias individuales.

---

1   José F. García-Rodríguez, Delgado-Díaz y Rodríguez-León, "Bioética global: Una alternativa a la crisis de la humanidad," *Salud en Tabasco* 15, no. 1 (mayo-diciembre, 2009) consultado 6 de febrero de 2015: 878.

2   Bioquímico estadounidense, profesor de oncología en el Laboratorio McArdle de Investigaciones sobre Cáncer de la Universidad de Wisconsin-Madison. Primero en acuñar la palabra bioética en inglés.

El concepto va más allá de los razonamientos científicos y penetra en los derechos humanos, la libertad de escoger (*freedom of choice*), los derechos de conciencia y la capacidad de respetar el derecho a opinar o a disentir, a la dignidad humana, la paz mental, la salud y la intimidad. García, Delgado y Rodríguez señalan que:

"En la última década, el incremento de problemas donde urge el diálogo entre ciencias naturales y ética, y donde nos enfrentamos a asuntos globales, han hecho observable un auge del interés en la bioética global, y un incremento de los trabajos bioéticos enmarcados en esta perspectiva. Esto se explica por muchas razones, entre las que se encuentra el creciente interés de las sociedades modernas por el uso adecuado de los conocimientos científicos y las tecnologías, así como también las tensiones y preocupaciones acerca de sus consecuencias adversas en la vida, y en la salud de la población humana".[3]

La medicina natural bioética que practicamos y enseñamos cumple con todos los parámetros para satisfacer estas preocupaciones. Estas se hacen realidad cada día en los consultorios médicos, y en cada clínica y hospital del mundo donde se practican principios, tratamientos, decisiones, cirugías, vacunas, inyecciones, trasplantes, amputaciones y otros procedimientos médicos modernos. En muchos casos se violan principios hipocráticos, violan los derechos de los enfermos que se garantizan en el tratado de Helsinki,[4] y llegan a lesionar para siempre la dignidad

---

3 García, Delgado, Rodríguez, "Bioética global: Una alternativa a la crisis de la humanidad," 878.
4 Recomendaciones para orientar a los médicos en investigación biomédica con seres humanos. Adoptada por la 18ª Asamblea Médica Mundial, Helsinki, Finlandia, junio 1964 y enmendada por la 29ª Asamblea Médica Mundial, Tokio, Japón, octubre 1975.

humana, el derecho a decidir y la conciencia misma.

Los principios bioéticos de la medicina natural son tan inviolables como la dignidad humana, pero tan inofensivos como un recién nacido. Cuando las leyes que rigen la naturaleza no son estudiadas ni comprendidas en su esencia, y no se conocen sus beneficios ni sus consecuencias, se vuelven vulnerables a la voluntad de quienes las practican. No responden, entonces, a las leyes de quien las creó: la naturaleza misma.

La naturaleza tiene leyes inviolables, como por ejemplo: la ley de gravedad, la ley de la gravitación universal, la ley de causa y efecto, etcétera. Las leyes naturales siguen fórmulas físicas, muchas de las cuales se expresan en términos matemáticos. Podemos enumerar cientos y posiblemente miles de leyes naturales que rigen cada átomo, cada molécula del universo y cada acto en el complicado baile de los astros en sus órbitas y en el micro-ambiente de las nanopartículas. Todas responden a un patrón común, a una fuerza interna que señala su órbita de comportamiento, su radio de acción y el propósito de su existencia. Cuando el hombre interviene en el movimiento natural de las moléculas y de los átomos mediante inductores eléctricos o reactores atómicos, se produce un daño severo a la naturaleza, al medio ambiente, a la ecología del planeta y a la salud de sus habitantes. Ese mismo efecto es el que se produce cada vez que un ser humano viola una de las leyes naturales de la salud en su cuerpo, entorno, ambiente o mente.

La salud general de la población humana y animal se ha afectado por la violación constante a las leyes de la salud. Las mismas han sido mayormente ignoradas o violadas en los diferentes aspectos que tienen que ver con el buen funcionamiento del cuerpo humano, la mente, el entorno y el medio ambiente. Todo se afecta cuando se viola tan solo una de las leyes de la naturaleza, y cuando se violan muchas, mayor es el daño ecológico, ambiental y físico. Todas las enfermedades que sufre la gente tienen una causa. La medicina convencional trata el síntoma sin tomar en cuenta la causa. La medicina natural bioética, en contraposición, busca la causa, la identifica y la trata. La desaparición del síntoma es la señal inequívoca de que la causa ha sido tratada exitosamente y de que la enfermedad está curada.

Según el tratado de bioética global de Potter, muchas de las enfermedades físicas y mentales que sufre la humanidad se deben a problemas de naturaleza ambiental. Se destacan la vida en el planeta, los efectos de nuestra actividad científica y productiva y los daños provocados por la aplicación de los avances científicos. Potter señala que:

"En América Latina también tienen una incidencia importante las preocupaciones por los problemas relacionados con el poder, la igualdad y la equidad; el acceso a los servicios de salud; así como la polarización extrema de las sociedades en sectores ricos y pobres. Ello ha dado lugar a propuestas como la bioética de intervención, que asume un compromiso claro y distintivo con la superación de los problemas persistentes, junto a los problemas nuevos".[5]

La Medicina Natural Bioética cumple este propósito a cabalidad cuando provee los elementos que los pueblos y la gente necesitan para:

1. Mantenerse en salud óptima y prevenir enfermedades.

2. Crear factores ambientales favorables a la vida y a la salud general de los humanos y de los animales, plantas, agua y medio ambiente.

---

5   Van Rensselaer Potter, *Global bioethics: Building on the Leopold legacy*, Michigan: Michigan State University Press, 1988.

3. Crear métodos educativos positivos que enaltezcan la moral, la honradez y los valores.

4. Establecer un balance ecológico funcional que beneficie la política pública y la industria.

5. Economizar un presupuesto de salud que puede ser invertido para otras necesidades comunes.

Por otro lado, García, Delgado y Rodríguez en "Bioética Global: Una alternativa a la crisis de la humanidad", establece que:

"Es conocido que el origen de la nueva disciplina y el uso del neologismo *Bioético* para designarla, se remontan a los escritos de Potter. Éste la conceptualizaba como un sistema moral basado en conocimientos biológicos y valores humanos, dentro del cual los seres humanos debemos aceptar plenamente la responsabilidad por la supervivencia biológica y cultural, por nuestra supervivencia y la del resto de las especies y por la preservación del medio ambiente. De esto depende que la bioética se ocupe del cuidado y de la afirmación de la vida desde un enfoque interdisciplinario y plural, en diálogo permanente con la filosofía social y política y con la ética ambiental, también conocida como ecoética. Por ello, Potter enfatizaba en la necesidad de establecer un puente entre las ciencias biológicas y las humanidades a través de la reflexión ética, inspirado sobre todo en las nociones ecológicas reunidas en la ética de la Tierra de Aldo Leopold. De todo lo anterior, emerge la primera propuesta de Potter: la bioética; puente al futuro y puente entre ciencias y humanidades. Pero en la década siguiente, el oncólogo norteamericano se percató de que no bastaban los presupuestos ambientales en general o el establecimiento de un puente entre las ciencias y las humanidades; se hacía necesario incorporar la diversidad de la cultura humana, su heterogeneidad, para con ella incorporar las problemáticas políticas y económicas que inciden en el pensamiento ético. Al tomar estas problemáticas juntas, la bioética puente deviene en bioética global."[6]

No es fácil aplicar los principios de la bioética a las ciencias biológicas por la complejidad de sus tratamientos, la multitud de sus diferentes aplicaciones y sus complicados y múltiples procedimientos. Pero sobre todo, porque la misma naturaleza de la medicina convencional moderna es antiética en su esencia. Por consiguiente, es una ciencia que necesita revisar su filosofía práctica para que sea más humanista y menos mercantilista, y evitar que los remedios sean más dañinos que la enfermedad, como antes, cuando el médico era un abnegado servidor de quien necesitaba su servicio. La medicina moderna, invasiva e impositiva, no posee el carisma humanístico que tuvo en sus comienzos. Los profesionales de la salud en casi todos los campos de práctica e investigación necesitan de la bioética global, para que sus aplicaciones no provoquen más daño que el bien que pretenden hacer. Para evitar que eso ocurra con las medicinas naturales, hemos usado la bioética. La sostenibilidad de la vida no debe extenderse más allá del límite de la vida misma y de la fuerza natural del ser humano. El conocimiento científico y la práctica médica deben atemperarse, para que enfrenten la crisis de la humanidad en armonía.

La naturaleza original de la medicina natural, cuando parte de los principios correctos de las leyes naturales, es bioética aplicada. La vida se sostiene sobre principios de inmunología que son innatos en la naturaleza de los seres humanos y de

---

6   García, Delgado, Rodríguez, "Bioética global: Una alternativa a la crisis de la humanidad," 878.

los animales. La aplicación de los conceptos regenerativos y curativos van en armonía con las leyes naturales que rigen órganos y sistemas biológicos del cuerpo, y lo estimulan a llevar funciones regeneradoras innatas. Estas se han desviado o detenido debido a daños que han sido provocados por factores ambientales, educación mal dirigida, estilos de vida, mala alimentación, preocupaciones por problemas de subsistencia y por falta de servicios de salud adecuados a sus necesidades.

La aplicación sencilla de principios de vida armonizados con las leyes naturales y el medio ambiente, así como los cambios en el estilo de vida y alimentación, inician los procesos de regeneración que hacen la diferencia entre la enfermedad y la buena salud. Para lograr estos cambios, la bioética debe trabajar con la educación, la cual sufre la misma enfermedad que se manifiesta en la medicina biológica y en la crisis social general que afecta a la humanidad.

La necesidad de una mejor salud es el estímulo más grande para que la población mundial se disponga a estudiar e investigar cómo lograrla. El cambio que se operó a fines del siglo pasado en los hábitos de higiene, erradicó plagas de enfermedades que devastaban los pueblos y las ciudades. La educación sobre buenos hábitos de aseo personal hizo la gran diferencia. Necesitamos una ampliación de esos cambios que lograron detener grandes epidemias, y se necesita educar la población nuevamente para mejorar la salud, el medio ambiente y la ecología del planeta. Pero no podemos hacerlo desde un solo lado. Este proceso debe integrar todos los recursos humanos disponibles y todos los medios de comunicación. Debe ser un esfuerzo común, integrado y coordinado.

La sostenibilidad de la vida en el planeta, incluyendo la humana, es uno de esos asuntos emblemáticos donde la ética y el conocimiento científico establecen un importante diálogo para enfrentar la crisis de la humanidad.[7] La medicina natural bioética es el denominador común de la nueva misión educadora. No podemos esperar un cambio sin armonizar las leyes naturales al entorno familiar y personal. La educación necesita un instrumento útil y atractivo, que capture el interés de la gente para realizar el cambio. Si el dentista o el pediatra le ofrecen un dulce al niño para que se deje examinar, la lección de la salud nunca irá acompañada del ejemplo, y no entrará a la psiquis del niño como experiencia aleccionadora. Si el médico fuma o está obeso, no puede dar un buen ejemplo de salud a sus pacientes.

Todos los seres humanos rechazamos, por naturaleza, la acción invasiva de una inyección o de una vacuna. La aceptamos a falta de otra alternativa que, si se ofrece, la aceptamos gustosamente porque no duele ni hinca. La inyección es el símbolo de la medicina alopática, mientras que la cucharada o el jarabe son el símbolo de la medicina natural. Una es invasiva, mientras la otra sigue la línea de menor resistencia de la naturaleza. Cuando aplicamos estas leyes simples al estilo de vida de la gente, estamos siendo proactivos en el mantenimiento de la salud, sin necesidad de violentar la voluntad con procedimientos invasivos, muchos de los cuales tienen efectos secundarios y consecuencias terciarias. El ser humano, por su naturaleza, rechaza la invasión con violencia y la violencia con violencia. La educación ayuda a controlar la violencia, pero el mejor remedio es la paz, la cual podemos alcanzar mediante el proceso educativo razonable y parlamentario. Esa es la tónica que la medicina natural introduce en la mente humana, cuando enseña que los procesos naturales no requieren de procedimientos invasivos violentos ni dolorosos.

Casi todas las condiciones de salud se pueden tratar

---

7   García, Delgado, Rodríguez, "Bioética global: Una alternativa a la crisis de la humanidad," 878.

positivamente, sin violencia invasiva. Un niño o un adulto que tiene que inyectarse insulina dos veces al día y pincharse el dedo varias veces, aceptará cualquier otro procedimiento no invasivo para no tener que sufrir de tres a cinco pinchazos por día para mantener sus niveles de azúcar controlados. En la medicina natural se educa al paciente para que pueda eliminar el uso de insulina lo antes posible, y solo se requiere un cuidado especial en el estilo de alimentarse y en la forma de ejercitarse.

La naturaleza sigue la ley de no resistencia. La resistencia a la insulina se puede conseguir por boca y no es necesario la hincada invasiva. Usted no va a encontrar un solo diabético que prefiera seguir inyectándose varias veces al día, porque el ser humano rechaza instintivamente la violencia invasiva. La ética natural debe guiar al médico a ofrecer alternativas no invasivas a sus pacientes cuando estas existen. Debe ser prerrogativa del paciente decidir cuál tratamiento escoge. El derecho a escoger (freedom of choice) es un derecho inalienable que se viola cuando no se ofrecen las alternativas que existen.

Potter conceptualiza la bioética como un sistema moral basado en conocimientos biológicos y valores humanos, dentro del cual los seres humanos debemos aceptar plenamente la responsabilidad por la supervivencia biológica y cultural, por nuestra supervivencia y la del resto de las especies y por la preservación del medio ambiente. La infalibilidad del método no admite dudas o errores. La preservación del medio ambiente interno del individuo tiene prioridad sobre el medio ambiente externo. Un organismo contaminado con tóxicos se agotará, y según pierde energía, se convertirá en un contaminante que afectará al medio ambiente y a toda la comunidad donde reside. La causa produce un efecto y el efecto es el resultado del deterioro. La complejidad no se reduce a la incertidumbre: es la incertidumbre misma en el seno de los sistemas desorganizados. Un sistema orgánico en orden es un sistema saludablemente rico. De la misma manera que en un sistema enfermo se tiene que inyectar energía del exterior (entropía) para que pueda organizarse y comenzar a sanar, la entropía negativa puede entrar en un sistema saludable y desorganizarlo hasta llegar a enfermarlo. Del orden se puede crear el desorden, así como el desorden puede preceder al orden.

Los procesos biológicos siguen leyes y patrones naturales que responden invariablemente a la existencia de leyes naturales. Son leyes que en su mayoría se pueden expresar en fórmulas químicas matemáticas, y que mantienen patrones de comportamientos estables y constantes. Una constante muy conocida es que "la distancia más corta entre dos puntos es una línea recta". Esa constante es una ley natural expresada por la observación y comprobada por la medición.

Cuando usted viaja a un lugar desconocido y toma un taxi para que lo lleve a un lugar, no puede saber si el conductor está aplicando esta ley en su ruta o si está utilizando el camino más largo. Usted corre un riesgo cuando el conductor del taxi ejerce su criterio, al igual que el conductor, si es deshonesto, se corre el riesgo de que usted conozca la ruta y lo obligue a ir por ella. Es obvio que usted desea llegar lo más pronto posible a su destino y a la vez economizar dinero, pero las circunstancias pueden ser adversas a ambas metas si usted no conoce la ruta y si el taxista no es honesto. En ese caso, la ética no se respeta y las consecuencias las paga usted. Lo mismo ocurre con los procesos de salud cuando no se vive en armonía con las leyes de la naturaleza, o cuando se desconocen las mismas y se vive el día a día sin hacer una buena planificación de la ruta saludable. Puede ser que un día le despierte un fuerte dolor en el costado y el médico le diga que es una piedra en la vesícula o en el riñón, camino de la vejiga, o se siente muy mal y le da un dolor de pecho, y le descubren que tiene la presión arterial muy alta. Usted está muy ocupado, tiene muchas responsabilidades sobre sí, pero tiene que dejarlo todo a un lado y aceptar recluirse en un hospital en lo que se estabiliza la condición. De ahí en adelante tiene que tomar uno o dos medicamentos, atenderse todo el tiempo y bajar el ritmo de trabajo, justo cuando estaba logrando sus metas y le faltaba poco para alcanzarlas. Esa es una realidad que viven cientos de personas a diario en todas partes del mundo. Las circunstancias individuales pueden variar de una persona a otra, pero la ocurrencia es real y se da en situaciones inesperadas cuando menos se desean y se pueden atender. La urgencia cambia el panorama de lo que se estaba haciendo y paraliza el trabajo, el viaje, los proyectos y todo lo relacionado. Algunos no pueden continuar sus tareas y otros no las retoman nunca, porque el estilo de vida y las circunstancias cambian para siempre.

¿Cómo se pueden evitar estos contratiempos de salud que no avisan, esperan o se pueden posponer? Existen muchos estudios científicos al respecto. En su mayoría señalan que la clave es una buena alimentación, no fumar, no beber alcohol, hacer ejercicio y aprender a librarse del estrés extremo. Esto ayuda a evitar a una edad temprana esos incidentes desgraciados que describimos anteriormente, y que por lo general, interrumpen el ritmo de vida de quien los sufre. Son muchos los que caen en las salas de emergencia con este tipo de problemas.

La medicina natural se puede convertir en la regla y no en la excepción. Muchas personas están aprendiendo a vivir en armonía con las leyes sencillas de la naturaleza y adoptando cambios permanentes en su estilo de vida y de alimentación. Tienen una relación más personal con su alimentación y con las necesidades básicas de su organismo en la calidad del alimento, el descanso adecuado y la paz mental. ¿Por qué lo hacen? ¿Qué los motiva a hacer el cambio? ¿Qué beneficios obtuvieron? Los que se aventuraron a hacer el cambio, en su mayoría, fueron personas que sufrían de enfermedades y condiciones que limitaban e incapacitaban y eran dolorosas, crónicas y agudas tales como artritis, diabetes, fibromialgia, hipertensión y muchas otras relacionadas a los sistemas inmunológico y digestivo y al cerebro. Estas condiciones, que acortan la vida y reducen la calidad de vida de quienes las padecen, fueron motivo del cambio para quienes las estaban padeciendo. Estas personas, cansadas de tomar todo tipo de fármacos y de inyectarse insulina varias veces al día, decidieron hacer el cambio cuando escucharon hablar de los beneficios de la medicina natural. Probaron por varios días y notaron que la naturaleza del cambio era notable y promisoria en extremo. El alivio, casi inmediato, alentó en ellos el deseo de superar la crisis de dolor y el uso de insulinas.

Esa tendencia, la búsqueda de alternativas naturales, se ha propagado en los Estados Unidos, América Latina, Europa y en muchos de los países asiáticos. Es una situación transdisciplinaria que se usa de forma natural y espontánea, debido a que la naturopatía tradicional aporta importantes elementos que la medicina alópata no tiene. La naturopatía trasciende a niveles de percepción y de realidad ascendente y pertinente debido a su naturaleza curativa, a que no presenta efectos secundarios o colaterales, reduce enormemente la responsabilidad legal y profesional del médico que la recomienda, y se fundamenta con principios científicos comprobables. Su filosofía está basada en los principios establecidos por el padre de la medicina moderna, el gran sabio Hipócrates, quien puede reclamar paternidad biológica sobre ambos conceptos: la medicina alópata y la medicina natural. Esta última desciende del concepto hipocrático "Natura Medicatrix" y del "alimento-medicina y medicina alimento". La medicina alopática convencional, sin embargo, se ha alejado de ese concepto desde que adoptó el uso de drogas químicas y antibióticos.

No obstante, ambas medicinas, la medicina natural naturopática y la medicina convencional alópata, comparten una misma base científica que se ha ido inclinando a favor de la medicina natural y en contra de la alopática. Toda la investigación científica de los últimos cincuenta años ha acumulado una enorme cantidad de información comprobada, que trasciende en todos los círculos científicos y en los hallazgos de las grandes instituciones de investigación. Estas investigaciones confirman todos y cada uno de los postulados y señalamientos que la naturopatía ha defendido y que establecen una filosofía transdisciplinaria de gran trascendencia, la cual fortalece la naturopatía en sus reclamos. La posicionan favorablemente en su razón existencial como alternativa viable, que debe ser tomada en cuenta para satisfacer las necesidades de salud de un mundo enfermo que no tiene remedios eficaces para tratar y curar las enfermedades tradicionales. Estas se han vuelto populares y comunes, porque todos las sufren en una u otra intensidad, agudeza o gravedad sin que exista, a pesar de todo el avance científico y tecnológico, una medicina que las cure.

Cuando señalamos la trascendencia de la medicina natural, tenemos también que hacer referencia a la que ha tenido la medicina alópata. No debemos cuantificarlo en años o meses porque ha sido un proceso gradual. A pesar del oficialismo impositor en que se desenvuelve libremente la alopatía convencional, endosada por los gobiernos de todos los países del mundo y de los grandes consorcios farmacéuticos, la misma ha reflejado un deterioro en la efectividad de los tratamientos, procedimientos y medicamentos. Estos no han podido satisfacer las necesidades esenciales de los enfermos, o las enfermedades creadas, ni prevenir proliferación de los nuevos virus o súper bacterias que han surgido. Dependen de los súper antibióticos y de drogas tóxicas para crear vacunas que controlen el progreso de estas plagas modernas.

En la desenfrenada carrera de los científicos en busca de la "cura" mágica o radical para las enfermedades que sufre la gente, han hallado evidencia de otras alternativas que pueden resolver el problema de las enfermedades. En esa búsqueda de soluciones maravillosas, que le puedan ofrecer a sus consorcios financieros una esperanza de encontrar la droga maravillosa que cure la enfermedad, han dejado la evidencia real a un lado y han perdido la verdadera perspectiva. La medicina natural es la alternativa viable, efectiva y económica.

La trascendencia de la medicina natural, naturopatía o medicina alternativa en los últimos años nos obliga a aclarar los conceptos que identifican cada una de estas nomenclaturas. Estas disciplinas tienen diferencias, aunque a primera vista y para muchos puedan parecer ser lo mismo. Medicina natural es la versión tradicional y primitiva de curar las enfermedades y tratar ciertos accidentes. Se aplican remedios de la naturaleza como agua, plantas y yerbas medicinales, lodo, luz solar, descanso y alimento. Esa versión existe en todos los pueblos y culturas del mundo. La aplicación de los remedios naturales es parte de su cultura y tradición. Por otro lado, la medicina alternativa surge más adelante, cuando los remedios naturales a base de plantas medicinales se envasan y se encapsulan comercialmente y se les añaden vitaminas, minerales y aminoácidos, junto a miles de otras fórmulas que se confeccionan para diferentes usos y propósitos.

En Estados Unidos esta tendencia fue liderada por el Dr. Linus Pauling,[8] Paavo Airola[9] y la Fundación de Robert Bradford, quienes iniciaron la corriente alterna. La misma le brindaba a los médicos la oportunidad de sustituir drogas y químicos con efectos secundarios por suplementos herbarios

---

8   Premio Nobel de Química en 1954 y Premio Nobel de la Paz en 1962.

9   Presidente de la Academia Nacional de Medicina Biológica, autor de 14 libros

y nutri-fórmulas. Con estos se trataban condiciones que las drogas no estaban combatiendo eficazmente, y que además, estaban produciendo efectos secundarios en perjuicio del organismo.

Los médicos siguieron actuando bajo la misma filosofía de atacar el mal y eliminar el síntoma, utilizando fórmulas naturales con menos daño que las drogas. No obstante, su posición ante el síntoma y la causa no cambió ni se modificó, excepto por la naturaleza del fármaco que se sustituyó por la fórmula natural. La "Medicina Alternativa" ha seguido creando nuevas fórmulas naturales, semi-naturales y no tan naturales. Ha tenido éxito, en teoría, y ha recibido la aceptación y el beneplácito del público que la solicita, la prefiere y paga bien el servicio que el médico le ofrece. Es así como la "Medicina Alternativa" logra acomodarse en el muy controlado mundo de la salud o de la *insalubridad profesional* que caracteriza al mundo médico-comercial.

La "Medicina Alternativa" es, en esencia, la práctica médica convencional que utiliza productos y fórmulas químicas o naturales con pocos o ningunos efectos secundarios. De esta práctica surgió una escuela de medicina naturopática que se oficializó y de la cual existen varias versiones en los Estados Unidos y Canadá. El único factor de éxito que ha tenido se basa en la confusión que ha creado entre la corriente de alternativa y la práctica naturopática de usar fórmulas herbarias y homeopáticas para tratar los síntomas al estilo de la medicina alópata. En este caso, la preparación de profesionales para practicarla ha sido lenta, porque los resultados han sido medianamente exitosos en la medida en que tanto el paciente como el médico interactúan tratando siempre el síntoma.

Desde mi perspectiva, la medicina alópata convencional se ha caracterizado por el fracaso en curar enfermedades comunes. Igualmente, la medicina de alternativa o naturopática no es alopática ni naturopatía sino un híbrido, y solo se sostiene de las prácticas de la filosofía naturista que pretenden practicar con poco éxito al no tratar la causa sino el síntoma, al igual que lo hace la medicina convencional. La diferencia que la hace atractiva para la gente es que no usa drogas tóxicas en su tratamiento, pero no tiene probabilidades de crecimiento ni éxito cuando se mide contra la estatura profesional y científica de la naturopatía tradicional. A esta la hemos reforzado con un elemento ético, y nombrado "Naturopatía bioética", versión que junto a mis hijos y asociados hemos creado para separar la paja del trigo. La naturopatía bioética trasciende los conceptos filosóficos naturopáticos y se convierte en una práctica pura, limpia de impurezas científicas y de medicamentos convencionales. Es un concepto naturo-científico emergente de la naturopatía tradicional, que es aceptado en la práctica dentro de los parámetros naturales porque no hace daño ni produce efectos secundarios, y es cónsona con los descubrimientos científicos que la sostienen como ciencia transdisciplinaria y global, capaz de resolver la mayor parte de los problemas de salud de la humanidad de forma efectiva y económica.

La naturopatía científica no se aparta del concepto natural tradicional de plantas y yerbas medicinales, pero incorpora productos procesados de forma natural. Estos no deben contener elementos químicos añadidos ni sustancias de origen animal que de alguna manera puedan producir daño o confusión al sistema inmunológico, o que puedan introducir elementos tóxicos al sistema.

La medicina natural o naturopatía bioética es inmunología aplicada. Parte de la premisa de que nuestro cuerpo rechaza y destruye toda célula proveniente de congéneres o de animales. Esta es la clave para entender la reacción natural y el funcionamiento de un sistema inmunológico humano sano, que actúa sobre toda proteína extraña y la destruye. La acción de identificar, rechazar y destruir es una acción compleja en la que se envuelven las defensas inmunológicas y las células de la sangre, las cuales reaccionan fuertemente ante cualquier contacto o penetración extraña.

Las células blancas de la sangre se muestran algo bajas en vegetarianos que no consumen proteínas de origen animal, debido a que la respuesta inmunológica es baja cuando no hay provocación de origen extraño. Tan pronto la persona ingiere cualquier elemento que provenga de animales, o entra en contacto con animales, la respuesta inmunológica es aumentar sus reservas; las células blancas de la sangre aumentan de inmediato. Algunos sujetos son más sensibles que otros a esta reacción, pero el tipo de sangre y la genética son los elementos determinantes en la reacción.

En mi trabajo de 50 años de experimentación humana en este campo de la investigación, pude observar los cambios inmunológicos que operan en la alineación de las defensas y en todos los parámetros del laboratorio clínico de las pruebas de sangre, que para todos los fines responden mayormente a factores nutricionales.

Dado el caso que la práctica de la naturopatía está segmentada en diferentes tendencias filosóficas y tradicionales, se hace indispensable que los parámetros de esta ciencia sean meridianamente ordenados. Esto permitirá que su aplicación sea estudiada en todo el mundo para beneficio de todos y para la supervivencia científica de la misma.

Basarab Nicolescu,[10] en su manifiesto de Transdisciplinariedad, afirma que:

"...existe una relación directa entre la lógica y el entorno físico, químico, biológico, psíquico, macro

---

10 Físico cuántico rumano que ha creado en París el instituto interdisciplinar CIRET.

o micro-sociológico. El entorno, tanto como el saber y la comprensión, cambian con el tiempo. Entonces, la lógica no puede tener más que un fundamento empírico. La noción de historia de la lógica es muy reciente, aparece sólo a mediados del siglo XIX. Poco tiempo después aparece otra noción importante de la Historia del Universo. Antes, el universo, como lógica era considerado como eterno e inmutable."[11]

El tiempo y las circunstancias han demostrado que lo mismo está ocurriendo con la medicina alopática convencional. Ahora todo cambia. A la luz de la investigación científica contemporánea, la deslumbrante medicina alopática que impresionó al mundo con sus avances científicos y tecnológicos se queda atrás tratando de curar enfermedades comunes. Paradójicamente, el tratado hipocrático que establece que la medicina debe ser el alimento y éste debe ser la medicina es la piedra angular de la medicina alopática y el fundamento filosófico de la Medicina Natural. Por lo tanto, ambas comparten esa paternidad biológica que surge de la ciencia más antigua y conceptual, la única que existía para su tiempo: la ciencia de la naturaleza que se transforma modernamente en la ingeniería nutricional.

Este concepto hace de la medicina bioética natural un campo de estudios. Además prueba que aunque haya sido discutido en el foro científico de varias universidades y escuelas de medicina en diferentes partes del mundo, el concepto es innovador y muy pertinente para establecer que el paso que la medicina alópata ha dado al desviarse de las fuentes originales de las ciencias naturales, y recurrir a las drogas en vez de los tratamientos naturales, ha sido un paso destructivo que le ha costado la vida a millones de personas quienes han sufrido las consecuencias tóxicas de los

---

11 Basarab Nicolescu, *La transdisciplinariedad, manifiesto* (Sonora, Multiversidad Mundo Real Edgar Morín, A. C., 1996), 27-28.

medicamentos químicos y sus efectos secundarios.

La naturopatía bioética toma la iniciativa, y se convierte en la alternativa que traza el rumbo de los conceptos curativos de avanzada, y que señala la causa y la trata exitosamente, tanto en la fase preventiva como en la activa. Señalamos anteriormente que la naturopatía bioética es inmunología aplicada y que la medicina alópata trata los síntomas independientemente de su causa. Por ejemplo, en la medicina alópata una reacción alérgica que surge como consecuencia de un contacto con una sustancia tóxica, se trata suprimiendo el sistema inmunológico. Tanto el inmunosupresor químico como el tóxico que causó la reacción permanecen en el organismo, lo que provoca un aumento de sedimentación tóxica en la sangre y en los sistemas que se van a afectar. La señal de rechazo que el cuerpo manifestó originalmente a través del síntoma fue ignorada.

Si el síntoma se suprime químicamente (suprimiendo la reacción inmunológica normal), tarde o temprano el sistema volverá a emitir la misma señal con síntomas más agudos y graves. La causa no se trató, y el síntoma reaparece o se transforma en otra condición aguda. Después de varias supresiones, el sistema inmunológico se conforma al medicamento supresor y al tóxico que causó la condición o reacción original y lo tolera en primera instancia. Eso no resolvió el problema, pero logró desaparecer el síntoma original, aunque la causa sigue latente porque no fue tratada. Sumar la toxicidad del inmunosupresor al problema original resulta en una condición mucho más grave y peligrosa que se manifestará posteriormente.

En la naturopatía bioética se trata la causa, se corrige el defecto que causó el problema original y se instruye al paciente, educándolo en buenas prácticas de vida que aportan una ayuda sustancial para evitar que la causa regrese o se empeore. Esa fase preventiva de la naturopatía es lo que hace la gran diferencia entre una y otra forma de tratamiento. No se entretiene al paciente con citas médicas continuas, ni ensayando distintos tratamientos farmacológicos. Una vez se identifica la causa, el primer paso es educar al paciente y enseñarlo a prevenirla.

Sin embargo, tanto el médico naturopático como el médico convencional que practica la medicina alternativa van a usar medicamentos homeopáticos o fórmulas herbarias adaptogénicas[12] para tratar la condición al estilo alopático. Esas sustancias no necesariamente pasan la prueba de la naturopatía bioética ni siguen el protocolo natural a tono con las leyes de la naturaleza. En muchas ocasiones se violan preceptos vitales de la virginidad inmunológica que debe ser inviolable, que se debe mantener pura para que nos proteja siempre. El organismo funciona en fases aparentemente normales bajo drogas inmunosupresoras o con esteroides, ajustándose a nuevos patrones que confunden al médico que administró los medicamentos químicos y al paciente que los recibió, quienes creen que al desaparecer el síntoma el problema está curado.

La aparente estabilidad de la condición es como estar en el ojo de la tormenta, donde se avecina la próxima crisis. La misma va a depender del tiempo que le tome al sistema inmunológico analizar la situación bajo el efecto del medicamento químico, y crear una nueva estrategia orgánica defensiva tan pronto tenga los recursos necesarios para lograrlo. Para la medicina convencional alópata, será una recaída; para la naturopatía, será una crisis curativa que revivirá un proceso de desintoxicación de los químicos; y para el paciente, será una forma de educación que le permitirá

---

12 El científico ruso Dr. Nicolai Lazarev llamó adaptógenos a las sustancias naturales que, según la Teoría Sistémica, se encuentran solamente en unas cuantas plantas y hierbas raras. Las plantas y hierbas proporcionan nutrientes especiales que ayudan al cuerpo a alcanzar un rendimiento óptimo mental, físico y de trabajo.

entender la fase por la cual está pasando. No es común que los médicos entiendan este proceso, y menos que se lo comuniquen al paciente.

En la práctica de la medicina moderna, el paciente ha perdido la capacidad y el derecho a opinar. Desde que es recogido por la ambulancia, o desde que entra al hospital, se convierte en un objeto de trabajo. Los profesionales de la salud que lo atienden toman decisiones sobre su cuerpo, y deciden todo lo que ellos entienden se debe hacer sin consultar al paciente. Este, o sus familiares, ya han firmado el documento de liberación de responsabilidad.

La base filosófica de la naturopatía bioética se establece sobre leyes naturales y principios ético-biológicos que no admiten versiones personalistas ni interpretaciones acomodaticias hechas a la orden de quién paga. La ley de causa y efecto es universal: puede aplicar lo mismo de causa a efecto como de efecto a causa. Para vivir en armonía con las leyes naturales se deben conocer las leyes de la salud y vivir en concordia con sus postulados. Los elementos básicos de esa ley son de respeto absoluto por la naturaleza: no matar, mentir, adulterar o levantar falsas expectativas, descansar adecuadamente y vivir en paz y armonía con todos.

Las leyes naturales son leyes universales de vida y de salud. Tienen una parte moral, biológica y cósmica. Una sola de sus partes que se rompa, se viole o se descuide, inicia una serie de eventos negativos para la gente. Afecta la seguridad pública, la moral, la cultura, la vida en sociedad, la ecología: en general, toda la vida del planeta y de sus habitantes.[13]

---

13 La necesidad y urgencia de actuar con responsabilidad y compromiso se enfatiza en la Carta Encíclica, *Laudato Si'*, del 24 de mayo de 2015 del Papa Francisco, quien hace un llamado "Sobre el cuidado de la casa común"; nuestro planeta Tierra.

PARTE II

NATUROPATÍA BIOÉTICA

Dr. Norman González Chacón

CAPÍTULO 1

NATUROPATÍA BIOÉTICA

La bioética tiene connotaciones trascendentales en todas las fases de la vida, pues nos ayuda a comportarnos a la altura de las más altas normas de moral, educación, conversación y práctica de la profesión que hemos escogido y el estilo de vida que seleccionamos para vivir. La bioética es una filosofía, y como tal no ejerce una coacción moral sobre la medicina. Sin embargo, establece criterios personales, reflexiones de consagración, vías de comportamiento, maneras de decidir y alternativas para actuar sobre una base profesional y ética que sea invulnerable, justa, moral, correcta en todos los términos y sobre todo, aceptada por el entorno social presente.

En la medicina convencional se discuten la preservación mecánica de la vida, la eutanasia, las quimioterapias, la personalidad legal del feto, las transfusiones de sangre, la donación de órganos y muchas otras situaciones clínicas. Éstas pueden divagar entre la moral religiosa, la responsabilidad médica del profesional, el deseo de servir, los aspectos legales y la seguridad de actuar correctamente.

La bioética nos ayuda a organizar el pensamiento y se convierte, cuando la sabemos aplicar, en una herramienta tan útil como el bisturí del cirujano, el nivel del constructor, o el hacha del leñador. La bioética nos puede señalar el camino a seguir cuando la razón puede estar inclinándose hacia el lado de la balanza de quien la esté operando, o cuando la justicia tienda a inclinarse hacia el lado que le conviene a quien la administra.

En la medicina moderna se discuten muchos temas en los que la ética se debate entre las diversas opiniones morales, religiosas, clínicas, médicas y legales. La bioética debe ser el faro que ilumine la costa para el navegante. No existe otra ciencia que determine la conducta a seguir de un profesional que tiene que tomar decisiones tan extremas como amputar una pierna, realizar un aborto, desconectar a un paciente de un respirador, o determinar quien vive o quien muere. En la medicina natural no hay que tomar decisiones extremas de vida o muerte, pero la vida y la salud de las personas puede estar en las manos del profesional que la administra y eso, en grados de responsabilidad, es tan importante como la decisión del cirujano sobre la vida de su paciente.

La bioética es una filosofía que, si se desarrolla correctamente, nos puede dar el discernimiento para tomar decisiones, incluso en situaciones complejas, que de otra manera no podríamos acertar. Y si las tomáramos, estaríamos sujetos a cuestionamientos de todo tipo que podrían ponernos en situaciones muy comprometedoras, o que pondrían a prueba nuestra conciencia.

La Medicina Natural, por ser una ciencia innata, no nos exime de responsabilidades inherentes en su práctica cuando la aplicamos a otros semejantes, y su aplicación nos obliga a ser cuidadosos y morales para no incurrir en riesgos legales de responsabilidad o de daño físico a la persona. Por otro lado, la medicina natural no ha sido estandarizada en su práctica como la medicina convencional, y existe el peligro de que se practique o aplique incorrectamente y no sea efectiva. Por lo tanto, antes de que sus prácticas sean cuestionadas, se debe establecer un código de ética que defina las bases sobre las cuales se practique y una filosofía que la rija.

El Instituto Bioético Dr. Norman's es una institución que ha trascendido en la práctica ética y moral de la Medicina Natural en cuanto a la aplicación de estrictas leyes naturales y los postulados científicos que dan base a ciencias naturales como la física, la química, la biología y la inmunología. Esta última, como el motor principal que establece el funcionamiento del sistema inmunológico innato y fundamento de los principios naturales.

Esas dos vertientes originales son los fundamentos morales y científicos que le dan la base estructural a la medicina natural: las leyes naturales y las leyes biológicas. Aunque las leyes biológicas son ciencias naturales, hay que distinguirlas de otro código de leyes naturales que no se estudian como tales en las escuelas de ciencias convencionales y que son la zapata y fundamento de toda ciencia. Estas leyes naturales, o ciencias de la naturaleza como las llamamos para distinguirlas, son parte de un código antiguo de características eternas que sustentan la pureza inviolable de la medicina natural, y la preservan para que no se contamine o se confunda al mezclarse con elementos que se salen del parámetro natural y de las leyes de la naturaleza, como ha ocurrido con la medicina convencional alópata.

La medicina alópata convencional ha utilizado la química aislada de las ciencias naturales, desnaturalizando los ingredientes activos de las plantas y sintetizándolas en el laboratorio. Mientras, la Medicina Natural sí es genuina, está bien fundamentada, y utiliza los elementos de la naturaleza en su estado original y natural sin cambiar su esencia.

Los Elementos Naturales Básicos

Los elementos de la naturaleza son: aire, tierra, agua, fuego, plantas, hierbas, frutas y vegetales. Cuando se sigue el postulado del padre de la Medicina, Hipócrates, la medicina debe ser el alimento y el alimento deber ser la medicina. Todo lo que no son frutas y vegetales en este grupo de elementos no son complementos necesarios en el proceso de supervivencia saludable, cuando se vive en armonía con las leyes de la Naturaleza.

Para que la medicina natural sobreviva exitosamente y sirva de alternativa de salud al Mundo, tiene que mantener la pureza de los elementos que le sirven de la naturaleza misma. Por lo tanto, no se deben tolerar alimentos alterados genéticamente, híbridos, suplementos químicamente procesados, productos derivados de animales o los sintéticos o modificados por tecnología molecular. Tampoco se deben tolerar los fertilizados químicamente o con abonos de excremento de animales.

Dijo el sabio José Tomás Poe,[14] "Vivimos en una época de muchas preguntas. El mundo que nos rodea ofrece sus respuestas en abundancia, pero no siempre son confiables; las respuestas autorizadas las encontramos en la Biblia. Utilicemos el presente como auxiliar para conducirnos a esas respuestas divinas. Y una vez encontradas, ¡prediquémoslas y practiquémoslas!"

Cada una de las leyes de la Naturaleza está expresada de una u otra manera como recomendaciones o mandatos en diferentes textos sagrados. Es la evidencia más antigua referente a estas leyes que se conoce, y con el paso del tiempo estas recomendaciones o mandatos han probado ser hitos imborrables en la historia de la humanidad.

De igual manera, podemos encontrar en algunos de estos textos los siete remedios de la naturaleza en todo su poder curativo. En el texto de Génesis, por ejemplo, podemos leer que en el jardín del Edén habían árboles frutales de todo tipo, y estos constituían el alimento perfecto para sostener la vida, proveer energía y satisfacer su apetito. La creación fue perfecta. El alimento necesario estaba disponible y era

---

14 Autor de libros cristianos, entre ellos, Missions for a New Century (2002); A House for All Nations (2004).

suficiente para que las criaturas se alimentaran saludablemente.

El ser humano necesita retornar al "Edén perdido" a través de la medicina natural. Aunque es una metáfora que no se puede hacer realidad literalmente, si establecemos patrones similares obtendremos resultados iguales.

La Bioética Como Guía

La Bioética Natural tiene como principio fundamental la re-educación del ser humano en su estilo de vida para que no pase por la experiencia de la enfermedad. La enfermedad no es un accidente, y no es una epidemia que se transmite por virus o bacterias. La enfermedad es un proceso de degeneración que el cuerpo humano sufre como resultado de su estilo de vida y alimentación. Envejecemos en la medida que pasa el tiempo, y no aprendemos a alimentarnos correctamente.

Participamos de un colectivo social que glorifica la buena mesa, la comida "gourmet", los agasajos opíparos que complacen el paladar, y los restaurantes de todo tipo compiten para atraer a todos los que tienen hambre y necesidad de comer.

En la planificación urbana de los pueblos y ciudades de Norteamérica en los tiempos de la colonización, se ubicaba una iglesia en cada cuadra. Por ley, se dejaba un solar por cuadra para la edificación de una iglesia. Actualmente, en cada cuadra de una ciudad moderna podemos ver varios restaurantes de comida rápida que dominan las áreas comerciales, en lugares estratégicos accesibles a todos. Antes solo existía una posada por pueblo para albergar y alimentar al viajero que pasaba incidentalmente.

La sobrealimentación, que antes se llamaba gula y se resumía en obesidad, hoy día es el denominador común causante de la mayoría de los problemas de salud que sufre la gente. El exceso de grasas y proteínas es la causa de enfermedades obstructoras de las arterias y el corazón. Por otro lado, el exceso de almidones complejos son la causa de diabetes y otras enfermedades degenerativas y de cáncer.

La gente se enferma de lo que comen y por lo que comen. El sistema se limita a recomendar una "buena" alimentación, y la mayoría de las personas están convencidas de que llevan una buena alimentación y no se van a enfermar, hasta que se enferman. Cuando se enferman, entonces piensan que la enfermedad es por herencia, virus, bacterias o por otras razones que nada tienen que ver con lo que comieron durante toda su vida hasta el día en que enfermaron.

Cuando un anciano de 100 años o más celebra su cumpleaños, a todos les interesa saber sobre sus hábitos de alimentación y el porqué de su longevidad. Pero cuando la gente muere joven nadie pregunta, y a nadie le interesa saber la razón temprana de su muerte. Nadie asocia la alimentación con la enfermedad y la muerte cuando se trata de gente muy joven, pero instintivamente a todos les interesa saber las razones de la longevidad de un anciano centenario.

La medicina natural establece los parámetros necesarios para que una persona no se enferme ni sufra de enfermedades comunes o populares. Las enfermedades comunes o populares son aquellas que sufre todo el mundo en todas partes. Por ejemplo: hipertensión, enfermedades circulatorias, artritis, enfermedades autoinmunes, diabetes y cáncer.

Esas son las enfermedades populares que sufre la gente y que están relacionadas al estilo de vida y alimentación. Como son causa directa de factores alimentarios, cuando usted quiera curarlas debe tratarlas alimentariamente. Pero la medicina moderna no trata la causa, y se limita a tratar los síntomas con drogas químicas que, a su vez, causan otras enfermedades y problemas. Esta práctica se debe considerar una violación a la bioética y un desprecio a la vida y sufrimiento de la gente que, por ignorancia o exceso de confianza, caen víctimas de ese sistema.

La Bioética Como Acción Preventiva

La bioética natural tiene que estar encaminada primeramente a educar y a prevenir. La educación de las masas en estos tiempos debe hacerse a través de los medios masivos de comunicación, para llegar a todas las comunidades y a individuos que desean prevenir todas esas enfermedades populares y no enfermarse. También se debe educar desde la escuela.

Comunicación Masiva

A través de los medios, la gente aprende a ejercer su cuidado personal, a desarrollar su autoestima y la responsabilidad sobre su salud y práctica de la prevención. De esa manera, se va cambiando el patrón paternalista que los gobiernos han creado de proveerle todos los servicios de salud a la gente sin exigirles, por lo menos, que aprendan a cuidar su alimentación y a mantenerse en un peso saludable. Eso es lo mínimo que se les puede exigir a cambio.

Responsabilidad Civil

Una persona que no cuida su salud debe ser responsabilizada por negligencia propia y sancionada a pagar los costos de su descuido. No debe ser responsabilidad del Estado incurrir en costosos tratamientos médicos clínicos y farmacéuticos cuando la persona ha sido negligente con su salud y ha descuidado algo tan importante como eso. Peor aún, si ha fumado, tomado bebidas alcohólicas y está obesa.

Según se sanciona el manejar un automóvil

negligentemente y causar daños a personas o propiedades, así se debe sancionar a quien vive de forma descuidada y se hace daño a sí mismo. Por lo menos, debe pagar por los gastos médicos que su negligencia acarrea. NO debe usarse dinero del fisco para gastos médicos de quienes no han sido responsables de su salud personal, excepto en una urgencia por accidente. Es una injusticia contra todos los que pagan contribuciones y cuidan su salud para no enfermarse.

El Costo De La Salud

El sistema de salud no ha sido consistente en relacionar las diferentes enfermedades con el estilo de vida y alimentación de la gente. La medicina convencional que el Estado patrocina en sus instituciones clínicas, constituye uno de los gastos más altos del presupuesto nacional, y el costo de los servicios de salud aumenta de año a año en todos los renglones y especialidades.

La Alternativa

Ningún gobierno sensato puede ofrecer estos servicios gratuitamente a todos sus ciudadanos todo el tiempo sin comprometer la solvencia de otras agencias públicas y servicios generales. La medicina natural, por ser simple y económica, ofrece ser una alternativa viable que debe tomarse en cuenta por su eficacia logística, pues obliga a los enfermos a tomar conciencia de la razón por la cual se enferman y provee medicina de muy bajo costo al que genuinamente desea curarse y está dispuesto a entender y aceptar el concepto.

Educar A Los Niños

Hay que comenzar a educar a los niños en las escuelas desde la primaria para que aprendan a cuidar su salud, su alimentación y hagan ejercicio. Si educamos correctamente, las enfermedades y los crímenes disminuirán en esa misma proporción y la delincuencia se reducirá a un mínimo que no será socialmente visible.

Cultivar La Tierra

Además de educarlos, hay que proveerles alimentación rica en nutrientes y sana en todo el sentido de la expresión natural. Si aprenden a comer de los frutos de la tierra, aprenderán a cuidar su cuerpo y el ambiente que nos provee el alimento. Al cuidar de la tierra y de su alimentación, uno de los preceptos importantes que se deben enseñar es el respeto por la salud y por la vida de las criaturas y de los semejantes. No matar los animales es la lección básica para respetar la vida ajena. *El carnivorismo es violencia y la violencia engendra violencia.*[15]

Estudios realizados en instituciones de retención juvenil en los Estados Unidos y otros países han revelado que, en la medida en que se restringe la alimentación de los reclusos de ciertos elementos comestibles, se reduce la violencia y el comportamiento hostil de los confinados. La reducción de azúcar, leche y trigo en la dieta de los confinados disminuyó los casos de violencia interna y peleas. Esto mejoró notablemente la conducta general de los reclusos[16].

Otros estudios revelan que más de un 75% de los crímenes que se cometen en las calles ocurren entre los 15 minutos y una hora después del atacante haber consumido comida chatarra en un restaurante de comida rápida.[17]

Los doctores C. José Félix García Rodríguez y el Dr. Gustavo Adolfo Rodríguez León de la Universidad Juárez

---

15 Frase muy utilizada por el Dr. Norman Chacón González.
16 Nutritional influences on mental illness, second edition. Melvin M. Werbach, MD
17 Lendon H. Smith. *Improving your Child's Behavior Chemistry.* Englewood Cliffs, Prentice Hall; 1974.

Autónoma de Tabasco escribieron y citamos:

> "El concepto de bioética empieza a formarse a partir de los escritos de Potter, quién la conceptualizaba como un sistema moral basado en conocimientos biológicos y valores humanos, dentro del cual, el hombre debe aceptar plenamente su responsabilidad por la supervivencia en el mundo, tanto biológica como cultural, así como en la preservación del medio ambiente".

La bioética se ocupa del cuidado y afirmación de la vida desde un enfoque interdisciplinario y plural, en diálogo permanente con la filosofía social y política y con la ética ambiental, también conocida como ecoética. En síntesis, la bioética abarca la complejidad de diferentes campos de estudio como la biósfera, la tecnosfera, los individuos y los aspectos sociales, culturales, económicos, jurídicos y políticos.

Por ello, Potter[18] enfatizaba en la necesidad de establecer un puente entre las ciencias biológicas y las humanidades a través de la reflexión ética, inspirado sobre todo en la noción de bioética ecológica, supervivencia y ética de la tierra de Aldo Leopold.[19] El concepto de Bioética Global emerge de todo lo anterior.

Cabe aclarar que existe una fuerte tendencia a equiparar la bioética con la ética médica, cuyos fundamentos filosóficos

---

18 Van Rensselaer Potter fue un destacado bioquímico estadounidense y oncólogo. La primera vez que utilizó Potter el neologismo "bioética" (bioethics) fue en un artículo. Su propuesta era crear una disciplina que integrara la biología, la ecología, la medicina y los valores humanos.
19 Aldo Leopold (1887-1948) fue un silvicultor, ecólogo y ambientalista. Es considerado como el padre de la gestión de la vida silvestre.

se remontan al famoso juramento hipocrático, el código de ética médica que más ha influido en la medicina occidental. Así, diversos autores como Albert Jansen[20] sostienen que la bioética surge en el ámbito de la práctica médica por virtud del fuerte cuestionamiento a la investigación en animales, seres humanos, y en general, a los dilemas planteados por la aplicación de los avances tecnológico-científicos en el campo de la medicina dentro del marco de una sociedad compleja, dinámica y multicultural, todo lo cual da origen a la conocida Declaración de Helsinki en 1969,[21] así como al informe Belmont[22] en 1978.

Por lo anterior expresado, es importante aclarar que la bioética comprende a la ética médica en sí, pero no se limita a ella. Así, en tanto la ética médica, en su sentido tradicional, trata únicamente los problemas relacionados con juicios de valor derivados de la relación entre el médico y el paciente, la bioética constituye un concepto mucho más amplio y profundo ya que además de incluir los dominios de la ética médica, se aplica también a las investigaciones biomédicas sobre el comportamiento. Además, aborda una gama diversa de planteamientos sociales, como las relacionadas con la salud pública, la salud ocupacional e internacional y la ética del control de la natalidad. Además de todo esto, la bioética va más allá de la vida y la salud del ser humano ya que considera también asuntos relacionados con la vida de los animales y las plantas, así como la preservación del medio ambiente.

---

20 Innovador del tratamiento de agua (seawater) y experto en membrana en la Organización de Investigaciones de las Ciencias Aplicadas de Netherlands.

21 La Declaración de Helsinki es un documento que auto-regula a la comunidad médica en lo relativo a la investigación. Ha sido promulgada por la Asociación Médica Mundial (WMA) como un cuerpo de principios éticos.

22 Su título completo es el Informe Belmont: Principios y Directrices para la Protección de personas que participan en estudios de investigación. Fue un informe creado por el Departamento de Salud.

Dr. Norman González Chacón

CAPÍTULO 2

MÁS ESCUELAS NO SIGNIFICAN MEJOR EDUCACIÓN

Hay muchas escuelas de medicina en el mundo, y posiblemente la demanda tan grande de médicos y especialistas provoque que se sigan abriendo más escuelas, centros de investigación, lugares de tratamiento, farmacéuticas y fábricas de medicamentos, y equipo sofisticado con tecnología basada tanto en la mecánica como en la robótica y la digitalización.

La complejidad de este sistema, creado para tratar la salud de la gente, es solo un aparente y minúsculo esfuerzo de la ciencia en la búsqueda de soluciones a situaciones de orden vivencial y de desorden universal. Estas soluciones han creado un caos existencial planetario del cual muy pocos o ninguno puede escapar sin recibir una parte, una gran parte o todo el impacto que esa complejidad descarga en cada ser humano que se abre camino en este mundo. Por eso es necesario que las escuelas de medicina incorporen los conceptos bioéticos de la medicina natural a su enseñanza, para preparar a los profesionales de la salud del futuro en una medicina integral curativa.

Edgar Morin señala que "...hace falta ver la complejidad allí donde ella parece estar, por lo general, ausente; como por ejemplo, en la vida cotidiana". Y como todos tenemos vida cotidiana aparte de lo que hayamos escogido ser o dejar de ser, esa complejidad nos envuelve, tarde o temprano, en más complejidad, en tanto y en cuanto nuestro entorno y nuestra actividad se vuelvan más complicados o extremadamente simples. Tomemos en cuenta que vivir o sobrevivir es una actividad personal que hacemos cada día, y que requiere el esfuerzo máximo de nuestro cuerpo, mente, sistema respiratorio-circulatorio, sistema digestivo-eliminatorio y de nuestro sistema nervioso- autónomo, que no es realmente autónomo porque depende de los otros sistemas para sobrevivir y no tiene la autonomía reclamada al ser dependiente.[23] Cuando no se sabe manejar o no se puede controlar esa complejidad, incurrimos en un estrés enfermizo que nos va destruyendo poco a poco.

Todos los organismos complejos que tienen uso de razón y que pueden escoger su modo de vida y la forma en que la viven pertenecen a esta categoría. Desde el campesino más primitivo hasta el erudito profesional que se educa en la alta escuela de pensamiento, todos comparten la complejidad de sobrevivir a su ambiente, entorno y complicaciones de los elementos básicos de la vida cotidiana de la gente y de los pueblos. Todos tenemos unas necesidades fundamentales, unos problemas inmediatos que resolver a diario y unas preocupaciones futuras que pueden ser tan diferentes y complejas como la vida misma y el ambiente que nos rodea.

Los especialistas se especializan en todas las áreas del conocimiento científico, y atienden unas necesidades específicas de un público específico. Hay especialistas pobres que atienden a los pobres y especialistas ricos que atienden a los ricos. Aun así, la complejidad de las reacciones del cuerpo humano biológico, y la complejidad de la medicina moderna con sus ilimitados recursos, son tan limitados como la condición misma que se ha de tratar.

---

23 Edgar Morin, creador de la Teoría del pensamiento complejo, ética
    compleja.

El Origen Del Problema

El asunto de la salud es uno de esos temas que interesan a todos, pero la complejidad de las diferentes y muy variadas alternativas que se han de dar en cada caso y bajo cada circunstancia, lo convierten en un tema más sociológico que científico.

Todos hablamos de los problemas de salud que nos afectan, y les impartimos unas razones genéticas que pueden parecer más culturales que biológicas, más tradicionales que incidentales o casuales, y menos como resultado de nuestro estilo de vida, inducción sensorial, alimentación diaria y del ambiente en que nos desenvolvemos. Sin embargo, debemos ver la enfermedad, cualquiera que sea, como el desorden de nuestro sistema que debe ser ordenado o de lo contrario, caemos en el caos de la des-funcionalidad celular, la cual puede adquirir nombre y apellido cuando es debidamente diagnosticada en la clínica.

Algunos individuos nacen en el desorden biológico, que en algunos se produce durante su formación fetal y otros lo desarrollan a las pocas horas o días de haber nacido. Otros crean el desorden como consecuencia de la complejidad de la vida misma en su desarrollo. Todo depende de todo, y nada depende de nada. Es un asunto de causa y efecto.

La Complejidad A La Luz De La Simplicidad

Comenzamos este capítulo hablando de las escuelas de medicina, y de su pertinencia existencial en la sociedad moderna, debido a su complejidad social, cultural y biológica que demanda mejores y más efectivos servicios de salud para todos. La complejidad se puede medir y entender a la luz de la simplicidad, y podemos resumir una en términos de la otra.

La simplicidad se puede demostrar cuando un médico le

receta una aspirina a un paciente para un dolor, y la complejidad se presenta cuando el paciente le informa al médico que ya tomó muchas aspirinas sin que se le haya aliviado el dolor. Por ejemplo: la aspirina ha sido uno de los logros farmacéuticos de la medicina alópata moderna y su descubrimiento, al igual que el de la penicilina y los antibióticos, se convirtió en símbolo del progreso y del éxito, que la caracterizaron y la enriquecieron como ciencia, panacea y negocio. En un momento dado de la historia y de la medicina moderna, nadie tuvo dudas de la eficacia de las aspirinas, los antibióticos, o de la medicina moderna como tal, hasta que comenzaron a verse los efectos secundarios.

Entonces, nos percatamos de los efectos secundarios de estas drogas, de los cuales podemos usar como ejemplo: las aspirinas causan hemorragias y derrames cerebrales, y los antibióticos son los causantes de las súper bacterias que no se pueden controlar. Ahí comenzamos a dudar de la gran, deslumbrante, impresionante medicina que se ha entronizado, que implantó su estilo en todo el mundo, impuso su práctica en todas las escuelas, manipuló la investigación científica, dominó la opinión pública y se adjudicó todo lo que correspondería a una verdadera medicina. Todo esto sin lograr mucho, pues no ha podido dar con la cura de las enfermedades más comunes que por años han torturado a la humanidad, causando grandes sufrimientos y la muerte de millones de personas en todo el mundo.

¿Estamos hablando de la misma medicina que ha trasplantado corazones, hígados, páncreas y riñones? ¿De la misma medicina que ha logrado cirugías extraordinarias, implantes y reconstrucciones maravillosas? No parece ser la misma medicina que no ha podido curar la diabetes, la hipertensión, la fibromialgia, la esclerosis múltiple, la artritis, el lupus y el cáncer.

¿Qué ha ocurrido con esta deslumbrante, impresionante y

muy sorprendente medicina? ¿Por qué el avance científico no ha podido ser tan efectivo en la curación de enfermedades como lo ha sido en la tecnología aplicada a las cirugías y a todo el equipo técnico?

Hay Respuestas

Responder adecuadamente a estas preguntas puede ser muy difícil para muchos cuando se sabe que invierten millones de dólares en investigación científica de todo tipo en busca de la cura para estas enfermedades. Grandes centros de investigación en todo el mundo trabajan en diferentes proyectos de ingeniería genética, células madre, tecnología molecular y genética, y de muchas otras especialidades que de forma secreta hacen todo tipo de experimentación y desarrollan novedosas técnicas para tratar de encontrar la cura a todos estos males que sufre la humanidad, y que alcanzan a los médicos, científicos y personal que labora en busca de soluciones y a sus familias, sin que por ser parte del sistema se puedan librar.

Los sabios pensamientos del Dr. Edgar Morín[24] pueden muy bien orientar el rumbo del científico contemporáneo. Lo ayudaría a retirar su vista del microscopio y a buscar en el macroscopio del universo la opinión multidisciplinaria para descifrar la complejidad del problema que se pretende resolver.

"Nunca pude resignarme al saber parcelado, nunca pude aislar un objeto del estudio de su contexto, de sus antecedentes, de su devenir. He aspirado siempre a un pensamiento multidimensional. Nunca he podido eliminar la contradicción interior. Siempre he sentido que las verdades profundas, antagonistas las unas de las otras, eran para mi complementarias, sin dejar de

---

24 Filósofo y sociólogo francés.

ser antagonistas. Nunca he querido deducir a la fuerza la incertidumbre y la ambigüedad."[25]

La ciencia ha llegado a identificar efectivamente cientos de elementos que causan cáncer. Se sabe que ciertas substancias químicas, al contacto o en el ambiente, son causantes de cáncer. Se han aislado miles de elementos cancerígenos que afectan los genes, los cromosomas y dañan el ADN, predisponiendo a quien lo sufra a enfermedades del colágeno, defectos de nacimiento, cánceres de diferentes tipos y deformaciones físicas. Los científicos de todo el mundo están conscientes de que estos contaminantes tóxicos en la industria en los alimentos, el ambiente y las aguas, son causa de todo tipo de enfermedades.

Otra cita del destacado filósofo señala que "Por doquier la veracidad en la ciencia, en la técnica y en la industria, se tropieza con los problemas que plantea la ciencia, la técnica y la industria".

El desarrollo de la tecnología ha logrado facilitar en cierto modo los procedimientos médico-clínicos, pero esa gran tecnología no ha logrado reducir las enfermedades. Al contrario, parece ser que a mayor avance científico, más enfermedades se desarrollan, y muchas de éstas como consecuencia de la ciencia misma y del progreso que, si no se controla, se vuelve contra el hombre mismo y lo puede destruir con sus efectos secundarios y terciarios.

Es así como, tratando de combatir y destruir el cáncer con la químioterapia tóxica, se ha destruido anticipadamente el organismo de miles de víctimas quienes de no haber recibido la quimioterapia, hubieran tenido un poco más de tiempo para vivir y mejor calidad de vida y de muerte, con menos sufrimientos.

---

25 Pensamiento de Edgar Morin.

La medicina moderna sufre de una enfermedad grave y maligna que está destruyendo la fe que muchos tuvimos en que toda la avanzada científica que se alcanzó en los últimos sesenta años sirviera para resolver los problemas de salud que sufre la humanidad, lo cual no se ha logrado. No solo no se ha logrado, sino que sigue ampliando el hoyo negro de la incapacidad y se reafirma en los errores y horrores de su fracaso en curar, al extremo que ya no se les permite a los profesionales de la salud usar la palabra curar y la han sustituido por "tratar".

Tratar es tratar y no es curar, aunque tratando es como se puede curar, y curando es como se tratan las condiciones y enfermedades. Del orden se puede ir al desorden y si el desorden no se corrige y se ordena correctamente, los resultados son nefastos y dolorosos.

El hoyo negro de la medicina moderna es su incapacidad de curar, y por ese precipicio no solo se caen los enfermos, quienes son succionados económicamente y luego aspirados mental y corporalmente por la centrífuga que los devora y los incinera. Todo es parte de un patrón que a falta de otra alternativa, se ha convertido en el modo operacional de esta sociedad para disponer de los enfermos, quienes dejan de ser enfermos para morir del tratamiento. La sociedad se ha resignado a esta desgracia clínica, y acepta estoicamente estos procedimientos creyendo que la ciencia hace el máximo esfuerzo para salvarlos.

A esta nueva versión de antimedicina, que trata y trata, pero no cura, se han unido la mayoría de las religiones fuertes y organizadas que poseen, como parte de su enfoque humanitario, hospitales lucrativos que aceptan seguros de salud y cobran altas sumas por los tratamientos. Aunque de vez en cuando realizan algunas clínicas gratuitas en sus comunidades, compiten favorablemente con los hospitales privados por varias razones que no vienen a este caso, pero que son de naturaleza económica fortuita y privilegiada.

Estos hospitales han hecho presión en las comunidades religiosas y se han adjudicado el poder absoluto de tratar a los enfermos, quienes antes recibían el poder de la oración y esperaban hasta el último momento por la respuesta divina. Esa actitud, que era la práctica común en las iglesias, ha ido desapareciendo y ahora se ora por los enfermos que están en el hospital. Si el enfermo se cura o sale vivo de la institución, el médico se adjudica todo el crédito y si se muere, fue la voluntad de Dios que se lo llevó. La institución siempre queda bien y pocos se atreven a cuestionar un *"mal-practice"* o un procedimiento que no dio resultado.

La ignorancia de la gente, aunque sean profesionales de la salud, en cuanto a todo lo que no es convencional, ni visual, es el denominador común que permea en el ambiente y nadie cuestiona ni pone en duda la ineficacia de la medicina moderna en tratar en vez de curar, porque todavía la tecnología deslumbra y no permite que se vea el hoyo negro. Todo se reduce a la práctica social generalizada que todos aceptan y que nadie cuestiona.

¿Cuánto tiempo pasará antes que la medicina moderna acepte el fracaso, repare el daño y busque alternativas curativas reales? ¿Existirán esas alternativas o tendrán que producirse nuevas investigaciones?

Existen Alternativas

Aquí es donde la alternativa se convierte en la normativa y la normativa establece alternativas. Existe un método alterno que cura todas las enfermedades que preocupan a la humanidad, y que puede transformar totalmente el rumbo de la historia, la medicina, la sociedad, la economía y la educación.

La complejidad del problema es la simplicidad de su

solución y la facilidad con que puede adaptarse e insertarse en el proceso. No necesariamente hay que crear nuevas vías de acceso ni reeducar a los profesionales de la salud porque ambas, el problema y la solución, pueden convivir armoniosamente, ya que se fundamentan en la misma base de datos, estudios e investigación. Solo cambia la base filosófica y la metodología práctica, que es más lógica y mucho más sensata que la convencional. Se trata de la medicina natural o la medicina tradicional bioética.

Nota: Estamos aludiendo a la medicina natural con base científica llamada modernamente "Naturopatía". De esta surgen varias vertientes como la llamada medicina alternativa, que es una versión híbrida de ambas medicinas combinadas sin una filosofía clara que las sustente, y a discreción de quien la practica. En esta revisión de alternativa se ha colado otro híbrido que a su vez, mezcla los conceptos que son con los que no son y con los que no pueden ser para crear una nueva y muy confusa modalidad "escolar" que se ha auto-denominado medicina naturopática y que no ha tenido ni éxito ni arraigo en el favor de la gente en los E.U., porque su naturaleza no permite un carácter visible, tangible ni efectivo que pueda cautivar las dos vertientes profesionales en una práctica que llame la atención por su viabilidad y su éxito curativo. Definitivamente, la medicina naturopática no es la alternativa idónea que el sistema necesita para operar exitosamente y salir del hoyo negro.

La Naturopatía científica, tal como la hemos rediseñado junto a mis hijos y bajo los principios de ética biológica o bioética, es la solución. Es la alternativa que la medicina convencional moderna puede utilizar para salir airosa, admitir que por muchos años estuvo en el camino equivocado y para renovarse con una ciencia completa, perfecta y científica en toda su naturaleza y práctica.

La Naturopatía bioética es una de las pocas ciencias que pueden reclamar perfección. Se basa en los principios naturales que rigen el sistema inmunológico, y opera bajo las leyes de causa y efecto y de menor resistencia. La Naturopatía bioética es inmunología aplicada y en el capítulo de inmunología, abundamos un poco más sobre esa disciplina. En Europa, América Latina y en los Estados Unidos de América, la práctica de la Naturopatía se realiza recomendando productos naturales, hierbas medicinales y suplementos vitamínicos para compensar las deficiencias y desbalances químicos. El diagnóstico se realiza mediante la prueba del iris del ojo (iridología), pruebas de pulso, orina y saliva o reflexología. El naturópata hace algunas recomendaciones al paciente en cuanto a la alimentación, y su principal elemento de tratamiento está basado en las plantas, hierbas medicinales, hidroterapias, baños, tisanas, quiropráctica, kinesiología, acupuntura y la más importante de todas, la nutrición natural sencilla. Esa es, en síntesis, la práctica naturopática general acostumbrada en casi todas las partes del mundo donde existe la Naturopatía.

La Naturopatía bioética sigue patrones similares, pero de mayor alcance científico. El naturópata bioético domina muchas técnicas de diagnóstico y tratamiento. Sigue las pautas hipocráticas de no utilizar nada que le pueda hacer daño al paciente y que la medicina sea el alimento, así como el alimento bien aplicado se constituye en la medicina principal del enfermo. Los agentes suplementarios que se utilicen, como plantas medicinales, vitaminas, minerales, aminoácidos, probióticos y otros, se recomiendan de forma temporera, solo durante el tiempo que tarde el sistema en reaccionar y producir la homeóstasis.

La medicina bioética naturopática cuenta con diferentes tipos de pruebas de laboratorio, donde a base de los resultados de la orina y la saliva se detectan un sinnúmero de condiciones que son verificadas en cada visita para asegurar el progreso del paciente.

Hemos realizado un arduo trabajo investigativo y profesional que por los últimos 45 años ha dado excelentes resultados. Se trata de una interpretación nutricional de los análisis o pruebas de sangre convencionales, que pueden ser parte del diagnóstico naturopático cuando el paciente los tiene disponibles. La interpretación nutricional del laboratorio clínico convencional es la herramienta que, a través de la investigación y desarrollo, he puesto al servicio tanto de la naturopatía tradicional como de la bioética o medicinas de alternativa.

Es de gran ayuda, porque establece una comunicación común entre las dos medicinas y puede propiciar un entendimiento mayor entre el médico, el naturópata y el paciente. Esta es otra de las ventajas de la medicina natural o naturopatía bioética y la sitúa en una posición de alternativa real y viable.

Para cada uno de los parámetros del laboratorio clínico existen alternativas nutricionales que se pueden utilizar en sustitución de medicación química. Eso establece un puente entre ambos sistemas y prepara el camino para la conversión, facilitando la comprensión entre ellos. La interacción de ambas medicinas, bajo esos parámetros clínicos de los laboratorios de sangre convencionales, no solo establece el puente común si no que crea la interacción profesional entre médicos y naturópatas que le permitirá a la medicina convencional moderna cruzar el puente, acercarse a la medicina natural bioética y dejar que sea la naturopatía bioética la que se haga cargo de las enfermedades comunes y de las condiciones populares que la medicina convencional moderna no ha podido curar.

El reto está en pie. La ciencia debe aceptar que tuvo muchos años para corregir una falla conceptual que no le permitió crecer normalmente, y que alimentó por más de sesenta años una falsa imagen, una falsa expectativa que causó grandes sufrimientos y muertes a millones de personas. Estas no tuvieron acceso a un derecho inalienable: estar saludables y librarse del sufrimiento.

En pleno siglo XXI y en una era cibernética, en donde todo está al alcance de textos y donde en fracciones de segundos la informática conecta al mundo de un lado a otro, no es fácil engañar a toda la gente. La medicina moderna no puede continuar creando falsas expectativas de que "pronto se encontrará" la cura del cáncer o de otras enfermedades, cuando hace mucho tiempo la ciencia tiene la contestación positiva a esas preocupaciones y no ha querido ponerlas al alcance de los que sufren por motivos puramente económicos y de estrategia mercantilista.

¿Qué espera la comunidad científica que tiene este conocimiento para darlo a conocer? La papa caliente es tan caliente, que nadie la quiere tocar. El escándalo no se puede destapar porque es altamente vergonzoso y raya en el genocidio, en la irresponsabilidad profesional y una falta de respeto al dolor, al sufrimiento y a la vida misma de todos los habitantes del planeta.

Están buscando cómo subsanar este crimen y la evidencia acusativa es de tal naturaleza, que no han encontrado la forma de hacerlo. La complejidad del problema no permite que se encuentre una solución salomónica que lo resuelva y su solución es tan costosa para el sistema, que puede provocar un colapso económico mayor que el existente en los grandes consorcios farmacéuticos y de la industria de la salud y de la nutrición, simultáneamente.

Por los años que lleva este paradigma sociológico afectando la salud universal, y por sus connotaciones ecológicas, económicas y biológicas, no ha podido revelarse ni corregirse públicamente. Al contrario, se ignora su solución, se descarta el cambio y se sigue el rumbo acostumbrado como si nada hubiera pasado, como si nada tuviera que pasar.

El sistema no es capaz de autocorregirse, a pesar de que tiene toda la evidencia científica para producir curación de casi todas las enfermedades que sufre la gente. "La complejidad coincide con un aspecto de incertidumbre" (Dr. Edgar Morín). La curación de las enfermedades se esconde en la realidad de que no se curan, pero se tratan, y en la aplicación del tratamiento que no es otra cosa que tratar de eliminar el síntoma. Así se pierde la esencia del propósito, que es curar, y se queda lejos en el tratamiento mismo.

Cuando se "trata", se intenta llevar a cabo una función, un propósito, una tarea. Se persigue el fin de curar, aunque nunca se logre la función, el fin, la tarea o el propósito. La medicina moderna ha logrado cambiar el término "curar" por "tratar". La palabra curación y sus derivados verbales han sido eliminados de la práctica médica moderna y no se aplica a las enfermedades, ni tan siquiera para referirse a una herida que cicatrizó.

Por lo tanto, nuestra propuesta[26] es la incorporación de la medicina natural bioética a todo sistema de salud público o privado. El tratamiento y la curación deben estar separados e integrados de tal manera, que todas aquellas condiciones que la medicina alópata convencional no pueda tratar, sean tratadas por la medicina natural y viceversa.

De Vuelta A La Academia

Comenzamos este ensayo hablando de las escuelas que preparan médicos y personal especializado en los problemas de salud que se presentan en todos los centros de urgencia y

---

26 Después de practicar por casi medio siglo los conceptos hipocráticos de la medicina natural y de haber intervenido directamente en la curación de miles de enfermos que acuden a nuestro centro de tratamiento.

hospitales del mundo. Hay necesidad de más personal. Además, que estén mejor preparados para que se distribuyan en zonas urbanas y rurales para ofrecer mejores servicios de salud. Sin embargo, más médicos y más hospitales no son necesariamente representativos de más y mejores servicios de salud ni de un estándar de salud social mayor. Aunque es un ideal político y social ofrecer a la ciudadanía más y mejores servicios de salud, otra interpretación que puede deducirse de esta ecuación, que puede ser física o matemática, es que la necesidad de más médicos y hospitales es un grave presagio de más enfermos y más enfermedades.

El sistema de salud de todos los países del mundo necesita urgentemente de la medicina natural bioética y de la educación masiva que esta provee para aminorar los costos de salud y mejorar la calidad de vida de la gente. Hace falta un sistema de salud que responsabilice a la gente por mantener un estado de salud óptimo, y que provea una escala de incentivos que incluya simultáneamente una reducción en la contribución sobre ingresos y en el seguro médico. Redundaría en menos costos en servicios de salud, menor inversión en equipos, menos gastos por incapacidad per cápita en la población de mayor edad, menos medicamentos con menos efectos secundarios y más calidad de vida en general.

La educación en salud, en nutrición y en estilos de vida, es más efectiva desde la perspectiva de la medicina natural bioética o naturopatía. Las ciencias naturales naturopáticas son más efectivas en lograr cambios positivos en la gente porque se pueden ver resultados a un menor plazo. Esto, porque en la naturopatía se habla con más seguridad, claridad y contundencia al exponer los diferentes problemas de salud, y las soluciones son más fáciles de implementar, aprender y seguir en repetición hasta que las hagan parte de su estilo de vida, con buenos resultados.

Cuando se aplican las leyes de la salud y la gente aprende por el beneficio de los resultados, la convicción personal del que lo experimenta se enriquece. Su vida cambia en la medida que mejora su salud y se rejuvenece. En nuestra experiencia de medio siglo aplicando estos conceptos a miles de personas, hemos observado cómo la actitud de un anciano deprimido y solitario cambió cuando, al verse libre de sus achaques de salud, se animó a buscar compañera y a comenzar una nueva vida cuando ya se había rendido a la edad y a las enfermedades. Otros se dedicaron a cultivar la tierra y a otras nobles tareas como cuidar niños y ayudar a sus familiares en sus negocios. Estos son ejemplos de los miles de personas que en diferentes situaciones y sufriendo condiciones diversas se libraron de ellas y aprendieron a vivir sin la dependencia al medicamento, insulina, pastilla de la presión, la de dormir, etc, y en fin, a tantos y tantos medicamentos que la gente necesita tomar para tratar de controlar sus diferentes condiciones de salud. En el nuevo estilo de vida aprenden a manejar sus problemas de salud de forma natural, sin la dependencia al medicamento y sin el gasto económico que eso representa para su pecunio o para el seguro médico.

Beneficios Para Los Gobiernos

Por muchas razones, a los gobiernos les conviene incluir la naturopatía como parte del sistema de salud, y asignarle a los profesionales de esta ciencia la iniciativa de educar a la población. También hay que educar a los profesionales de la salud de otras ramas y especialidades para que reafirmen el trabajo del naturópata, y le den esa plusvalía que le redundará en una economía sustancial y en menor esfuerzo en todas las áreas de trabajo del sistema de salud.

Las estadísticas disponibles indican que los vegetarianos se mantienen en mejor peso, con menos cantidad de grasa corporal y menos problemas de salud que el resto de la población. La calidad de vida es mayor y las probabilidades de sufrir diabetes, hipertensión y cáncer son mucho menores. Casi nunca se enferman de condiciones que requieran cirugías. En el último congreso de vegetarianismo celebrado en la Universidad de Loma Linda en California, se ofrecieron estadísticas muy interesantes en cuanto a la calidad de vida de las personas que cuidan su alimentación versus el resto de la población. La Organización Mundial de la Salud ha emitido un informe al respecto, que no ha sido acogido en la comunidad médica por motivo de intereses creados y opuestos[27].

La naturopatía enseña a la gente a preparar los alimentos de forma más saludable, a depender de frutas y vegetales para su alimentación, y a fomentar la agricultura en la medida en que cada cual puede contribuir a mejorar la ecología, el ambiente, la salud general y el estado convencional y espiritual de todos. Según Edgar Morin, "La humanidad dejó de ser una noción abstracta y lejana para convertirse en algo concreto y cercano con interacciones y compromisos a escala terrestre". La naturopatía rescata los valores naturales de la gente y de la tierra, y acerca a unos y otros en una hermandad social que se está perdiendo en los campos y que ya se perdió en las urbes. La naturopatía les devuelve la dignidad a los pueblos porque reconecta al ser humano consigo mismo, con el prójimo, con la comunidad, con la naturaleza y con la especie humana. "Creemos que las condiciones están dadas como nunca para el cambio social, y que la educación será su órgano maestro. Una educación desde la cuna hasta la tumba, inconforme y reflexiva, que nos inspire un nuevo modo de pensar y nos incite a descubrir quiénes somos en una sociedad que se quiera más a sí misma".

Esas palabras del Dr. Morín pueden ser aplicadas a los conceptos que la bioética naturopática ha estado

---

27 Estrategia de la OMS sobre medicina tradicional 2002 al 2004

promoviendo como estilo de vida,meta social y el factor de cambio que necesitamos realizar para salir de la crisis social que estamos viviendo en pleno siglo XXI.

Sorprendentemente, nos hace mirar al pasado para comparar lo bueno con lo malo, lo menos bueno con lo menos malo, lo superior con lo sublime y lo que anhelamos como sociedad con lo que hemos obtenido como colectivo. Lo que somos y lo que queremos ser, lo que tenemos y lo que queremos tener en todos los aspectos sociales y personales es también evaluado.

Una Nueva Versión Educativa

La educación que se obtiene del estudio de las ciencias naturales desde la perspectiva naturopática es la columna vertebral de un nuevo orden social, que al correr globalmente a través de las redes de comunicación modernas, puede transformar el mundo si logramos captar la atención de la gente. La salud es un denominador común a todas las actividades humanas, y la pérdida de la salud es la pérdida del interés por esforzarse en hacer el máximo del esfuerzo individual para lograrla. Quien tiene el control de la salud, tiene en sus manos la llave que abre las puertas del éxito y del poder.

La naturopatía bioética "empodera" al ser humano con las herramientas más importantes para obtener el éxito en todas las actividades de la vida. La educación sobre las leyes naturales, la democracia del pensamiento, la liberación de las ataduras psicológicas y sociales que nos limitan y la salud óptima, elimina de nuestro frente todos los obstáculos y pretextos que no nos permiten avanzar para obtener el éxito que nos merecemos. La mente sana es un poderoso cañón que nos impulsa, y la mente enferma es un ancla que nos inmoviliza.

Dr. Norman González Chacón

CAPÍTULO 3

EDUCACIÓN, ALIMENTACIÓN Y LA ÉTICA

Sobrevivir de forma "saludable" es una condición que ocurre naturalmente en las personas. En la mayoría de los casos no se está consciente de ejercer una actividad específica para estar saludables. Los individuos siguen el patrón de incidencia fortuita que se acostumbra en la sociedad donde se desenvuelven hasta que se enferman. Cuando esto sucede, y a alguien se le ocurre preguntarle al médico la razón o las razones por lo cual se enfermó, cada médico puede ofrecer una contestación diferente para justificar la causa de la enfermedad. Pero ninguno, les aseguro, va a acertar con la verdadera causa, porque no se acostumbra ni es práctica médica señalar que todas las enfermedades y condiciones que la gente sufre tienen una relación directa con la alimentación. Si es colitis, cálculo renal o biliar, hipertensión, artritis, diabetes o lo que sea, todo tiene una causa alimentaria que la medicina moderna alópata no interesa reconocer. Por lo tanto, van a culpar al riñón, que no funciona bien, o a la vesícula biliar que debe ser extirpada, o al páncreas que no metaboliza bien los azúcares, o a la sangre que está muy lipémica y aumenta la presión arterial, etc.

No es costumbre ni práctica que el médico le aconseje al enfermo cambiar sus hábitos alimentarios para que se normalice la condición. Le recomienda un medicamento para controlar la presión o para la diabetes, o para lo que sea, pero no educa al paciente en los cambios que debe hacer en su estilo de vida y alimentación para resolver el problema y no tener que recurrir a la medicación, y cuando lo hace, se limita directamente al problema que trata. Es que no se enseña en las escuelas, ni se acostumbra en la sociedad, advertir que la gente se enferma por lo que come. La alimentación es la responsable de la acumulación de azúcares, proteínas, carbohidratos y grasas en nuestro organismo que nos conducen a la enfermedad. Cuando se educa a los niños y a los adultos sobre una dieta saludable, se ofrece un ejemplo que satisface las medidas de todos los que atienden la clase, y salen convencidos de que se alimentan saludablemente de acuerdo al ejemplo. Por lo tanto, no esperan enfermarse, pero se enferman.

El asunto de la salud es un asunto complejo, de interés individual. Es una responsabilidad inherente de todos, pero específicamente de cada cual en particular. Somos responsables de nuestra salud en la misma medida que somos responsables de nuestra conducta social. Cuando se analizan los hábitos alimentarios de la gente, en relación a la información que reciben de la nutrición moderna, podemos concluir que las personas que más comen y que más opciones de alimentación tienen a su alcance son las que sufren las enfermedades más graves, mientras que las que están en niveles inferiores de alimentación, como en los campos y pueblos lejanos de las grandes ciudades, sufren menos enfermedades graves.

Se puede concluir que la sobrealimentación es más o tan dañina como la desnutrición, y los nutricionistas y dietistas en las urbes siguen enfatizando mantener una dieta saludable que tenga todos los nutrientes. El mensaje que recibe la población es que mientras más coman, mejor nutridos y más saludables estarán. Esa práctica ha sido devastadora para la salud general de la población que consume más de tres veces lo que necesita para vivir.

Uno de los elementos de la alimentación que la nutrición moderna ha enfatizado grandemente es la proteína. Cuando se confecciona el menú modelo del plato que representa la buena nutrición, el componente mayor es la proteína, pues todos los ingredientes del plato contienen proteína en mayor o menor grado. Analicemos este asunto.

NOTA DEL AUTOR

Por muchos años fue la rueda o circulo nutricional, luego vino la pirámide que presentó la Organización Mundial de la Salud y actualmente es el plato de comida del Departamento de Agricultura de los Estados Unidos, lo que ilustra los requisitos nutricionales en cuanto la variedad de las porciones. Si observamos los tres modelos, en todos se mantiene un patrón común que para nosotros es motivo de gran preocupación por el alto contenido de proteínas. Estas han sido ponderadas por la nutrición moderna como el elemento mas importante de la alimentación, cuando en realidad, las proteínas son las responsables de casi todas las intolerancias alimentarias, alergias, alta sedimentación sanguínea y de la proliferación de enfermedades causadas por virus (virales) y bacterias. Así también, son responsables de la formación de tumores y de enfermedades cardiovasculares, auto-inmunes y cáncer.

Si observamos cuidadosamente las divisiones del plato nutricional veremos que las porciones mas grandes corresponde a los granos, ricos en proteínas, y luego los vegetales que en menor grado contienen proteínas. Adicional a eso, hay una división exclusiva de proteínas y un renglón externo que contiene lácteos que son altas fuentes de proteínas. Por ultimo, tenemos el renglón de las frutas que, aunque en menor grado, también contienen proteínas.

En resumen, el supuesto balanceado y saludable plato nutricional contiene cinco renglones en los que en todos hay proteínas, que al sumarse hacen un total marcadamente alto de estas. Mucho mas de lo que un ser humano necesita para estar saludable por lo que, desde nuestro punto de vista, podemos decir que este ejemplo de nutrición esta desbalanceado y muy cargado hacia el lado de las proteínas.

Los estudios científicos de vanguardia señalan que con una alimentación a base de plantas (Plant'Based Nutrition) se puede obtener una mejor salud y evitar enfermedades como la obesidad, la diabetes, las enfermedades cardiovasculares y el cáncer. Por lo tanto, este plato nutricional no es el mejor ejemplo de buena nutrición, y la evidencia es fácil de discernir por que es la misma alimentación común de la mayoría de la gente en el mundo, que sufren todas las enfermedades mencionadas. En resumen, los hospitales están llenos de enfermos que se alimentan de acuerdo a la pirámide o al plato nutricional.

Los simios en la Naturaleza son una infra-orden de primates antropoides ominoides que, por su gran similitud con los humanos, han sido usados para todo tipo de experimentación donde luego los resultados son aplicados a los seres humanos. Resulta interesante notar que la gran similitud física de estos primates con el hombre es también biológica. Los chimpancés son los únicos animales que cargan los grupos sanguíneos O y A . Su sistema alimentario es tan similar al nuestro que cuando se les alimenta con leche de vacas, desarrollan intolerancia a la lactosa, reflujo y gases. Esta interesante observación que nos hace tan parecidos a estos primates, nos sirve para probar que animales tan similares al hombre pueden vivir saludablemente con dietas vegetarianas tan simples como frutas, raíces y hojas. Podemos preguntarnos: ¿De donde obtiene el chimpancé las proteínas? ¿De dónde saca el gorila tanta fuerza y agilidad? ¿Cómo pueden sobrevivir en la selva sin sufrir ni tan siquiera un resfriado con la lluvia y las inclemencias del tiempo? ¿Cómo pueden desarrollar tanta fuerza física para saltar por los árboles sin caerse?

Pero eso no es todo; los simios vegetarianos infectados con VIH, Sida, con Hepatitis y con otras enfermedades no presentan síntomas de ninguna de estas condiciones y se reproducen saludablemente. Las crías, aunque cargan los anticuerpos, son HIV negativos y no se ven afectados por el virus ni lo transmiten. En medio siglo de trabajo y experimentación con humanos hemos podido comprobar que una dieta baja en proteínas, a diferencia de lo que reclama la nutrición moderna, propicia la regeneración celular de todos los tejidos orgánicos degenerados por el exceso de proteína. Sobretodo, la proteína de origen animal.

Con solo eliminar las proteínas de origen animal de la dieta, el estado de salud del paciente cambia y el proceso curativo se inicia, dando lugar a la curación de todo tipo de patologías.

Este es un experimento que cualquiera puede hacer en el propio laboratorio orgánico de su cuerpo. Se obtiene un mejor resultado con un régimen sencillo de papas, zanahorias y remolachas. Estos tubérculos tienen un índice de saciedad tan alto que la persona ayuna sin sufrir los rigores del hambre. Si se añade una o dos cucharadas de levadura de cerveza nutricional líquida, tendrá todos los nutrientes necesarios para mantener una nutrición perfecta y un balance ácido/base/alcalino ideal. Además, durante todo el proceso se producirá una regeneración celular óptima que aumentara la energía corporal y la fuerza física vital. A este estilo de alimentación le hemos llamado Ayuno Sustentado. Se ayuna por la sobrecarga de la alimentación común y el sistema se sostiene con el mínimo de alimento proteico. Durante el proceso, la regeneración celular que se lleva a cabo produce una homeóstasis curativa. Los tubérculos equivalen a los tallos y raíces que comen los simios en su ambiente natural. Pero aun en esas etapas, los simios nos llevan ventaja en todo, pues no cuentan con una genérica carnívora que a los humanos nos crea una incapacidad muy grande en igualarlos en agilidad y fuerza física por la degeneración de nuestro ADN.

Con este régimen podemos obtener una salud casi perfecta: la diabetes puede desaparecer, la hipertensión, el artritis, la enfermedades auto-inmunes y el cáncer ceden ante la inminente fortaleza de un sistema inmunológico renovado y liberado. Ese es el resultado de una dieta basada en frutas y tubérculos, sin productos derivados de animales ni vegetales híbridos o manipulados genéticamente.

En el laboratorio humano los resultados que hemos observado en enfermedades infecciosas como el HIV y la Hepatitis B han sido extraordinariamente exitosos. Personas que contrajeron el virus cuya carga viral era muy alta, no solo bajaron la carga viral sino que comenzaron a dar resultados negativos. Al igual que como ocurre en los simios, los niños que han nacido bajo el régimen del Ayuno Sustentado son HIV negativos y muy saludables.

Para lograr que los laboratorios arrojen resultados negativos, la alimentación debe resguardarse con estrictos controles y no se debe interrumpir el proceso en lo mas mínimo. (*NOTA: Extraído del ensayo Los Grupos de Sangre, de Dr. Norman González Chacón*).

Responsabilidad Individual

Somos responsables de nuestros actos, decisiones y palabras. De modo que, cuando violamos la ley, tenemos que dar cuenta a las autoridades y se nos responsabiliza por la falta, y en muchos casos tenemos que pagar por los daños que hayamos causado. De igual manera debiera ser cuando violamos las leyes de la salud y nos enfermamos. Somos responsables por los daños que nos causamos y sufrimos doblemente las consecuencias de nuestros errores. En países donde la medicina está socializada y el estado paga los costos, todos realmente pagamos por los errores orgánicos que la gente comete cuando se enferma.

Los altos costos de la salud en todo el mundo superan los presupuestos de muchas otras mejoras sociales que se limitan, y no permiten que las finanzas públicas sean mejor distribuidas en educación y otros servicios sociales necesarios. Los servicios de salud consumen dinero, recursos humanos, equipo médico, medicamentos y edificios públicos, y sus costos son más altos que los de ningún otro renglón de gastos.

La Base Del Problema

El problema de la salud se circunscribe mayormente a la nutrición. Tanto la nutrición como la dietética no quieren reconocer que han estado creando el problema en vez de resolverlo. La proteína es la responsable del alto índice de enfermedades que sufre la gente. La proteína que el individuo consume en exceso de lo que el propio organismo puede metabolizar y catalizar, se acumula peligrosamente en los diferentes órganos y sistemas. Esto da lugar a la formación de tumores, placa, abscesos y altos niveles de toxicidad. Los virus y las bacterias se alimentan y sobreviven de los residuos de proteínas que se acumulan en los diferentes órganos y la sangre se sedimenta con la suma de todos esos residuos.

La sedimentación sanguínea se mide en el laboratorio clínico con la prueba SED RATE o la taza de sedimentación, que es el parámetro que indica la cantidad de residuos que circulan en la sangre por centímetro cúbico. La sedimentación alta es la señal que indica que el organismo no puede con la carga de proteínas que debe procesar y da lugar a enfermedades auto-inmunes, formación de tumores y eventualmente, daño al hígado y a los riñones. La sedimentación es indicio de inflamación y cuando pasa del límite individual, se acumula peligrosamente en órganos y tejidos, obstruye las arterias, impide la osmosis de las membranas y hace que los líquidos corporales que deben ser eliminados se retengan peligrosamente.

Las proteínas son la carga más pesada que el organismo tiene que procesar y para hacerlo, necesita grandes cantidades de agua y oxígeno para el proceso. Cuando una persona ha perdido energía, ha aumentado la sedimentación, y comienzan a hincharse las piernas y a subir los niveles de azúcar en la sangre, es la señal inequívoca que ya no está procesando adecuadamente las proteínas. El procedimiento para ayudar a disminuir la carga tóxica que se acumula debe comenzar con un cambio radical en la alimentación. La mejor medicina es el ayuno y se debe ayunar de todo lo que contenga proteínas.

Aunque no es posible eliminar totalmente el consumo de proteínas, porque todo alimento la contiene, las frutas enzimáticas y los vegetales se digieren fácilmente y ayudan a romper la proteína en aminoácidos, de tal manera que no se sobrecargan los sistemas. El descanso digestivo de las proteínas de los granos, cereales y productos derivados de animales permite que el organismo pueda recobrar las funciones metabolizadoras, y de inmediato comience a procesar y a eliminar los excesos acumulados. En estos casos, el agua destilada se convierte en un solvente universal que ayudará grandemente a limpiar los residuos y a eliminarlos a través de las vías urinarias, la piel y los intestinos, ya que las proteínas vegetales son hifrofílicas.

Este proceso no se da fortuitamente si no se promueve y se comienza a tiempo, antes de que las áreas con tumores se vuelvan cancerosas, o que las obstrucciones requieran cirugías radicales. Este es el cuadro típico que un naturópata tiene ante sí en casi cada paciente que llega a su consultorio, no sin antes haber visitado varios médicos o especialistas que dieron sus diagnósticos de acuerdo a su punto de vista y a los hallazgos de los exámenes realizados.

Al examinar al paciente, el naturópata profesional bien entrenado ve la condición de salud actual y la trayectoria de una genética y una vida en desarmonía con las leyes de la salud. En el iris de los ojos se pueden ver las debilidades genéticas innatas y las adquiridas. A veces se ven manchas de químicos con los cuales la persona ha estado en contacto, y el estado actual de órganos y sistemas. Esa simple mirada al ojo deja ver las tendencias de ese organismo, la condición del sistema digestivo en relación a los otros sistemas, el sistema nervioso y sus ramificaciones físicas y emocionales, el circulatorio y sus patologías, así como el linfático y sus derivaciones.

Con esa información primaria el naturópata tiene tantos elementos de juicio que, al sumarlos a los laboratorios, las radiografías y los síntomas del paciente, puede hacer una evaluación diagnóstica más acertada que la del médico convencional. Además, tiene otros recursos como la reflexología, la auriculoterapia y la kinesiología para confirmar los diferentes hallazgos, posibles causas que se estén desarrollando y las conexiones con otros órganos y sistemas que se hayan afectado.

Toda la información obtenida acerca al naturópata a los problemas orgánicos existentes y sus causas, así como sus efectos y colaterales. A veces se pueden descubrir las fallas alimentarias y los descuidos en el estilo de vida de la persona. Con la experiencia, el naturópata puede concluir sus hallazgos y emitir las recomendaciones acertadas para poner en orden el desorden de un organismo a través de toda una vida.

Si el profesional a cargo es un naturópata bien preparado, que conoce el postulado hipocrático y las leyes de la naturaleza, lo primero que le señalará al paciente es la necesidad de hacer un cambio en la alimentación, en el estilo de vida y posiblemente en su bagaje emocional.

El sistema nervioso central muestra en su configuración dentro del iris del ojo las experiencias y las tendencias que han creado crisis, y que afectan órganos o sistemas. No existe una patología física que no tenga su contraparte emocional. Todo está relacionado con todo, y el cuerpo humano es una integración de experiencias que se acumulan durante toda una vida, y que responden a una genética orgánica y emocional, espiritual y física que forman el carácter a la misma vez que el cuerpo físico. A eso se le añade la educación y la preparación experiencial que forman al individuo, y lo acompañan hasta el momento del examen y de la confrontación con su estado actual.

Estos elementos, sumados al expediente médico que el paciente debe traer al naturópata, crean un cuadro clínico tan claro y tan completo que las recomendaciones pueden fluir de la manera más efectiva y acertada. Ningún otro profesional de la salud tiene tantos elementos de juicio a la vez para ayudar al paciente enfermo.

Ni en un proceso multidisciplinario, donde se integren médicos, especialistas, psiquiatras y psicólogos para tratar una causa, se reunirán tantos elementos reales y existenciales como los que tiene el naturópata experto en sus manos. Especialmente porque la información fluye del paciente mismo, de su naturaleza interna, de su carácter y personalidad y de su cuerpo físico.

El sobrepeso que se convierte en obesidad es el resultado de la pérdida del control y el auto-dominio de la voluntad personal, que se hace colectiva cuando se justifica en virtud a las actuaciones de los demás. Éstos también sucumben al bombardeo publicista, que tiene ventanas de tentación por todas partes.

La publicidad sigue la ley de menor resistencia, y aprovecha la debilidad humana y su necesidad básica de alimentarse para poner ante sus ojos y ante su decisión todo tipo de platos y bebidas que atraen la atención y estimulan el apetito. Donde quiera que usted vuelva la vista o concentre su atención, tendrá una tentación visual de un plato apetitoso que le invita a comer. Si no fuera su deseo natural, se sorprenderá de ver que fácil ese pecado llega a su boca.

Sin ética y sin la educación de vida, las tentaciones se convertirán en el pan nuestro de cada día y comeremos hasta enfermarnos. Los negocios están carentes de ética, y la publicidad explora la necesidad fisiológica básica de alimentarnos varias veces al día. El organismo humano crea dependencia a todo, todo el tiempo. La acción de comer se cuantifica cada vez que comemos, y la necesidad se amplía en relación a lo que comemos. Si no ponemos freno, comeremos más en cada comida hasta volvernos obesos, y en obesidad, comeremos más y más.

Estudios realizados indican que por cada 5 kilos (diez libras aproximadamente) de sobrepeso la persona puede acortar un año de vida de su total. El sobrepeso es la señal inconfundible del estado mental y emocional de la persona, de su autoestima y de sus debilidades de carácter. Por lo general, las personas obesas tratan de compensar sus debilidades alimentarias con diferentes sustituciones de sus actividades y del trabajo. Aunque demuestren lo contrario, no son felices y tratan de demostrar que se sienten satisfechos de su sobrepeso, aunque en su interior quisieran estar delgados pero no tienen la fuerza de voluntad para lograrlo. Cada año que pasan en sobrepeso les resta dos o tres años de vida y cinco en calidad de vida y salud. Los problemas circulatorios, la diabetes, la hipertensión y las condiciones cardiovasculares son algunas de las muchas enfermedades que sufre la persona obesa como resultado de la sobrecarga orgánica que el sobrepeso significa.

Por eso señalamos anteriormente que la naturopatía debe ser parte de la medicina moderna, que debe ser el primer contacto del paciente con el sistema médico convencional y que puede ser la punta de lanza de toda reforma en el sistema de salud tanto público como privado. Del naturópata deben salir todos los referidos, cuando sean necesarios.

El conocimiento científico puede convertir a la sociedad moderna en esclava de la ciencia misma, si no se aplica la bioética al estudio de cada una de las diferentes modalidades que se van creando como consecuencia de los avances en tecnología, medicina, economía y biología. El campo de la salud no es la excepción, y más bien puede ser la regla que se debe aplicar para establecer cada protocolo a seguir en cada caso que se presente en este complicado mundo.

La falta de ética hace que muchos de los estudios científicos sean manipulados para beneficiar a quienes lo financian. La falta de objetividad científica pone a un lado la razón para enarbolar la bandera de la conveniencia acomodaticia y remuneradora.

La honestidad en los negocios es importante para las partes contratantes, pero en los asuntos de salud, puede ser cosa de vida o muerte. La enfermedad, el sufrimiento, el dolor y la incapacidad de soportarlo, son parte de la vida pero su secuela es la muerte.

Las salas de emergencia y las de tratamiento intensivo están saturadas de violaciones a las más elementales leyes de la bioética y de la moral. No se han revisado los protocolos para evitar la violación de derechos civiles, para conservar la dignidad humana a pesar de las circunstancias de cada caso, y para asegurar una práctica que además de ser altamente profesional y ética, sea humana y particularista.

La educación en principios bioéticos debe extenderse a todos los profesionales de la salud de todas las dependencias hospitalarias y de todas las salas de atención primaria, oficinas médicas y a los paramédicos. Se debe educar a la comunidad profesional así como a toda la población, para que todos conozcan sus derechos y prerrogativas.

La educación es un elemento indispensable para mantener el orden social en todas las esferas de la sociedad planetaria. Los medios modernos de comunicación están asumiendo el papel de la educación masiva, y están usando elementos artificiosos, ejemplos deplorables y situaciones seudo-reales para adoctrinar a los pueblos del mundo en sustitución de una verdadera educación. Los medios de comunicación están sentando las bases para una sub-cultura irreal, que borra la verdadera cultura de los pueblos y homogeneiza la conducta del listo, aprovechado, pícaro, criminal y tramposo. Así. estereotipa todas las fases de la vida y de la conducta social, sublimando el crimen y ridiculizando la conducta correcta, honesta y legal. Eleva el comportamiento criminal al rango exitoso y remunerado de los grandes empresarios.

Cuando ese tipo de "educación" negativa permeabiliza la sociedad, se pierden todos los valores que garantizan la paz, la seguridad y el orden. Pero cuando llegan a influenciar la educación misma, la medicina y la familia, no queda nada que hacer. Es que al neutralizar los procesos educativos tradicionales por valores antisociales, se crea la sub-cultura del crimen y del empoderamiento negativo de la sociedad. Es ahí a donde estamos llegando. Las diferentes agencias sociales pueden dar fe del deterioro físico, económico, social, espiritual y moral en que se encuentra una gran porción de la sociedad, la cual se resquebraja cada día en que la violencia se apodera de todo lo bueno y genuino que pueda quedar entre la escuela, la iglesia y el hogar, que son los pilares de valores en la sociedad.

Esa criminalidad está alcanzando todas las diferentes fases de la sociedad: Involucra a los políticos con el narcotráfico, el mercado de influencias, la compra y venta de la justicia, la corrupción gubernamental del amiguismo, el estupro, la prostitución clasista y los negocios del bajo mundo.

Por otro lado, la iglesia está corrompiéndose en un negocio lucrativo y personal que antepone los valores económicos a los valores morales, la caridad desinteresada y al espíritu misionero que tenía. Los sacerdotes y ministros se corrompen en todo tipo de prácticas ilícitas; en drogas, alcohol, sexo, dinero y política. En un tiempo, la iglesia vendía indulgencias; ahora vende influencias. Los valores morales se convierten en valores sociales que se pueden cambiar en dólares o en euros.

La medicina moderna no es la excepción. La corrupción hace tiempo se apoderó de la industria de la salud y se ha convertido no solo en un narcotráfico legalizado y justificado, sino que se ha aliado al bajo mundo y al tráfico de órganos que se ofrecen por sumas extraordinarias, a costa de la vida de niños y jóvenes que son vendidos como ganado para extraerle órganos y sangre. En este mercado negro de niños se ofrecen las vísceras humanas y los órganos a la carta, para que los ricos escojan el sexo, la edad y la calidad del trasplante. Médicos especializados que ofrecen servicios en grandes y famosos centros de cirugía, reciben órganos "donados" para ser trasplantados. El precio por unidad puede variar entre los cien mil dólares por órganos hasta medio millón, dependiendo de quién dona y quién recibe.

En la mayoría de los casos, se violan muchas leyes de bioética en cada operación y el mercado de órganos se globaliza exitosamente, dando lugar a que niños inocentes sean sacrificados para satisfacer la demanda de órganos. Cada niño que se sacrifica significa un millón de dólares para los que los venden. En este mercado, las leyes y la ética no se pueden aplicar, debido a que el encubrimiento con que trabajan estos traficantes está "legalizado" y justificado por la cantidad de muertes que ocurren a diario en diferentes lugares del mundo, con las que encubren la trata ilícita de órganos humanos.

La alta ética biológica de la medicina natural puede detener este negocio ilícito de órganos, que aumenta de día en día en todo el mundo, pues tiene la capacidad de curar los órganos propios de la persona sin tener que recurrir a las cirugías. Más aún, el costo que implica restaurar el órgano afectado a tiempo es mínimo. Incluso, hasta un pobre de cualquier lugar del mundo lo puede afrontar. No hay necesidad de que una persona tenga que recurrir a costosas cirugías y más costosos gastos de mantenimiento, que requieren de inmunosupresores de por vida y que cuestan miles de dólares anuales.

Ese es el tercer problema social que crea un trasplante. La persona que lo recibe necesita de una cantidad mensual más alta que una pensión, sueldo ejecutivo o lo que una persona común puede pagar. Los inmunosupresores son caros, y se necesitan de por vida para que el cuerpo no rechace el órgano transplantado.

Dr. Norman González Chacón

CAPÍTULO 4

APORTACIÓN A LOS DESCUBRIMIENTOS

Trabajé la naturopatía en Puerto Rico desde el año 1973, pero en el 1982 mi familia y yo nos trasladamos a Nueva York. En esa ciudad, mi hijo Norman estudiaba medicina quiropráctica y mi propósito era compartir con él los pacientes que necesitaba para hacer sus clínicas de práctica en su último año. Cuando se estableció el consultorio naturopático recibíamos entre sesenta y cien pacientes por día, lo que nos daba la oportunidad de realizar una buena labor investigativa y a la vez, ayudar a muchas personas a mejorar su salud y conocer las bondades y beneficios de la medicina natural o naturopatía.

Allí recibíamos pacientes de diferentes lugares de los Estados Unidos que acudían en busca de ayuda. Nuestra práctica desarrolló gran fama, la cual se extendió por muchos estados, y acudían todo tipo de enfermos. Una de estas personas fue un paciente renal que se estaba tratando con el Dr. Walter C. Mackenzie en John Hopkins y a quien en su próxima cita le instalarían la válvula para comenzar los tratamientos de diálisis. Le explicamos el proceso y decidió hacer el cambio en la alimentación para probar con la naturopatía, pues dos familiares suyos estaban en diálisis y él no quería seguir la misma suerte que ellos y buscaba alternativas.

Por experiencia previa de muchos pacientes tratados, sabíamos que si hacía el tratamiento bien podía salvar la función de sus riñones y recobrarse de la pérdida en un ochenta por ciento.

Cuando este paciente llegó un mes después a la unidad renal del Dr. Mackenzie, el médico que lo recibió le informó que ese día le instalarían la válvula para comenzar a recibir diálisis, pero antes se le harían los últimos análisis de laboratorio. Los resultados mostraron que la función renal había mejorado de un 20 a un 40 por ciento, lo que sorprendió al médico. Accedió a esperar antes de instalar la válvula y se pospuso la operación. Al próximo mes la función renal sobrepasaba el 60%, lo que llamó la atención del personal. Se le hizo un interrogatorio al paciente ante la presencia del Dr. Mackenzie, quien tuvo conocimiento del cambio en la alimentación del enfermo y del progreso positivo de la función renal. El Dr. Mackenzie insistió en comunicarse con nosotros. Sostuvimos una conversación por más de una hora en la que le explicamos detalladamente nuestro trabajo.

En el estudio que se llevó a cabo en el departamento de nefrología de la Universidad John Hopkins en Maryland, dirigido por el Dr. Walter Mackenzie, se comprobó que con una dieta vegetariana baja en proteínas, sin carnes, pescado, leche ni huevos, se pueden salvar los riñones de pacientes con enfermedad renal.

El Dr. Mackenzie descubrió que la alimentación a base de vegetales y frutas restablecía la función renal en pacientes que ya estaban al borde de comenzar a recibir diálisis con un 20% de la función o menos. ¿Cómo llegó el Dr. Mackenzie a estas conclusiones?

La seguridad con la que abordamos el tema y las contestaciones que dimos a las preguntas del Dr. Mackenzie y de sus asociados en el Departamento de Nefrología, lo convencieron de hacer la prueba con un grupo de pacientes que estuvieran dispuestos a cambiar la diálisis por la dieta.

El experimento fue altamente exitoso y 14 pacientes estuvieron un año en la dieta sin necesidad de recurrir a diálisis. Para el Dr. Mackenzie el asunto de la diálisis estaba resuelto y nadie tenía que perder su función renal de ahí en adelante. El acontecimiento se dio a conocer al mundo científico. Se publicó en los periódicos más famosos y revistas de nefrología. Sin embargo, en ninguno de sus escritos y ni siquiera en su libro, se dio a conocer la dieta que lo hizo famoso. Es cierto que en un libro de nefrología se mencionaba el daño que hace la proteína de origen animal a los riñones, y tal vez esa información lo liberó de otorgar el crédito que correspondía. Murió sin haber terminado su libro. El mismo fue publicado más tarde por su familia.

El libro merecía ser publicado, pues todas las conclusiones que acompañan cada una de las prácticas naturopáticas tienen apoyo científico. Lo que no debe tener apoyo científico es la práctica de poner a la gente en diálisis cuando existen alternativas para normalizar la función renal, sin necesidad de tener que conectar al paciente a una máquina, por varias horas, tres días por semana. Peor aún, que se prive al paciente de la oportunidad de curarse de su enfermedad renal y vivir una vida normal y sana sin que tenga que depender de una máquina para "purificar" su sangre.

El Doctor Mackenzie no le dio a la dieta el crédito por su descubrimiento, porque ya el daño que la proteína le causa a los riñones estaba establecido en los textos científicos. Sin embargo, antes que nuestros pacientes llegaran a su oficina del hospital John Hopkins con un aumento significativo en su función renal, la práctica era conectarlos a la diálisis sin otra alternativa. ¿Y después que el Dr. Mackenzie murió, qué hicieron en la unidad renal de John Hopkins de Maryland? Volvieron a la rutina de conectarlos a diálisis y a esperar por trasplante los que tenían la opción o el dinero.

De nada valió la investigación del Dr. Mackenzie ni

nuestro trabajo para demostrar que los pacientes de nefrosis o de fallo renal se curaban con un simple cambio en la dieta. La investigación que llevamos a cabo durante más de cuarenta años nos ayuda a establecer conclusiones tan extremas que cuesta mucho creerlas. Se trata de un fraude. Un gran fraude que se ha creado para convertir a los enfermos y las enfermedades en un gran negocio universal. La práctica establecida universalmente es altamente remunerativa para la nefrología moderna y sería un grave error curar esos pacientes que representan unos cinco mil dólares mensuales por persona para diálisis solamente.

Ciertamente, puede más el interés que el amor y el deseo de curar a los enfermos. Así ocurre con todas las enfermedades y condiciones que sufre la humanidad, que la medicina alópata convencional y moderna alega no tienen cura, que se desconoce la causa y que solo se deben tratar como lo determina el protocolo de tratamiento de cada una de ellas. Nuevamente señalo, si desconocen la causa, ¿cómo se atreven a tratarla? ¿No es una falta de respeto a la dignidad del ser humano administrarle un tratamiento que además de que no lo va a curar, le va a causar otras enfermedades o problemas de salud?

Uno de los efectos secundarios de la insulina que se usa para la diabetes es endurecer las arterias y subir la presión arterial, por lo tanto, al tiempo de una persona estar usando insulina oral o inyectada va a tener que usar hipotensores y otros medicamentos para la presión. La combinación de ambas medicaciones produce neuropatías, nefrologías y glaucoma. ¿Cómo es posible que en pleno siglo XXI, en el que se han logrado tantos adelantos científicos y se ha avanzado tanto en tecnología, se esté cometiendo este crimen contra la naturaleza humana a sabiendas de que es una terrible aberración? Cuando la presión arterial necesita medicación y se usan los medicamentos indicados se afecta el hígado y se produce diabetes, por lo que eventualmente el coctel de medicamentos causa otros daños al organismo.

Dr. Norman González Chacón

CAPÍTULO 5

LA CIENCIA, LOS ALIMENTOS Y LA SALUD

Con el estudio de las ciencias naturales aprendí que las ciencias dependen de las matemáticas, y las matemáticas no tienen la flexibilidad para complacer a quien quiere adaptarlas a su gusto o conveniencia. Aprendí con Descartes[28] que no se puede creer en lo que se ha aprendido por costumbre ni en lo adquirido anteriormente por tradición. "El método idóneo es aquel que se basa en seguir el uso inteligente de la razón por el cual se llegará a comprender todo lo que rodea al ser humano".[29]

A la medicina moderna le falta la razón, porque depende de la fórmula matemática que ha sido creada por la farmacéutica. Cuando estudiamos la fisiopatología humana descubrimos que la anatomía, la fisiología, la física y las matemáticas son ciencias casi perfectas que en esencia no pueden fallarle al hombre. Es el hombre quien al manejar las ciencias, se falla a sí mismo y a sus congéneres al aplicar el método científico sin una filosofía, teología o razón que no sea la económica. Al no razonar "racionalmente" no queda otra alternativa que acudir al empirismo, a la experimentación química que descarta la razón para instaurar el remedio al síntoma (efecto) sin tomar en cuenta que existe una causa.

---

28 Filósofo, matemático y científico francés del siglo XVII, considerado el padre de la filosofía moderna. Autor del pensamiento "pienso, luego existo".

29 René Descartes, Discurso del método, Buenos Aires: Editorial Losada, S.A., 1976.

Hipócrates, el padre de la medicina, dijo: "Una medicina que cure sin hacerle daño al paciente..." y no existe en la medicina convencional un solo medicamento que no tenga efectos secundarios, por lo que el postulado hipocrático que define la verdadera medicina quedó colgado en el señalamiento y nunca se concretó en la realidad. Tampoco se cumplieron con otros aspectos del postulado como; "Que tu alimento sea tu medicina y tu medicina sea tu alimento".

Por esas razones y muchas otras más, la medicina alópata moderna no cumple con los postulados hipocráticos ni con las expectativas de la gente que va en busca de curación y solo encuentra alivio temporero con efectos secundarios permanentes. La realidad choca violentamente contra el sentido común de muchos que al referirse al médico le llaman "matasanos", que por instinto y sin haber estudiado se oponen a vacunarse, a usar medicamentos fuertes, a darle seguimiento clínico a muchas condiciones que según ellos, se curan solas y no necesitan de medicación costosa con efectos secundarios.

Existe una alternativa. Hay una medicina que sigue los postulados de Hipócrates y que trata y cura la causa, no el síntoma. La desaparición del síntoma es la señal inequívoca de que la causa ha sido tratada exitosamente. Es la medicina natural tradicional, modernizada y científica. Es la versión bioética de medicina que simpatiza con el enfermo y recibe la reciprocidad del enfermo porque lo cura sin hacerle daño, lo trata sin que le duela, no ofende su dignidad, no es costosa y sigue la línea de menos resistencia de la naturaleza.

Es la medicina que enseña y educa al paciente para que no se vuelva a enfermar y que aprenda a cuidar su salud y la de su familia. Es la medicina que cuando cura a un miembro de la familia educa a los otros para que no se enfermen igual. Es la medicina que sigue los conceptos del postulado hipocrático al alcance de todos.

Mientras que la medicina alopática convencional se ha alejado de la lógica científica que le dio vida y existencia originalmente, la medicina natural bioética se afianza en todos los conceptos científicos, haciendo suyos no solo los planteamientos de Hipócrates, sino también toda la investigación científica contemporánea que puede ser validada en todos los aspectos de su filosofía y práctica.

Las características comparables de la medicina natural bioética son:

1. Trata la causa y no el síntoma.

2. La desaparición del síntoma es la señal de una causa tratada exitosamente.

3. No es injuriosa ni invasiva. Los tratamientos no pueden hacer daño ni producir efectos secundarios.

4. Se vale únicamente de los siete remedios básicos de la naturaleza. No utiliza animales, ni sus células, sus vísceras o sus líquidos corporales para tratar el cuerpo humano. Se basa en el concepto universal biológico que expone magistralmente que para que un ser humano viva no hace falta que un animal muera.

5. "Que tu alimento sea tu medicina." Cuando el alimento deja de ser medicina, se convierte en enfermedad y cuando el alimento contiene venenos deja de ser alimento y es presagio de enfermedad y muerte.

6. La base fundamental de la medicina natural ideal es el postulado hipocrático: alimento-medicina, medicina-alimento por lo que todo elemento de origen animal o químico queda descartado.

¿Cuál es la razón científica que nos obliga a descartar los productos de origen animal en la medicina bioética?

Existen varias razones muy poderosas para descartar los productos de origen animal en la alimentación. Vamos a mencionar algunas.

1. Es muy triste que una vida se sacrifique para que otra se deleite consumiéndola.

2. Nuestro sistema inmunológico ocupa defensas vitales para protegernos de los residuos y proteínas complejas de la carne que consumimos. Tanto las células blancas de la sangre como las rojas y las inmunoglobulinas sufren cambios al contacto con los productos derivados de animales que se consumen.

3. Nuestro sistema inmunológico rechaza y destruye toda célula extraña proveniente de animales y de congéneres. En esa acción de rechazo el organismo emplea una gran cantidad de células defensivas, que de no consumirse carne, se utilizarían para defender el organismo de virus y bacterias. Por esa razón, los veganos que no utilizan productos derivados de animales en su alimentación resisten mucho mejor los ataques microbianos de todo tipo y mantienen una mejor salud. Un vegano que no consume productos derivados de animales debe mantener sus células blancas bajo el promedio. Si no tiene mascotas en el hogar, pueden bajar hasta cuatro mil, lo que representa una baja respuesta a agentes antigénicos y una buena reserva inmunológica.

4. Otra importante razón para descartar las proteínas de origen animal en la alimentación, es que tan pronto se eliminan las carnes comienza un proceso de desintoxicación y regeneración celular con el cuál van desapareciendo muchas enfermedades y problemas de salud que son consecuencia directa del consumo de carnes.

5. Existe en el mercado una gran cantidad de productos cuyas fórmulas contienen ingredientes derivados de animales, como: cartílago, placenta, aguas vivas marinas, enzimas pancreáticas, colágeno, bilis, sangre, plasma, glandulares, y muchas otras vísceras y líquidos corporales humanos o animales; estos se mercadean como naturales, y no lo son. La palabra natural es usada indiscriminadamente para mercadear casi cualquier cosa que lo sea o que no lo sea. Estos productos engañan el sistema inmunológico así como a los consumidores. De primer contacto, quien los usa puede sentir un alivio de su condición debido a que las defensas específicas que atacaban las proteínas acumuladas que causaban la inflamación y el dolor suspenden la acción defensiva para identificar el nuevo producto que no está reconocido por el sistema., En lo que lo analiza y lo rechaza, deja de causar daño por un tiempo en el cual la persona siente alivio de sus antiguas dolencias o incapacidades. A esa etapa de análisis y rechazo le sobrevendría nuevamente otra más grave y dolorosa, pues el descanso dura solo el tiempo que le tomará al sistema inmunológico analizar y rechazar las nuevas proteínas animales que se utilizaron para entretener y distraer la atención del sistema defensivo del ataque original. Esta vez, el ataque es más fuerte y los síntomas se agravan, pues durante el tiempo que duró la tregua, se acumularon más proteínas inflamatorias y la condición posterior es más grave que la anterior.

Nuestro cuerpo-organismo es compatible cien por ciento con los productos de la naturaleza; hojas, plantas, tallos, flores, frutas, vegetales, hierbas, agua, sol, tierra, aire, sal, raíces y minerales orgánicos. Esos son los ingredientes básicos que deben ser usados como medicina. No obstante, como muy acertadamente señaló el gran sabio y padre de la medicina Hipócrates, el producto medicinal más importante es el alimento, y el alimento ingerido adecuadamente es la medicina para todas las enfermedades y condiciones que sufre la gente y los animales.

En los países subdesarrollados aún se encuentran niños y adultos que sufren de desnutrición, carecen de calcio, de vitaminas y minerales suficientes debido a que su alimentación es deficiente. En esos lugares se pueden administrar suplementos naturales para suplir la desnutrición. En cambio, en los países desarrollados y capitalizados donde sobra el alimento y la gente adquiere sobrepeso, no debemos perder el tiempo y gastar recursos en vitaminas y minerales y suplementos nutritivos porque esas personas tienen que ayunar para sanar, y para ayunar deben aprender a comer menos y a ejercitarse adecuadamente.

El exceso de nutrición ha causado más enfermedades en los países industrializados que la desnutrición de los países subdesarrollados. A medida que el ingreso se va nivelando y los más pobres tienen acceso al mismo tipo de comida procesada, van sufriendo sobrepeso y las mismas enfermedades que los otros. Cuando se igualan las condiciones económicas, en esa misma proporción se pueden ver los resultados en la salud de la población que se ve afectada.

El sistema moderno de alimentación es el principal factor responsable de la mayoría de las enfermedades que sufre la gente. Como señalé anteriormente, basta con cambiarle la alimentación o poner en ayunas parciales a los enfermos y vemos como se curan de enfermedades que la medicina moderna clasifica como "incurables". Son incurables cuando se someten a los tratamientos modernos con drogas químicas porque son el resultado de la sobrealimentación general. La tendencia general es que una dieta balanceada como se estima y se recomienda clínica y nutricionalmente, no puede tener ninguna relación con las enfermedades que sufre la gente porque es lo que el sistema recomienda. Todos caen en el mismo error y se establece un círculo vicioso.

Esa aparente dieta balanceada está desbalanceada hacia el lado de las proteínas. El plato nutricional, la pirámide alimenticia y las recomendaciones nutricionales que la nutrición moderna y la medicina han presentado como modelo no han sido exitosos a la luz de los resultados: Hospitales llenos de todo tipo de enfermos y muchas enfermedades en la gente que desde afuera del hospital, luchan por no caer en ese extremo utilizando todo tipo de alternativas. Pero todos comen de lo mismo y se enfermarán de las mismas enfermedades comunes a esa alimentación. Las diferencias se deben a la genética, el ambiente de trabajo, las preferencias por ciertos platos, las inclinaciones personales y las costumbres tradicionales o individuales que son las que inclinan la balanza hacia el tipo de diagnóstico que van a recibir.

Cada libra o cada kilo de sobrepeso adelanta los problemas entre cinco a diez años. Durante esas etapas, y proporcionalmente por el tiempo que haya estado cargando el sobrepeso, tiene que recurrir al médico y tratar con medicamentos los síntomas de las tendencias que desde temprano comienzan a insinuarse y que anticipan las enfermedades crónicas que va a padecer más adelante. Esos son los avisos que el organismo va dando tempranamente que indican hacia donde se va a inclinar eventualmente.

Si cuando esos síntomas aparecen por primera vez, escuchamos el mensaje de nuestro cuerpo y hacemos los cambios alimentarios pertinentes, estaremos evitando sufrir las enfermedades que se insinuaron tempranamente y que son las mismas, en la mayoría de los casos, que sufrieron nuestros padres o familiares más cercanos. Prevenir no es tomar medicinas, es cambiar el estilo de vida, de alimentación y la actitud mental y asumir el control de nuestra salud. Eso se puede lograr estudiando los conceptos que vertemos en este ensayo.

Al principio, los síntomas son casi imperceptibles, pero se irán haciendo más claros y perceptibles: un leve desbalance ocasional, un adormecimiento de las extremidades, un pequeño aumento del colesterol, triglicéridos ácido úrico, azúcares o de la presión arterial. A veces es tan poco que no le prestamos atención, pero ese es el preámbulo de lo que vendrá un poco más tarde y de lo que serán nuestros padecimientos.

Si el problema se hizo tan visible que provocó una visita al médico, la pastillita que el médico recomendó es sólo un alivio temporero del síntoma, pero no es para curar la causa. Las causas no se eliminan con medicamentos. Las causas requieren tratamientos y los tratamientos requieren cambios. Vamos a hablar ahora de los cambios.

El cambio más importante que un ser humano puede hacer es intelectual. Las personas instruidas o educadas exigen razones para justificar cada acto de su vida y generalmente actúan de acuerdo a los principios en que fueron educados. En cuanto más preparación académica tiene una persona, por lo general, más conservadora es en todos los aspectos de su vida. Así mismo, podemos observar que puede ser más apegada a las tradiciones y estilos de vida que ha practicado o que ha adoptado como consecuencia de sus convicciones de vida.

Al conocer la filosofía de la medicina natural, que choca con los conceptos comprendidos y practicados como estándares para toda la población, muchos se escandalizan. Piensan que no puede ser que hayamos estado bajo la influencia de un engaño colectivo, en que el sistema nos ha instruido con verdades a medias y medias verdades que no constituyen un absoluto que pueda resolver muchos de los grandes problemas que sufre la humanidad en todas las fases de su vida.

No obstante, la salud adolece de fallas muy graves. A pesar de que se han realizado avances importantísimos en el campo de la medicina y la tecnología, cada década que ha pasado, de las últimas cinco o seis, ha traído nuevas enfermedades. Estas se unen a las muchas que siempre han existido, sin que se conozca su origen ni su cura. Año tras año, vemos campaña tras campaña de cada una de las diferentes enfermedades, que colectan fondos para solventar la investigación en busca de una vacuna, una medicina o una droga que la pueda curar. Los años pasan y no se descubre la cura del cáncer, ni del SIDA, esclerosis múltiple, diabetes, fibromialgia, asma, artritis, catarro común o de cada virus nuevo que muta y reaparece cada año con una nueva versión más fuerte y poderosa, más virulenta y difícil de tratar.

Si observamos los hospitales llenos de enfermos de todo tipo y de toda condición, veremos que hay gente de todas las esferas de la sociedad sufriendo las mismas enfermedades y problemas de salud. La enfermedad no discrimina ni hace acepción de personas, pero los hospitales sí lo hacen y existen hospitales para la gente rica y hospitales para todos los demás.

Para poder tomar una decisión correcta en cuánto a su salud y al futuro de su organismo, muchas personas adquieren seguros médicos que garantizan los servicios de salud a la hora de enfermarse. Algunos piensan que un seguro de salud le garantiza que no va a enfermarse y se preocupan porque su empleo le provea de un plan médico lo suficientemente bueno que cubra su persona y su familia en caso de que se presente una eventualidad de salud.

Pero el verdadero cambio y seguro de salud no lo proveen las aseguradoras ni los hospitales, ni los mejores especialistas de los grandes centros de medicina del mundo de la salud y de la enfermedad. Solo nuestra forma de pensar nos puede hacer cambiar respecto a algo tan importante como lo es nuestra salud y la de nuestra familia.

¿Cuántas alternativas nos ofrece el sistema? Para eso es que necesitamos esta información que nos puede ayudar a tener no solo un plan A, que nos asista en caso de una eventualidad, sino un plan B, un plan C, y hasta un plan D, por si la situación se nos presenta mucho más complicada. Por si nos toca a nosotros o a algunos de los miembros de la familia una enfermedad de las llamadas catastróficas, que en unos pocos minutos, horas o días cambia el rumbo completo de la vida.

Concepto de Salud

En el mundo de la naturaleza, de la medicina natural y de la bioética de la salud, el concepto enfermedad es totalmente diferente al convencional. Vemos la enfermedad como consecuencia directa del impacto ambiental, mental, nutricional y espiritual a los que la gente se expone desde que se forman en el vientre de la madre, al nacer y durante toda la vida. Esos sucesos que ocurrieron, sensaciones que vivimos, traumas que nos impactaron y el alimento que consumimos, son los responsables de nuestro carácter, crecimiento, desarrollo y salud física y general.

Muchas de las experiencias traumáticas que sufrimos en algún momento de nuestra vida nos dejan huellas imborrables que causan enfermedades y traumas emocionales que nos incapacitan de alguna manera. Si no se tratan, se vuelven crónicas y muy difíciles de curar.

En mi práctica de más de medio siglo, se aprende mucho por la observación y el conversar con el paciente. Tuve dos casos muy parecidos, pero muy diferentes en origen. Un paciente con dolor fuerte en el brazo derecho desde el hombro hasta la mano. Otro paciente con el mismo problema, idénticamente igual, pero con dos causas completamente diferentes. Los síntomas y el dolor eran idénticos. Al analizar ambos problemas, que parecían ser idénticos, me percaté que uno tenía una causa emocional y el otro era de causa física. El físico provenía de un trabajo que realizaba el paciente con una palanca que accionaba miles de veces al día para vaciar un producto en una correa. El otro, que sufría un dolor similar, tenía una causa emocional-psicológica que le había causado ese trauma físico. Cuando era adolescente, con esa mano le pegó fuertemente a su madre y nunca le pidió perdón. Ese es un buen ejemplo del mismo problema en dos casos completamente distintos.

Sin embargo, en mi larga experiencia, pude comprobar que la mayoría de los problemas de salud tienen una causa alimentaria. Cuando se cambia la alimentación por una simple y saludable, la mayoría de los problemas desaparecen. Pero en los casos en que después del cambio alimentario no se resuelve totalmente el problema físico, debemos buscar de inmediato el trauma emocional que lo causó y casi siempre se encuentra.

Cuando usted toca la llaga, la reacción no se deja esperar. Es como cuando usted le abre la puerta a un animal enjaulado que sale corriendo. Ese trauma aprisionado que causó daños físicos casi irreparables, desde el punto de vista de la medicina convencional, necesita un tratamiento específico no convencional o farmacológico que libere toda la energía negativa acumulada y que le abra la puerta a la fiera enjaulada.

A veces se debe tratar multidisciplinariamente refiriéndolo a un buen psicólogo de confianza con quién podamos interactuar y abrir el camino a lo que hemos hallado en el interior de la víctima (paciente) que necesita ese tipo de liberación neurovegetativa, emocional y psico-profiláctica. Pero no podemos meramente referirle y olvidarnos de que ese ser humano, en un acto de fe y empatía, acudió a usted porque sintió la confianza de acercarse, la necesidad de buscar esa alternativa que usted representa como naturópata y la simpatía que se establece en la química que liga al médico con el paciente. A usted le toca quitar el cerrojo de la puerta en el momento que encontró la fiera enjaulada en el órgano, víctima de la descarga metabólica-emocional que causó el trauma.

Como axioma general, tenemos que interiorizar y no olvidar jamás en nuestra práctica que toda enfermedad física tiene una contra-parte emocional o espiritual, y que todo trauma emocional que se guarde tiene un efecto acumulador que causará una enfermedad física. No puede existir lo uno sin lo otro. No se puede separar el efecto de la causa ni la causa del efecto.

Muchas veces, si no tratamos la causa emocional no veremos que la causa física progrese y nos arriesgamos, como ocurre muy a menudo en la medicina convencional, a perder al paciente porque el enfermo pierde la vida. Y pierde la vida porque no se encontró ni se trató la causa.

Muchos enfermos desarrollan tumores, que se forman cuando un órgano se debilita, porque ese órgano es objeto de una descarga traumática que reúne todas las toxinas del cuerpo y las usa como municiones sobre el órgano afectado. Con una alimentación simple y sana detenemos la entrada de toxinas al sistema y le cortamos la fuente de crecimiento. Pero es indispensable desviar la atención del ataque al órgano específico. Y eso se puede hacer. Ocurre a menudo cuando el cirujano opera quirúrgicamente el tumor y lo extrae del órgano afectado.

El trauma de la operación y las experiencias a la hospitalización desvían la atención del paciente al lugar afectado, por el pensamiento de seguridad que le pueda transmitir el cirujano o el equipo médico que lo atiende al comunicarle que la operación fue un éxito y que lograron erradicar el tumor. Eso le permite al paciente recuperarse espontáneamente de la cirugía y crea una sensación temporera de bienestar porque tanto la parte física como la emocional de su contra-parte en el cerebro admiten el cambio y olvidan la fijación emocional sobre el órgano que causó el trauma original.

Todo depende del paciente, de su actitud y de la preparación que haya recibido al respecto. Si el cirujano le infundió la seguridad de que todo salió bien y de que no hay que preocuparse, puede superar el trauma y sobreponerse exitosamente. Pero no siempre la seguridad es un absoluto. Si el cirujano le dice que envió el tumor a patología para determinar si es cáncer o si es benigno, el término de la duda y de la espera angustiosa que se produce no permiten que la recuperación sea total, y la aparición del trauma emocional se produce como consecuencia de la activación del estrés de la espera y de la duda.

No importa el resultado final de la biopsia, si es positiva o negativa, el daño se activó por el periodo de duda que siguió a la cirugía. El paciente sigue enfermo. El área del cerebro correspondiente al comando del órgano afectado, que no curó ni cicatrizó en su totalidad porque el trauma original se sustituyó por el trauma posterior, dio lugar a la descarga emocional original que causó el trauma físico en el órgano y en su contra-parte en el cerebro. Por esa razón, debe hacerse una profilaxis emocional antes de recurrir a la cirugía. El naturópata profesional debe accionar los mecanismos de comparación que el organismo tiene a su disposición en el momento de la consulta. Es el momento en que se puede apreciar el cuadro clínico en toda su multiplicidad de posibilidades. Puede verse y analizarse el iris del ojo, que muestra el rastro físico y emocional del paciente y nos da una indicación bastante precisa y segura de las trayectorias y consecuencias de las causas y de sus efectos.

Si hemos sido capaces de detectar el problema, debemos ser responsables hasta resolverlo. Si dimos con la causa tenemos el deber de tratarla. En mi larga experiencia tuve casos tan complicados que tuve que citar al pastor o sacerdote como testigo de mi trabajo. Necesitaba la ayuda de alguien que conociera a mi paciente, que pudiera ser su confidente espiritual y que me asistiera cuando se tratara la causa emocional. Puedo escribir un libro de las experiencias vividas cuando se liberó la fiera enjaulada que causó el daño físico. En muchos casos, el impacto emocional que sufrí al ver la reacción del ser humano que se enfrenta con su verdad escondida me dejó agotado, y no pude continuar con el resto de los pacientes citados ese día. Pero la satisfacción de haber resuelto un problema de vida, de haber curado una causa, de haber liberado a un hermano de su carga física y emocional y de haber detenido el progreso de un cáncer destructivo, sigue siendo el mayor incentivo que me motiva, después de medio siglo de trabajo, a compartir esta experiencia con mis estudiantes, con el público que lo necesita y con usted que lee y puede ser una víctima de las circunstancias que afectan a miles de seres en el mundo. Personas que llegan a los hospitales y solo encuentran una alternativa de las muchas que pueden contarse. La medicina natural es la alternativa más próxima al paciente enfermo que necesita ayuda y al ser humano que está sano y que un día va a enfermar.

Si no somos tan efectivos como debemos ser y nos conformamos con mejorar el problema del paciente para que vuelva y lo tengamos en nuestro archivo de casos como un símbolo del éxito económico y repetido, nunca nos destacaremos en la vida profesional más allá del punto de confort que nos complazca. Como señalé anteriormente "todo es relativo a todo" y "la mediocridad queda en el medio". El éxito se mide por los fracasos superados y no por los aciertos inesperados. La práctica médica además de ser una ciencia es un arte, y para ser científico se estudia, pero para ser un artista se nace. La medicina natural nos permite pintar el cuadro de la salud en la naturaleza humana, armando los recursos pictóricos y curativos de la naturaleza vegetal.

El naturópata profesional tiene que tener ante sí la ética más allá de los convencionalismos, intereses y postulados científicos y legales. El naturópata que juega a ser médico, receta como un médico y pretende parecerse al médico, nunca alcanzará el nivel de éxito que un verdadero profesional de la salud natural puede alcanzar.

La filosofía de la medicina natural tiene como fundamento la naturaleza, y las leyes de la naturaleza deben ser el norte y guía que rija todo proceso curativo. Cuando violentamos la ley para darle paso a la conveniencia, sacrificamos la ciencia y lesionamos la conciencia. De ahí al fracaso solo queda otro paso.

Eso ha ocurrido con la práctica médica del consultorio cuando el paciente, sentado frente al médico, le cuenta de sus dolencias y sufrimientos y el galeno escribe la receta y se la entrega: 'tómese esto y viene en dos semanas" sin siquiera indagar sobre los pormenores de la queja y de las interioridades del dilema.

Existen naturópatas que hacen lo mismo. Juegan al médico y a la receta. Recomiendan productos que pueden ser naturales o semi naturales o derivados de químicos o de animales para contrarrestar los síntomas, tratar el órgano afectado o obligar al organismo a producir una reacción inmunológica. Esto es un engaño, como ocurre con algunos medicamentos homeopáticos que contienen micro toxinas o nanopartículas venenosas para crear una reacción auto inmune.

Esta práctica antagónica con la naturaleza se ha extendido y se ha prolongado debido a que produce reacciones instantáneas en muchas personas que reaccionan de forma aparentemente bien y que parecen estabilizarse al contacto con el medicamento. Es exactamente lo que ocurre con muchos de los medicamentos químicos que utiliza la medicina convencional, pero en el caso de los homeopáticos son cantidades ínfimas, que aunque no intoxican con la misma potencialidad, logran estimular el sistema inmunológico que reacciona de manera similar. No obstante, no debe ser clasificada como medicina natural cuando usa toxinas y metales pesados de alta toxicidad, aun cuando estén en menos cantidades.

El concepto pertenece a la práctica médica porque sigue el mismo patrón de funcionamiento práctico y no se le debe incluir en la medicina natural, aun cuando la fórmula es totalmente extraída de plantas medicinales no tóxicas. Estamos aceptando el concepto de micropartículas vegetales y rechazando el concepto de microtoxinas y microminerales tóxicos como medicina.

El postulado de Hipócrates, el padre de la medicina, fue establecido de forma clara y contundente: "Que sea tu medicina tu alimento y tu alimento sea tu medicina sin hacer ningún tipo de daño". Por lo tanto, la homeopatía tóxica y la homotoxicología son parte de un sistema de tratamiento que no puede llamarse medicina natural ni cabe en el concepto naturopático. Es un híbrido que actúa igual que un medicamento con esteroide o que una droga química farmacológica.

Para los años 70, el Dr. Paavo Airola publicó su libro "How to get well" y creó la medicina holística americana. Este concepto funcionó por algunas décadas y se basó en vitaminas, minerales y aminoácidos en mega dosis. Coincidió con la visión mega holística del Dr. Linus Pauling quién se distinguía por el uso de mega dosis de vitamina C para obligar a reaccionar al organismo en decadencia inmunológica, a fin de conseguir una reacción positiva celular.

Todos estos conceptos consiguen reacciones de un organismo que tiene la capacidad de reaccionar, pero no se acerca a la efectividad del ayuno como terapia universal. Tan importante como alimentarse en su horario de alimentación particular, es ayunar en el horario de descanso. De las 24 horas del día, solo en un tercio de ese horario se deben ingerir los alimentos, el resto debe ser ayuno, por lo que el desayuno que rompe el ayuno de las últimas 12 horas es uno de los más importantes actos medicinales para el organismo que necesita recargar energía.

El ciclo de 24 horas se debe dividir en esos tres períodos: mañana, tarde y noche. La mañana debe comenzar a las 4:00 am que es la hora de levantarse en el primer período después de la noche. La mañana, que es el horario en que se debe trabajar y hacer todas las labores cotidianas obligatorias, comienza a las 4:00 am y termina a las 12 del mediodía; a esa hora comienza el período de asueto y recreación que debe terminar con la cena a las 6 de la tarde para ir a la cama a las 8 de la noche. Por lo tanto, en el período de trabajo se hacen 2 comidas: una a las 6 de la mañana y otra a las 12 del mediodía. La comida se hace 2 horas después de levantarse y la última del día 2 horas antes de acostarse a dormir. Ese es el ciclo correcto de vida que nos puede ayudar a tener una buena salud y a extender nuestro periodo de vida al máximo.

Algunas personas, por la naturaleza de su trabajo y recreación, necesitarán ingerir algunas meriendas en el período de la mañana, entre el desayuno y el almuerzo, y entre el almuerzo y la cena. Esa es una buena oportunidad para consumir frutas frescas de todo tipo que no necesariamente sean las frutas enzimáticas que se pueden consumir con las comidas. Estas son únicamente la papaya, la manzana y la piña, que puedan ayudar al proceso digestivo por el contenido de las enzimas: papaína de la papaya, pectina de la manzana y bromelina de la piña.

No obstante, muchas personas con disparidad enzimática en su proceso digestivo no toleran alguna de las tres enzimas, por lo que no deben consumir la fruta de este grupo que no les caiga bien. Otros, con una o dos, completan una digestión perfecta que se convierte en energía utilizable junto al alimento ingerido en la comida, ya sea el desayuno, el almuerzo, la cena o en todas.

La disparidad es una intolerancia digestiva del organismo a ciertas proteínas que no son bienvenidas al sistema porque no pueden ser metabolizados adecuadamente. Su ingestión puede causar fracturas digestivas, gasificación, dolores abdominales y extremos de diarrea o estreñimiento, dependiendo de la persona y de su organismo. A unos y a otros les produce síntomas diferentes, pero se podría notar la diferencia al ingerir el determinado alimento y la fruta que lo neutraliza. Cada persona debe probar cuál de las frutas enzimáticas tolera mejor para incluirla.

La vida moderna, la industrialización y la electricidad han cambiado los ciclos de descanso, asueto y trabajo del ser humano, y han trastornado las costumbres originales de los campesinos que seguían el ciclo del horario que recomendamos dentro de las 24 horas del día. Estos cambios han sido muy perjudiciales para la salud general de todos los que no pueden seguir el ciclo natural de trabajo, asueto y descanso que hemos rescatado por ser costumbres acertadas, basadas en las leyes de la naturaleza. El resultado de no llevar este ciclo natural se puede ver inicialmente en una gran pérdida de energía vital que da lugar a enfermedades diversas, poca productividad y trastornos emocionales y mentales que repercutan en la vida, costumbres y reacciones antisociales peculiares de la gente.

Resumen

Hemos estado presentando un cuadro real de las

enfermedades y sus causas desde una perspectiva diferente, y hay tres causas básicas para las enfermedades comunes que sufre la gente:

1. La toxicidad y contaminación del ambiente

2. La alimentación antinatural y animal

3. La condición emocional y mental

Si alguien tiene dudas en cuanto a lo que exponemos en este tratado sobre las enfermedades, sus causas y cómo se curan, es muy simple comprobarlo haciendo el mismo experimento que por cincuenta años hemos estado realizando en todo tipo de enfermos con todo tipo de enfermedades:

1. Lo separamos del ambiente tóxico que está más directamente relacionado a sus causas. Verificamos que los jabones, pasta de dientes, detergentes, desodorantes y perfumes que la persona utiliza, así como el agua que toma, no estén contaminados con químicos tóxicos o inorgánicos. En cuanto al agua, es preferible destilada.

2. Le asignamos una alimentación sencilla a base de frutas y vegetales que no contenga ningún producto de origen animal como leche, huevos, pollo, carnes y pescados ni granos secos.

3. Nos aseguramos, mediante educación instintiva al respecto, que su condición mental y emocional esté preparada para hacer un cambio de esa naturaleza y asegurarle que los resultados se verán a los pocos días de haber comenzado el cambio. De acuerdo al estado avanzado de la enfermedad, o de las enfermedades que sufra la persona, la edad y los años que lleva padeciéndolas, tendremos resultados proporcionales a todos los elementos del cambio y de acuerdo a la actitud positiva del enfermo al nuevo formato alimentario.

Si las expectativas personales del enfermo son buenas, los resultados serán buenos y los avances en todas las fases y condiciones se irán viendo al paso de los días y de las semanas que se mantenga el paciente en su cambio programado.

Surgirán preguntas que la persona traerá en el transcurso del cambio y que deben ser contestadas con toda seguridad y propiedad para que no se despierten dudas en cuanto a lo que el paciente debe hacer ante situaciones inesperadas o desconocidas que surjan durante el tratamiento, para evitar que el proceso recuperativo se interrumpa. Si se interrumpe, un segundo comienzo será más lento y menos efectivo.

¿Por qué ocurre este retraso y pérdida de efectividad del proceso curativo cuando se interrumpe la dieta y se consumen productos de la dieta original de la persona?

Explicación

Cuando se eliminan los productos de origen animal y las altas concentraciones de proteína en la alimentación, el sistema inmunológico se libera de una carga de trabajo muy grande y puede atender mucho mejor las necesidades físicas y biológicas que afectan órganos y sistemas. De inmediato, comienza un proceso de reparación y limpieza de todos los tóxicos y acumulaciones de residuos orgánicos y proteicos que se hayan depositado en células y tejidos del cuerpo creando enfermedades o incapacidades inflamatorias, deficiencias en el funcionamiento del sistema circulatorio o del sistema endocrino o digestivo y patologías diversas.

Cuando liberamos el sistema inmunológico de esa carga diaria que significa la entrada de tres o cuatro comidas al día de productos de origen animal, esa liberación le permite emplearse en su labor principal para lo cual fue diseñado que es la de reparar y proteger las células y tejidos de órganos y sistemas. Si ese trabajo para el cuál el sistema organiza y activa varias líneas de defensa, se interrumpe, se crea un caos metabólico que a su vez interrumpe todos los procesos curativos que con mucho esfuerzo se organizaron para producir la curación, y el organismo vuelve al estado de desorden en que se hallaba inicialmente. A ese estado de desorden le llamamos enfermedad y a las enfermedades se les asigna un nombre de acuerdo a sus síntomas y al lugar donde comienzan a desarrollarse o donde hacen crisis.

El primer alimento ofensivo que recibe un ser humano al poco tiempo de haber nacido es la leche de vaca en sustitución de la leche materna. Otra ofensa ultrajante y muy injuriosa al sistema inmunológico de un niño son las vacunas. Cada vacuna contiene una cantidad alta de substancias extrañas al organismo, algunas tóxicas, otras de animales diversos, de proteínas extrañas que obligan al sistema inmunológico a crear anticuerpos y a sensibilizar células linfocíticas específicas para cada ingrediente en particular, lo que disminuye grandemente el caudal defensivo permanente del organismo. Esas primeras experiencias de un ser humano con esos elementos tan extraños y ofensivos contra su naturaleza inmunológica repercuten en su salud para toda la vida. Y en gran cantidad de casos, lo que se cree que puede ser una protección se convierte en una incapacidad, y lo que se considera un posible beneficio se vuelve contra la naturaleza y se convierte en un perjuicio. Causa daños permanentes irreparables en el sistema defensivo que abren las posibilidades a un sinnúmero de patologías, que en otras circunstancias y sin ese impacto inmunológico no hubieran podido ocurrir en ese organismo.

La inmunología de la vaca es totalmente diferente a la humana. La leche que contiene toda la genética bovina en su composición, así como las vacunas,, son elementos extraños a la naturaleza humana que se ve obligada a hacer ajustes significativos en su sistema inmunológico que queda parcialmente comprometido con todos los elementos que no son propios. El impacto del daño de una vacuna al sistema inmunológico innato no puede ser medido en sus consecuencias, porque en cada individuo puede causar daños diferentes, pero está siendo seriamente cuestionado por muchos científicos que lo entienden. No es fácil cuantificar la pérdida de los recursos defensivos innatos cuando se administra una vacuna, se ingiere leche de animales, se consume carne, extracto o proteínas de origen animal temprano en la vida, pero podemos observar el daño en un 62% de la población infantil que sufre de muchas enfermedades diversas y para la cual se han creado hospitales pediátricos especializados. Estos centros de tratamiento mayormente tratan casos de cánceres de todo tipo en niños de todas las edades.

Con tan solo cambiar la alimentación a un niño o adulto que comienza a presentar síntomas de enfermedad, cualquiera que sea, vemos de inmediato una remisión de los síntomas. Si mantenemos el cambio comprobaremos la desaparición de la causa.

El Dr. Valter Longo[30] trabajaba en su laboratorio un proyecto de investigación sobre el cáncer. Se les inducían tumores de cáncer a las ratas y luego se trataban con diferentes sustancias en busca de un tratamiento químico efectivo contra el cáncer.

Las ratas eran alimentadas diariamente con comida común de ratas por agentes encargados de esa responsabilidad. Por motivos que desconocemos, porque no se dieron a conocer en la noticia, un fin de semana (desde el viernes en la tarde hasta el lunes que regresan a trabajar), los encargados de alimentarlas no cumplieron con su obligación. Las ratas no comieron por sesenta horas. Los investigadores,

---

30 El Dr. Valter Longo es profesor Edna Jones en Gerontología y Profesor en Ciencias Biológicas. Es también el director del Instituto de Longevidad de la Universidad del Sur de California.

dirigidos por el Dr. Longo pensaron que el experimento se había echado a perder y que todo el trabajo estaba perdido. Pero no vieron ni a una sola rata muerta, todas saltaban en sus jaulas al ver que el personal había regresado y eso podía significar que serían alimentadas.

Antes de alimentarlas, las examinaron para verificar que todo estuviera bien y que los tumores hubieran crecido como de costumbre. Grande fue su sorpresa cuando descubrieron que con el ayuno de 60 horas, los tumores habían desaparecido. Las ratas estaban sanas, activas y muy enérgicas esperando su alimento. Accidentalmente el Dr. Longo y su equipo habían descubierto la cura del cáncer y de muchas otras enfermedades. Al proceso se le ha llamado "restricción calórica" o "ayuno intermitente". El hallazgo, que aunque inesperado para ellos abrió un nuevo campo de investigación sobre el cáncer y otras enfermedades, no fue un descubrimiento exclusivo del Dr. Longo. Otros investigadores, desde el año 1938, habían escrito sobre este tema y otras universidades lo habían experimentado en diferentes estudios realizados con animales, pero muy poco con seres humanos.

El Dr. Longo quería llegar a experimentar el ayuno con humanos, pero no es fácil encontrar enfermos con cáncer dispuestos a dejar de comer por varios días para ver los resultados. Los enfermos de cáncer, en su mayoría, son adictos a la comida y por esa razón acumulan grandes cantidades de proteínas y grasas en sus órganos y tejidos. Estas acumulaciones, cuando el organismo va perdiendo la capacidad de metabolizar, se convierten en tumores cancerosos. El Dr. Longo y su equipo están convencidos de que el ayuno cura el cáncer.

La pregunta de ellos es: ¿Cómo podemos lograr que los enfermos de cáncer ayunen? Se confeccionó una dieta con restricción calórica para realizar un programa de ayuno intermitente: Un día de ayuno, seguido por un día donde la persona ingiere su dieta habitual. Funcionó en algunos casos, pero no fue lo suficientemente efectivo como para producir resultados óptimos y curaciones absolutas. "Caloric restriction and intermitent fasting" es el reto que tienen los investigadores en este momento. Pero no es lo mejor.

Mientras ellos investigan cómo lograr que la gente con cáncer deje de comer en lo que se curan, yo, como científico de la naturaleza en la isla caribeña de Puerto Rico, llevo casi cincuenta años enseñando a la gente a curarse de cáncer, artritis, diabetes y de casi todas las enfermedades con el "ayuno sustentado".

El ayuno sustentado es un concepto de ayuno revolucionario y muy efectivo. La gente ayuna sin pasar hambre, pues consumen alimentos que el organismo procesa sin recargar y sin despertar la reacción del sistema inmunológico a las proteínas de origen animal, granos secos y cereales y gluten y sus análogos.

En la primera etapa curativa del ayuno, que puede durar desde diez días hasta un año, dependiendo de la enfermedad y de la gravedad del enfermo, solo se recomiendan vegetales tubérculos como la papa, la remolacha, la zanahoria, el apio de raíz y frutas enzimáticas como la manzana, la piña y la papaya. Estos ingredientes se pueden preparar de diferentes formas y maneras para darle variedad al ayuno, pero nada se debe freír, ni en manteca ni en aceite.

A medida que el paciente va avanzando en su proceso curativo y se puede comprobar el cambio, se pueden añadir otros vegetales ya programados en orden para evitar que se retrase el proceso curativo. Estos vegetales deben ir de acuerdo a un orden preestablecido en una tabla de clasificación por su índice digestivo, que incluimos en la sección de alimentos permitidos después del proceso curativo para evitar una recaída en la enfermedad.

Lo importante de este proceso es que funciona en todas las enfermedades y enfermos que no hayan llegado al punto de "no retorno", que es una gravedad mortal de la que no se puede recuperar porque el organismo no tiene la capacidad para lograr regenerarse. No obstante, en la experiencia adquirida en tantos años con tantos enfermos, el ayuno sustentado es tan efectivo que les alivia la carga del sufrimiento a enfermos con enfermedades terminales y le ayuda a morir naturalmente con menos agonía y mayor lucidez en sus últimos momentos.

"El ayuno cura el cáncer". Ese es el tema de muchas investigaciones científicas en varias universidades y centros de investigación que buscan afanosamente una cura para el cáncer. No obstante, el ayuno no es el más simpático de los tratamientos ni para los científicos que lo estudian como alternativa, ni para los enfermos adictos a la comida. Estos últimos son los más expuestos a sufrir de diferentes tipos de cáncer. Al darle a escoger entre el ayuno que cura y la quimioterapia tóxica que retarda el progreso del cáncer, en su gran mayoría escogerán tratarse tóxicamente y continuar comiendo.

Para que los enfermos de cáncer y de diabetes, así como de otras enfermedades auto-inmunes acepten el ayuno sustentado, es menester que reciban una educación instructiva al respecto. Además, un tratamiento psicológico simultáneo para que aprendan a modificar su conducta alimentaria y sus hábitos de vida. Para ese propósito he creado revistas ilustrativas y una programación de radio y televisión constantes a fin de instruir a la población del país para que entiendan que la causa de las enfermedades se puede bloquear con una conciencia saludable.

No obstante, alguien que interese abrir un centro de tratamiento de cáncer y de otras enfermedades (supuestamente incurables) debe tener psicólogos entrenados en esta disciplina para preparar a los enfermos en la parte mental, emocional y transcultural de este problema sociocultural y de salubridad general que los ha llevado a contraer estas enfermedades.

Los profesionales de la salud a cargo de estos pacientes deben conocer a fondo tanto la filosofía del ayuno sustentado así como la transdisciplinariedad del Dr. Edgar Morín (mencionada en el capitulo anterior). Los mismos son herramientas indispensables para crear una nueva cultura de salud y de pensamiento complejo en los profesionales. Estos a su vez tienen la labor de conducir a los enfermos a una convicción curativa que los eduque para salud y no para enfermarse, como lo ha dispuesto erróneamente nuestro sistema sociocultural.

CAPÍTULO 6

LA NECESIDAD DE HACER CAMBIOS

La transformación del sistema de salud es solo uno de los muchos cambios sociales que requiere el sistema convencional de los gobiernos socio demócratas. Necesitan una modificación en todos los servicios y en el funcionamiento y filosofía de todas las agencias. La educación requiere de una reforma total cuanto antes, pues la inmediatez de hoy es la acción pasada del mañana y los niños necesitan que se les adelanten los nuevos parámetros de lo que será la guía intelectual que los conducirá al umbral de la nueva educación.

De igual forma, los enfermos de hoy necesitan la medicina del mañana ahora mismo. No podemos esperar ni cinco, diez, o veinte años para que se "descubra" la cura de todas las enfermedades, de las cuales mueren miles a diario en todo el mundo. El problema es tan serio que está costando billones de dólares y grandes sufrimientos. Miles de muertes reclaman acción inmediata para los que aún viven.

La educación y la salud son la punta de lanza de toda reforma social. Estas dos mueven la política y la economía. La crisis económica que vive el mundo actual es consecuencia de una política general que no ha podido resolver estos dos grandes problemas. El gasto en la salud de todos los países del mundo consume el presupuesto que podía ser distribuido para otros servicios que son altamente necesarios y para mejorar la educación, que al fin y al cabo es la que alimentará intelectualmente a los hombres y mujeres del mañana. Ese círculo vicioso se amplía y cada vez cubre más población que sucumbe al vicio y a la violencia del narco-mundo que promete todo a cambio de nada y que termina cambiándolo todo por nada. Combatir ese mal requiere una educación preventiva eficaz, y combatir las enfermedades que mencionamos requiere lo mismo: una educación preventiva que establezca parámetros de conciencia sólidos con soluciones claras y tangibles.

El Dr. Edgar Morín ha publicado libros con pertinencia en diferentes artes y oficios, como: *Ciencia con conciencia, El paradigma perdido*, y *Los siete saberes necesarios para la educación del futuro*. En esas obras, el sabio filósofo expone los problemas cognitivos que permanecen ignorados en el proceso educativo que va "de la cura a la tumba". Estas obras se publicaron en París, con motivo de la Conferencia Mundial de Educación Superior de la UNESCO, en 1998.

Para curar la ceguera del conocimiento, este insigne pensador hace recomendaciones articuladas para los sistemas de educación que se encuentran sumidos en la incertidumbre, debido a que no poseen una relación lógica entre unas materias y otras. El Dr. Morín ve en su discurso la "religación" para comprender el entrelazamiento complejo entre el individuo, la sociedad y la naturaleza. Según sus propias palabras: "Es decir que tanto cuerpo, sociedad y cerebro en el individuo, como sujeto, cultura y objeto en la sociedad, o núcleos, protones, neutrones, estrellas y constelaciones en el universo, son organizaciones "religantes" que se encuentran en una lucha patética de "religación" contra la separación, la dispersión, la muerte". [31]

Para obtener la salud perfecta que necesitamos, tenemos que retornar a la naturaleza y establecer lazos de amistad y de compartimiento mutuo, sin agresiones contra el ambiente ni contra sus habitantes. La educación necesita enseñar las ciencias de la naturaleza de forma integrada para que cada

31 Edgar Morin, El método 6 Ética.
http://edgarmorin.webcindario.com/parte3-3.html.

criatura, estudiante, maestro e individuo puedan verse como parte de un universo coherente, donde todos nos necesitamos para todo. Así como el núcleo mantiene la cohesión de los protones y neutrones en sus órbitas; unos con carga positiva y otros con carga negativa, estos mantienen la dinámica de la órbita en una constante acción que mueve los motores de todo lo que existe en nuestro universo. De igual forma, el maestro verdadero debe enseñar correctamente las ciencias de la naturaleza para mantener la cohesión de la sociedad en un interés convergente.

Las ciencias de la naturaleza, también denominadas universalmente "ciencias naturales" se han desnaturalizado en nuestra era por la práctica de la síntesis química. Este es el proceso por el cual se imita la fórmula química de un compuesto o de un químico natural en el laboratorio. En la mayoría de los casos, la rotación molecular del compuesto químico es a la inversa del compuesto natural original. La molécula se puede sintetizar químicamente y visualmente es idéntica, pero su rotación corre a la inversa. No obstante, el profesor de química en el laboratorio, orgulloso de su trabajo en el proceso de sintetizar o imitar a la naturaleza creando una fórmula artificial idéntica a la natural, le enseña al estudiante que son la misma cosa y que sirve para el mismo propósito.

Esa aseveración carece de veracidad en su esencia, a pesar de que parte de un razonamiento científico correcto. La fórmula es idéntica en su composición, pero no en su rotación. Por esto, el resultado de su experimento sufre de una falla mortal que no le permite rotar en la dirección correcta en que giran las moléculas del compuesto natural.

A nadie se le ocurriría comprar un auto que sólo caminara en reversa aunque costara un tercio de lo que cuesta un auto normal que pueda caminar para el frente.

Cuando el profesor de química le enseña a sus

estudiantes que las propiedades de un compuesto natural pueden sintetizarse químicamente en el laboratorio y se obtienen los mismos resultados, el error que ese profesor aprendió de sus maestros se va a perpetuar en sus alumnos y la sociedad recibirá el fruto de una verdad a medias que solo camina en reversa.

Si partimos de una premisa medianamente correcta o medianamente falsa, los resultados no pueden ser perfectamente correctos en ninguno de sus aplicaciones. La molécula artificial o química es una imagen de espejo de la verdadera molécula natural. La energía de esa molécula sintética es a la inversa, aunque sea idéntica. Cuando usted se mira en el espejo ve su imagen idéntica a la suya en el cristal. Pero no puede ponerle el sombrero a la imagen del espejo, darle de comer, ni darle un beso en la frente.

Nuestra sociedad ha sido engañada con imágenes de todo tipo que han tomado el lugar de todo lo genuino que nos puede dar la naturaleza. Las grandes empresas farmacéuticas han tomado los compuestos naturales y los han sintetizado para comercializarlos. Las grandes empresas de la agricultura han tomado las plantas y las frutas de la tierra y los han manipulado genéticamente para supuestamente mejorar la obra de la naturaleza. Los procesos de injertar y hacer híbridos de todo lo que de alguna manera puede ser modificado, han sido intervenidos y adulterados por la mano del científico curioso en busca de fama.

El resultado de toda esa experimentación con la fuerza natural de la naturaleza ha sido un proceso en contra de la energía, y es por eso que el motor de la salud de la sociedad corre en reversa. No se ha encontrado en el laboratorio ni se ha producido químicamente una droga que cure sin efectos secundarios.

La entropía de toda droga química sintetizada de un

compuesto natural original es negativa. Por su naturaleza rotatoria inversa, los efectos secundarios son más fuertes que el efecto curativo que se esperaba obtener de la misma fuente que cuando se obtuvo de la naturaleza, tuvo efectos positivos.

La energía que da vida en la naturaleza no puede ser invertida porque se convierte en un proceso de pérdida de energía conducente a muerte. El fracaso de la medicina moderna en curar las enfermedades se debe a una filosofía científica equivocada, errónea y disfuncional que sigue siendo el norte de la investigación en todos los centros de experimentación en el mundo.

Una filosofía equivocada es la que dirige la investigación científica en todas las fases de la sociedad en que vivimos. Por esa razón, la sociedad va en un proceso de pérdida de energía en todas las fases, y parece no entender que los lleva al principio de la muerte. La entropía general es negativa.

La transformación del sistema de salud tiene que cambiar de filosofía y de dueño obligatoriamente. La caja de cambios de todo automóvil tiene una velocidad lenta de marcha hacia atrás, pero necesita de 3 o 4 velocidades para ir para el frente. Nuestra sociedad es un vehículo que necesita ir para el frente y avanzar positivamente para alcanzar la distancia razonable que nos transporte de una sociedad enferma de muerte a una de progreso total.

Para eso el motor, que es la salud física y emocional, tiene que roncar saludablemente y acelerar correctamente en todas las marchas del cambio. La entropía debe ser positiva. La rotación molecular debe ser la misma que la naturaleza diseñó siguiendo la línea de menos resistencia.

Así también debe reformarse la educación. No podemos seguir viviendo de quimeras, esperando que alguien descubra la cura del cáncer cuando hace décadas se conoce todo al respecto. Hemos sido engañados por los grandes intereses y es hora de despertar de ese letargo en que nos tienen endrogados con falsas expectativas de curación.

La Solución

La transdisciplinariedad es vital para el cambio social que se debe operar en todas las disciplinas, en todas las materias y en la integración de la educación. Todos necesitamos saber de todo y las especialidades no deben ser patrimonio de los especialistas. El saber está al alcance de todos, y los saberes son de quien los procure.

La solución es compleja. Pero si se allega al elemento integrante que es la educación, el proceso, al igual que ocurrió con la cibernética, se puede adaptar en muy poco tiempo porque corre en una dirección propicia a todos los intereses personales y es la gente la que mueve la rueda. Las redes de comunicación, que en pocos años se posicionaron y movilizaron las estructuras arcaicas que separaban los pueblos, las naciones y los idiomas, se han adueñado de la voluntad general de la gente, las industrias, las escuelas, las universidades, las iglesias, las cárceles, los hospitales y las comunicaciones. Este es el elemento básico de la globalización que se perfila como la educación en los conceptos de la medicina natural. Tiene que ser impartida masivamente a la población mundial a través de los medios de comunicación, escuelas y universidades.

La medicina natural bioética es un derecho natural al que todos los seres humanos tienen o deben tener acceso. Contiene soluciones a muchos de los problemas existenciales del hombre y del planeta Tierra. Si todos conocieran los alcances de esta ciencia natural, y lo que representan en términos de salud, agricultura, ecología, recursos naturales, ambiente y economía, comprenderían que es la solución a la mayor parte de los problemas sociales que sufre el mundo actual.

Uno de estos es la salud de la gente que está enferma, y que consume un presupuesto económico precioso que podría invertirse en prevención de otros problemas sociales apremiantes como la educación masiva, la recuperación de la agricultura y de las semillas originales, la inmersión de la población en los problemas ecológicos y la prevención de la violencia y la criminalidad.

Esos son los problemas más apremiantes que aquejan la sociedad moderna y para resolverlos eficientemente hay que educar primero en salud natural. Luego, el resto es fácil y lógico para que la gente pueda preparar la diferencia en sus vidas, en sus congéneres y en la sociedad. La dinámica natural, como la hemos ensayado, cambia totalmente el rumbo disparatado de la sociedad y los pone en el camino de la recuperación económica y de la salud física y emocional.

No existe otra forma de recuperar la pérdida de valores de todo tipo. Los gobiernos pueden asignar grandes presupuestos para tratar de resolver los miles de problemas que una sociedad compleja y mal preparada educativamente crea en todas las direcciones, y para los cuales parece no haber fin ni solución. Pero hay un fin, y hay soluciones. Y la base educacional es simple con resultados multiplicadores sorprendentes. Cuando se crea una base educativa real sobre el fundamento salubrista natural, los principios que se adquieren son el eje de una reforma social verdadera y justa.

Una tableta electrónica sustituye al libro y a la libreta en la escuela, a la biblia en la iglesia, al pesado diccionario, a la máquina de escribir, a la sala de cine, al televisor, a la calculadora, al pad de notas, a la cámara fotográfica, al mapa y al teléfono. Pues así como todas estas funciones y muchas otras más pueden ser realizadas desde la palma de la mano con una diminuta máquina digital, y podemos mantenernos conectados al mundo a la vez que realizamos nuestras diferentes tareas cotidianas, este medio se puede convertir en el instrumento del cambio hacia la multidisciplinariedad que la sociedad necesita. Nos permitiría insertarnos en el todo y en lo que defectuosamente llaman "globalización," que no alcanza a cubrir la totalidad de lo que necesitamos incluir en la totalidad de los saberes y el conocimiento. Si sabemos lo que queremos buscar, lo podremos encontrar. Si sabemos lo que queremos lograr, lo podremos alcanzar. El medio nos puede ayudar a llegar.

Como nuestro tema es la salud y no podemos desligar la salud de ninguna de nuestras actividades de vida, porque sin salud no se nos hace fácil alcanzar nuestras metas y aspiraciones, nos podemos valer del medio para programar nuestro estilo de vida y alimentación y nuestra higiene mental y espiritual. De esta manera, podemos lograr que la tarea que nos toque realizar en nuestro desarrollo económico y financiero pueda completarse cada día en plenitud. Por esa razón, la oferta de los chamanes y espiritistas es de "salud, amor y dinero" y hacia esas metas dirigen su propaganda, como única mercancía en la vitrina de sus ofrecimientos. Sin salud no podemos realizar nuestros sueños ni nuestras obligaciones o aspiraciones.

Por esa razón, la salud es un activo que tenemos que integrar a la lista de obligaciones cotidianas. Tenemos que cumplir con unos requisitos diarios que no debemos soslayar ni posponer porque cuando las olvidamos, caemos en deficiencias acumulativas. Las mismas dan lugar a fallas orgánicas más tarde en la vida, justo cuando menos las queremos, cuando más nos van a pesar y a incapacitar para llevar a cabo nuestras metas a largo plazo.

Una Dieta Balanceada

Anteriormente mencionamos el problema que nos ha traído el sistema convencional de salud y nutrición, que nos habla de una dieta balanceada y nos da ejemplos de las necesidades nutricionales diarias para un niño o para un adulto normal promedio. Nos muestran la pirámide alimentaria con ejemplos de lo que podemos incluir y nos presentan un plato de comida como ejemplo de una dieta balanceada. Cumplir con esos requisitos no es difícil, porque las costumbres alimentarias de la gente en casi todas partes del mundo de hoy ya cumplen con esos requisitos y en la mayoría de los casos los sobrepasan.

Por lo tanto, todo el que a conciencia se preocupa por su alimentación cumple o rebasa las necesidades diarias permitidas y recomendadas por la Asociación de Dietética Nutricional de los Estados Unidos. No tiene dudas de que está consumiendo una dieta balanceada.

La nutrición, de acuerdo a lo que hemos podido comprobar en la medicina natural, no puede estar balanceada si en el 75% de los componentes se incluye la proteína como el principal o predominante nutriente del componente alimentario. Esa es la razón por la cual la gente que consume dietas altas en contenido de proteínas son las más susceptibles a enfermarse de todo tipo de enfermedades. En la investigación que hemos llevado a cabo en casi cincuenta años de trabajo arduo en este tipo de labor, hemos comprobado nuestra tesis miles y miles de veces. No es difícil de corroborar científicamente, en cualquier lugar del mundo, con todo tipo de enfermos que no hayan rebasado el límite de su capacidad para curarse.

El Cambio Alimentario

Se cambia la alimentación por una más simple y liviana. Le damos un desayuno de papas majadas (papilla) como si fuera para un bebé de seis meses, y una manzana de postre. Al mediodía le ofrecemos dos papas asadas con ensalada de zanahoria y remolacha y una tajada de piña o de papaya como postre. En la tarde, podemos preparar un guisado o sopa de papas, zanahorias, remolacha y apio de raíz para cerrar el día y prepararse para dormir temprano.

La mayoría de los enfermos responderán de manera curativa a este tipo de alimentación y en un término de 2 a 10 días se verán resultados extraordinarios y nunca vistos en la medicina moderna convencional. A ese método de alimentación simple y liviana lo he denominado como el "ayuno sustentado".

Los beneficios del ayuno, a través de los siglos, han servido para diferentes propósitos. Desde los tiempos remotos existe el ayuno religioso y el ayuno terapéutico. Hay religiones que se abstienen de comer carne durante ciertos días, como los católicos durante la semana santa y los musulmanes durante el ramadán. Los hindúes tienen sus ayunos esporádicos de acuerdo a las necesidades de purificación y así, muchas culturas, por diferentes razones religiosas de purificación física o espiritual realizan ayunos de diferentes tipos de abstinencias.

El ayuno absoluto es una buena terapia curativa para muchas personas, pero no se debe prescindir del agua porque el movimiento excretorio de toxinas de todos los lugares donde el organismo las ha acumulado, junto a los depósitos de grasa que se consumen en el ayuno, necesita un medio líquido constante para ser eliminados. Por lo tanto, el consumo de agua o líquidos como el zumo de las hojas de plantas medicinales, jugos diluidos de frutas, agua de coco, agua de mar diluida o agua destilada pura, son opciones que pueden utilizarse de acuerdo a las necesidades específicas de cada caso. El médico o naturópata que esté a cargo de la administración y supervisión del paciente debe decidir cuál o cuáles son las más indicadas.

A las personas de culturas orientales, acostumbradas a ayunar, no se les hace tan difícil realizar ayunos cortos y generalmente lo aceptan como una alternativa saludable que les beneficiará tanto física como espiritualmente. Sin embargo, mencionar el ayuno en occidente es diferente. A la cultura americana, acostumbrada a comer compulsivamente, así como a las culturas del sur de Europa, España, Italia y Portugal no se les hace fácil entrar en los rigores del ayuno. En su mayoría están tan apegados a la comida, que no se les hace fácil dejar de comer, aun cuando sea para bajar de peso o curarse de alguna condición.

El ayuno es un descanso que permite al organismo recuperarse de su fuerte batalla contra las carnes y sus derivados, los químicos de la alimentación moderna, el gluten de los cereales, la constante ingestión de azúcares, postres, bocadillos, bebidas y todo lo demás que se ingiere en las comidas y entre comidas. Descubrí muy temprano en mi práctica que ayunar es el mejor ejercicio, la mejor terapia y la mejor medicina para el organismo. También, que a la gente se le hace muy difícil ayunar.

Consciente de la debilidad humana que nos hace dependientes a la comida, desarrollamos un tipo de ayuno que es más cómodo para quienes lo necesitan. Como señalamos anteriormente, sirve para los fines terapéuticos de mejorar la salud y curar enfermedades que según la medicina convencional alópata no tienen cura. Se utilizan los líquidos o jugos mencionados y ciertos alimentos cuyas características no recargan el organismo y son neutrales para los fines del tratamiento.

La Fundación Dr. Norman's ha creado una lista de alimentos en orden digestivo para facilitar no solo el ayuno, sino la transición gradual del ayuno a una dieta. Se toman en cuenta el orden numérico y la capacidad del organismo para procesar efectivamente los alimentos sin que ocurra la recarga orgánica que produce la dieta común. Esto evita que cuando la persona termine su proceso curativo con el ayuno, vuelva a consumir en la misma proporción los alimentos que contribuyeron a su enfermedad. Al seguir la progresión numérica del índice digestivo, se protege y mantiene el nivel de conciencia sobre el riesgo de cada alimento que se añade después del ayuno. Véase la tabla del índice digestivo al final del capítulo.

Este concepto, que desarrollé junto a mis asociados, es una importante contribución al campo de la salud. Establece una clasificación diferente, en la que se toman en cuenta los factores de riesgo que tienen los alimentos basándose en su composición nutritiva orgánica y el potencial de nutrir o enfermar de cada uno. Para realizar este trabajo, se hizo una investigación que abarcó más de veinte años y miles de personas de diferentes edades, razas, tipos de sangre y con todo tipo de enfermedades. El estudio se realizó de menor a mayor y de mayor a menor, para confirmar fuera de toda duda la capacidad que tienen los alimentos comunes en la dieta general para propiciar tanto la enfermedad como la curación de la mayoría de las condiciones que sufre la gente y que son conducentes a enfermedades graves incurables.

En el estudio, se restringió el consumo de todo tipo de productos animales y derivados de animales. En un comienzo, se permitió el consumo de ciertos lácteos como el yogurt, la mantequilla y algunos quesos orgánicos. Se separaron los vegetales que crecen sobre la tierra (aéreos), de los que crecen bajo tierra (tubérculos). Se denominó como *monodieta* por su cualidad de incluir un solo renglón por comida: solo aéreos o solo tubérculos.

Con la *monodieta* se lograron curaciones milagrosas de muchas enfermedades y condiciones de salud que no se pueden lograr con ninguna droga o tratamiento conocido. No obstante, debido a que incluía todo tipo de vegetales y algunos lácteos que señalamos, no era fácil lograr que el paciente siguiera siempre una ruta de progreso ascendente

132

constante. A veces avanzaban y a veces retrocedían. Muchos de ellos pudieron identificar el tipo de alimento que consumieron y que los hizo retroceder. Probaban una y otra vez eliminándolo de la alimentación, probando a ver como se sentían, y luego consumiéndolo de nuevo para comprobar que no les hacía bien.

Fue un patrón común en miles de pacientes. Esa experiencia nos llevó a eliminar de toda dieta curativa los lácteos, los granos secos, los cereales y ciertos frutos ácidos que también resultaron injuriosos durante el tratamiento.

Una observación interesante que se convirtió en una regla general y que nos obligó a buscar su explicación científica fue la siguiente: Existen alimentos comunes que a todos nos hacen daño al consumirlos, pero existen organismos que los rechazan enérgicamente mientras otros los aceptan a pesar del daño. Con el tiempo, esos alimentos se convierten en las saetas que van afectando órganos y sistemas hasta enfermarlos. La mayoría de esos alimentos comunes son de consumo diario y gran parte de las personas, dependiendo de su tipo de sangre, las toleran sin notar el daño que causan. En nuestro trabajo, pudimos identificar las proteínas y otros componentes de semillas de los cereales y de los granos secos que son altamente dañinos a la salud. Fue justamente aislando esos productos de uso común como llegamos a las conclusiones del ayuno sustentado. Aun así, el ayuno sustentado no es una solución perfecta, pero es el medio más efectivo sin que la persona se vea obligada a ayunar de forma absoluta.

La forma más fácil y efectiva de suprimir todo alimento dañino de acuerdo a su clasificación por su orden digestivo, es recurrir al ayuno sustentado. Hay que ser creativo en la forma de preparar estos alimentos, y además, lograr que satisfagan tanto el hambre como el apetito y la costumbre de comer. Aun así, siempre le recomendamos a los enfermos que necesitan curarse y a los ya curados y sanos que para mantener esa buena salud obtenida a base de esa disciplina alimentaria, ayunen de forma absoluta, solo con agua pura, por lo menos un día por semana.

De los beneficios del ayuno no abundaremos mucho, pues existe mucha información al respecto y se puede tener acceso a suficientes estudios científicos como para satisfacer las necesidades del más exigente. Está claramente expresado en la literatura de los estudios científicos que el ayuno cura el cáncer y reduce grandemente los efectos secundarios de la quimioterapia, en los casos que dicha química fue administrada.

Como señalamos anteriormente, el ayuno ha sido estudiado en seres humanos de forma intermitente con una dieta calórica restringida, "Caloric restriction and intermitent fasting" o "intermitent fasting and caloric restriction". A diferencia de las ratas de laboratorio, a las que se les obliga a ayunar, los seres humanos no dejamos de comer y no se hace fácil lograr que los enfermos ayunen. La tendencia a comer es una debilidad de la naturaleza humana que no ha logrado niveles superiores de conciencia intelectual y de trascendencia espiritual. Comer y excretar es el ciclo terrestre que nos diferencia de los seres iluminados de esferas superiores. Hemos sido convencidos de que para vivir hay que comer y esa tendencia nos obliga a comer sin descanso. Eso es lo que nos acorta la vida y nos enferma.

Cada kilogramo o libra que tengamos sobre nuestro peso ideal nos quita años de vida que no podremos rescatar aun cuando bajemos de peso. Ningún obeso alcanza a vivir cien años. La obesidad es la señal externa de nuestra incapacidad de controlar nuestro apetito y de ejercer dominio sobre nuestros deseos.

Dicen los escritos apócrifos que después que Adán y Eva comieron del árbol de la ciencia, ellos se escondieron en una cueva sufriendo dolores de muerte. Su vientre se hinchaba de dolor y Dios tuvo que abrir la salida del intestino para librarlos de lo que habían comido. La leyenda bíblica apócrifa dice que cuando ellos vieron y olieron la inmundicia que salió de sus entrañas, se dieron cuenta del terrible pecado que habían cometido. De ahí en adelante, la deliciosa comida que consumían se convertía en horrible pestilencia cuando salía.

Hemos comprobado en medio siglo de práctica que cuando comemos de forma natural y sanamente, no debe haber mal olor en las heces fecales. Una madre que lacta a un niño y que se alimenta de forma sencilla y natural, siguiendo las reglas de alimentación que damos en nuestro manual, no va a tener problemas de mal olor en los pañales del infante. Si hay mal olor es porque hay mala digestión. Si no hay buena digestión hay exceso de fermentación y acidez y se producirá enfermedad. "Por sus frutos los conoceréis" y por lo que comen se enfermarán.

Esto suena y parece escandaloso y repugnante, pero es una realidad con una lógica que cuando la ponemos en práctica, los resultados no se pueden obviar y se convierten en evidencia convincente.

Cada uno de los elementos que estamos considerando en este tratado han sido probados en cientos y miles de casos, que por cerca de cincuenta años se trataron de forma consecutiva y a los que se les dio seguimiento para comprobar no solo el éxito del cambio, sino más aún, la perseverancia de los que tuvieron el privilegio de curarse de enfermedades incurables. Más bien, de los que hicieron el esfuerzo de curarse realizando cambios, ayunando y absteniéndose de todo lo que se les indicó que no era lícito.

Muchos creyeron por fe, aún cuando no teníamos toda la evidencia científica que existe ahora. Otros creyeron viendo la experiencia de los que se curaron y otros, desesperados y desesperanzados, se aferraron y comenzaron a experimentar porque entendían que en sus casos, desahuciados de la medicina convencional, no tenían nada que perder. Les fue bien de acuerdo al caso, circunstancias personales, tiempo que llevaban enfermos y al apego que tuvieron al programa de tratamiento. A todos nos beneficia comprender el enigma de la salud y de las enfermedades que ha creado el sistema de medicina alópata convencional. En la medicina natural se entiende claramente que no hay enfermedades incurables, aunque pueden haber enfermos que no se curen porque su condición, tanto física como mental, no puede levantar recursos curativos que reparen el daño que han sufrido los órganos y sistemas. Aun así, no se le niega la oportunidad a quien la procura, debido a que hasta para morir hace falta preparación física y mental para así evitar el sufrimiento y la agonía de una muerte antinatural bajo el efecto de fuertes narcóticos y alucinantes.

CAPÍTULO 7

LOS TIPOS DE SANGRE Y LA ALIMENTACIÓN

En este capítulo discutimos el tema de la aceptación o el rechazo de algunos organismos a ciertos alimentos. El Dr. Peter J. D'Adamo,[32] quien investigó sobre este asunto, presentó sus hallazgos en su libro *Los grupos sanguíneos y la alimentación*. El Dr. D'Adamo, separa los alimentos que pueden consumir las personas, de acuerdo a los diferentes tipos de sangre, para no provocar las reacciones naturales de intolerancia a los diferentes alimentos. Desde la perspectiva de la medicina natural, esa práctica, aunque produce resultados aparentemente aceptables o beneficiosos, no tiene la capacidad de convertirse en un medio curativo de excelencia. Se ampara en las debilidades inherentes del sistema inmunológico para complacer las preferencias alimentarias y no provoca crisis curativas. Es como tratar de complacer todos los gustos y preferencias de un niño malcriado para evitar que le dé una rabieta.

Esta práctica de seleccionar los alimentos a base del tipo de sangre se ha generalizado entre muchos profesionales de la salud porque es fácil de aplicar y se le puede dar por escrito al paciente. A éste se le hace fácil seguirla.

Si analizamos los factores que provocan los diferentes tipos de sangre y los elementos que conducen a la enfermedad, nos daremos cuenta que son los mismos. Por lo

---

32 Naturópata, autor de varios libros de salud, entre ellos "Los grupos sanguíneos y alimentación".

tanto, restringir ciertos alimentos a cada tipo de sangre es complacer el "gusto para evitar disgusto" y los resultados de esa práctica son acomodaticios a la preferencia y no a la necesidad real del proceso curativo. Se convierte en un factor de complacencia que satisface unas inclinaciones insanas que en muchos casos, pueden impedir una total recuperación del paciente. El daño que producen las carnes al cuerpo humano está probado científicamente. Los factores que diferencian los tipos de sangre son aglutinógenos que, por su naturaleza, sabemos no pertenecen a la raza humana. Estos factores Rh, que fueron descubiertos en el mono Rhesus, son proteínas que se adhieren a la membrana de los glóbulos rojos, y que son comunes a los animales que fueron mayormente consumidos por esa raza. Si pudiéramos removerlos, todas las sangres se podrían intercambiar sin problema.

En el origen de las razas podemos seguirle el rastro a muchos de los cambios genéticos que han ocurrido en la sangre humana. Los judíos, los musulmanes y los árabes recibieron una orden divina de no juntarse en matrimonio con otras razas para evitar las mezclas de sangre que hoy día separan a los humanos y los dividen en cuatro tipos: O, A, B y AB-.

La sangre del tipo O negativo no contiene aglutininas ni factores Rh. El O negativo es donante universal y puede donar a cualquier otro tipo, pero no recibe de ninguno, porque es sangre libre de substancias aglutinógenas. Por esa razón, ciertas razas como los judíos y otros, que no les permiten a sus hijos casarse con gente de otras razas, mantienen su sangre del tipo O negativo. Por lógica, al ser el tipo O el donante universal, se sobreentiende que esta fue la sangre original. La sangre del tipo O negativo tiene la capacidad de rechazar todo subproducto de ciertos animales que dejan residuos genéticos.

La ciencia moderna ha hecho esfuerzos para cambiar otras sangres al tipo O negativo mediante diferentes métodos. Al exponer sangre del tipo O positivo y A positivo a unas enzimas obtenidas del café verde (cafestol) en la Universidad de Duke, lograron remover los factores que diferencian la sangre AB y AB del tipo O y lograron revertir el proceso. Aunque en la filosofía de la medicina natural no se auspician ni recomiendan transfusiones de sangre, para los que dependen de esa práctica puede ser muy importante que los bancos de suministro tengan toda la sangre del tipo O negativo por muchas razones, todas muy convenientes.

No obstante, para la medicina natural, este estudio investigativo sobre los tipos de sangre es una confirmación de la posición que sostenemos en cuanto a los tipos de sangre y su origen degenerativo, en el orden: O-, O+, A + B, AB.

Cuando mencionamos la palabra degenerativo para describir el proceso de transformación de un tipo de sangre O a A o B, es porque estamos seguros del proceso que se lleva a cabo y cómo ocurre. Si observamos la tabla (a)1, veremos que solo la presencia de dos antígenos definen los cuatro grupos de sangre y que el tipo O no carga ninguno. Por lo tanto, es un proceso de inclusión el que media para que se formen los otros 3 grupos y en esto se fundamenta todo el estudio de la sangre y sus grupos. La genética que se deriva de ellos y todas las variaciones que se forman en las diferentes mezclas de sangre la incluimos en la tabla 2, y son los resultados de las diferentes fusiones sanguíneas.

	GRUPO A (AA - AO)	GRUPO B (BB - BO)	GRUPO AB (AB)	GRUPO O (OO)
Sangre roja célula	A	B	AB	O
Anticuerpos	Anti-B	Anti-A	Ningunos	Anti-A y Anti-B
Antígenos	A antígeno	B antígeno	A y B antígeno	Sin antígenos

RECEPTOR	DONANTE							
	O-	O+	B-	B+	A-	A+	AB-	AB+
AB+	X	X	X	X	X	X	X	X
AB-	X		X		X		X	
A+	X	X			X	X		
A-	X				X			
B+	X	X	X	X				
B-	X		X					
O+	X	X						
O-	X							

Otros factores, como los antígenos Rh, O y Mn que son factores decisivos en la identificación del tipo, son parte del estudio que nos ocupa y que para fines de ilustración, son constituyentes del cambio que se opera cuando se cruza la epigenética inter-individual de las especies[33]. Cuando hacemos un estudio profundo de la hematología, que cubre

---

33 2014 Elsevier LTD, I. Igaz, P. Igaz / Medical Hypotheses84 (2015) 150–154: *Possible role for microRNAs as inter-species mediators of epigenetic information in disease pathogenesis: Is the non-coding dark matter of the genome responsible for epigenetic interindividual or interspecies communication?*

todo el abanico de posibilidades de cambios en la sangre ante la presencia de anticuerpos, genes, mezclas de sangre, antígenos y otras proteínas o fragmentos de proteínas, virus y bacterias que pueden penetrar la barrera inmunológica y llegar a la sangre activos y causar mutaciones de todo tipo, nos percatamos de una importante realidad que nos afecta a todos los seres humanos.

Estos cambios en la sangre son el resultado de factores extraños que han llegado por diferentes vías:

1. Oral alimentaria

2. Piel y el tacto

3. Genética

4. Intravenosa o muscular

5. Vacunas

6. Virus

7. Bacterias

8. Mordidas de animales

9. Transfusiones de sangre

10. Otras

La vía alimentaria ha sido la fuente principal de contaminación de la sangre junto a los cruces de razas que están en segundo lugar. Curiosamente, el código mosaico (Éxodo 20: 1 al 11) hacía una división de las diferentes especies animales y las dividía entre limpios e inmundos. La recomendación llevaba la intención de evitar que ciertos factores de sangre pudieran penetrar la barrera inmunológica y sembrar una huella genética que causara mutaciones y cambios en la sangre humana. La medida les fue beneficiosa a los judíos, que en sus costumbres se abstuvieron de comer la carne de los animales prohibidos y de que sus hijos se casaran con otras razas. Los judíos que se han mantenido fieles a sus tradiciones religiosas han conservado los promedios más altos de sangre del tipo O negativo en su colectivo.

Es conveniente señalar que aunque dentro de los grupos A y B existen antígenos y anticuerpos en una gran variedad y cantidad, solo dos antígenos hacen la diferenciaentre A y B. O sea, que estos dos antígenos[34] hacen la diferenciación entre los cuatro grupos de sangre.

Aunque no se ha probado en su fondo que las diferencias son únicamente por la ingestión de carnes de los animales, prohibidos en el código mosaico, sí se han podido identificar las poblaciones que conservan la mayor cantidad de individuos con sangre del tipo O. Estas observaciones apuntan también a que por lo general, la gente de un continente se une a la gente de ese grupo y mantienen un mismo tipo de sangre por herencia y tradicionalmente consumen el mismo tipo de alimentos.

Los estudios más abarcadores sobre este tema se realizaron en 1910 y 1911.[35] Es conveniente que se realicen nuevamente para verificar la frecuencia y existencia de cada grupo en la población moderna y determinar, al día de hoy, cuánto se ha mezclado la sangre de los diferentes tipos. Sobre todo, en las principales urbes donde se encuentra gente de todas partes del mundo y que se unen entre sí.

En las tablas 2 y 3 que nos proveen Race y Sanger (ver referencia #4), podemos observar los posibles resultados de las mezclas de sangre que se realizan. Podemos ver que O + O= O, pero no es lo mismo cuando entra en la formula un A o

---

34 Son sustancias capaces de crear un anticuerpo, una sustancia que puede ser considerada extraña o agresiva.
35 R.R. Race & Ruth Sander, Blood Groups In Man, 6th Edition, p. 864

un B.

GRUPO A (AA - AO)	GRUPO B (BB - BO)	GRUPO AB (AB)	GRUPO O (OO)

RECEPTOR	DONANTE							
	O-	O+	B-	B+	A-	A+	AB-	AB+
AB+	X	X	X	X	X	X	X	X
AB-	X		X		X		X	
A+	X	X			X	X		
A-	X				X			
B+	X	X	X	X				
B-	X		X					
O+	X	X						
O-	X							

Otro dato curioso que debemos observar es la posibilidad de que al mezclar la sangre del Tipo A y B, nazcan hijos con sangre del tipo O. Esta probabilidad reafirma nuestra posición de que se puede recuperar la totalidad de lo que se ha perdido. Para esto, se tiene que eliminar de la genética general todos los antígenos que se han añadido a la sangre original. Cabe destacar que, en un principio, todos los seres humanos fueron creados de una misma sangre con un origen común.

Para lograr un tipo de sangre común a todos, necesitaríamos una forma de convertir a toda la población del mundo a una dieta vegetariana vegana. Esto es, que ningún producto de origen animal entre en el organismo hasta por cuatro generaciones.

Como sabemos, un cambio de esa naturaleza es imposible de realizar en este mundo tan diversificado y complejo. Sin embargo, en favor de los que por diversas razones necesitan una transfusión de sangre, sí podemos procurar que la misma se realice con el tipo de sangre O negativo. Por desgracia, ese es el tipo de sangre más escaso y difícil de conseguir. Es necesario que sigamos la búsqueda de elucigantes, o sustancias que tienen la capacidad de remover o absorber otras sustancias, que remuevan los factores antigénicos y anticuerpos A y B, así como otros factores genotipos y fenotipos en los diferentes tipos de sangre, para poder convertirla en sangre de tipo universal.

Esta no es una prioridad económica que atraiga la atención de los investigadores científicos. Sin embargo, debe ser prerrogativa personal de cada ciudadano consciente que esté interesado en mejorar su salud y su descendencia genética, el cambiar a una dieta vegetariana vegana para mejorar su calidad de sangre y transmitirla a sus descendientes.

La Alimentación

La alimentación juega un papel muy importante en la calidad de la sangre. En los bancos de sangre se puede encontrar diferentes tonos de rojo. Desde el rojo brillante, hasta el rojo oscuro casi marrón o negro; se pueden ver todos los tipos y variaciones en el color y la viscosidad. Una sangre roja brillante y liquida, es señal de buena oxigenación y pureza. Una sangre lipémica, oscura y muy espesa, es señal de poco oxígeno, mucha grasa, sedimento y de la posible circulación de toxinas. Todo depende de la alimentación del donante. Esa es una realidad que podemos comprobar al extraerle sangre a un vegetariano que no consuma grasas o proteínas en cantidades altas.

Las proporciones de hidratos de carbono y proteínas en un vegano deben ser de un 80% de los primeros y un 20% o menos de proteína en personas que hacen ejercicio, o tienen una vida activa o un trabajo vigoroso que requiera un esfuerzo grande. Disminuir el consumo de proteínas de los parámetros establecidos para la población que consume carne y productos derivados de animales, disminuye en esa misma proporción el residual de proteínas que el organismo no puede metabolizar.[36] Por lo tanto, se reduce la acumulación de proteínas y fragmentos de proteínas en todos los órganos y sistemas por donde circula la sangre.

Un vegano que consume variedad de frutos, vegetales, tubérculos y ensaladas, necesita menos consumo de agua y su organismo se mantiene en una homeóstasis menos comprometida y en un sistema inmunológico más fortalecido contra invasores extraños de todo tipo. Los químicos que se ingieren provenientes de la producción agrícola como lo son los fertilizantes y pesticidas, son de menos riesgo en los vegetarianos. El organismo, en pleno control de sus defensas y con hígado y riñones desintoxicados y en total funcionamiento, puede deshacerse de esos químicos mucho mejor que una persona que consume mayor cantidad de proteínas de origen animal y vegetal.

La nutrición, la alimentación y la dieta común de las personas se tienen que analizar por separado. Hemos podido examinar en los textos modernos la ingeniería de la nutrición que es una mecánica matemática de consumo por gasto energético. Esta se puede determinar por formulas preestablecidas que debemos conocer en principio. Sin

---

36 Al no poder metabolizar, no se dan los procesos catabólicos y anabólicos.

embargo, ese no es el trabajo principal del naturópata profesional que tiene ante sí a una persona enferma cuya alimentación o dieta común fue por años la misma que la del resto de la familia. Además, también fue la misma que recomienda la nutrición moderna convencional como lo es el plato ideal en el que se incluyen porciones de carne, vegetales, cereales, frutas y leche o quesos.

Si el plato o la pirámide alimentaria fueran el ideal perfecto de nutrición y la dieta recomendada fuera tan saludable, no tendríamos tanta gente enferma en los hospitales y tantos otros en la calle, bajo medicación constante para diabetes, hipertensión y cáncer. Estuve en un congreso reciente de nutrición en el que sorprendentemente se hizo gran hincapié en el consumo de frutas y vegetales. Todos los conferenciantes enfatizaron la importancia del consumo de frutas y vegetales. Se presentaron estudios estadísticos indicativos de las diferencias que se pueden verificar en las personas que consumen una buena porción de frutas y vegetales en su dieta habitual diaria. Pude verificar personalmente el estado de salud de la mayoría de los participantes y de muchos de los nutricionistas y dietistas que asistieron y que atendieron las charlas y los quioscos donde se ofrecían equipos para medir masa corporal, consumo de calorías, cálculos nutricionales computarizados y cientos de artefactos para hacer ejercicios, productos para bajar de peso, libros, etcétera.

Al observar el estado de salud de la mayoría de los participantes, no pude ver la diferencia con el resto de la gente que estaba en otra convención en el mismo hotel. Comieron de la misma comida, en el mismo comedor y nadie se abstuvo de los excesos de grasas, calorías y proteínas de la comida del centro de convenciones. En la mesa del bufet, las frutas y las ensaladas fueron lo menos que consumieron y sobró mucho de ello aunque se terminaron las pastas, los diferentes tipos de carnes y los embutidos. Cuando le

146

pregunté al personal si alguien había pedido dieta vegetariana me contestaron en la negativa. No había ni un solo vegetariano en esa convención. Tuve que esperar una hora por una papa asada y cuando llegó, ya todos habían terminado de comer. Pude escoger de la ensalada de frutas, manzana y piña fresca que quedaron en abundancia sobre la mesa del bufete y ese fue mi almuerzo ese día, muy parecido a lo que he comido todos los días en mi casa por los últimos cincuenta años.

Entre los expertos en nutrición, doctores en nutrición y dietética, y otros profesionales de la salud especializada en sobrepeso, en ejercicios y en métodos combinados para bajar de peso (quienes en su mayoría tenían varias libras o kilos de más), no había diferencia con el resto de las licenciadas en nutrición quienes tenían las enfermedades propias de la sobre alimentación: diabetes, hipertensión y sobrepeso.

Aunque se puede inferir que todas las enfermedades y condiciones de salud se relacionan a la alimentación que resulta del estilo de vida y la actitud mental, es esta última la que determina las preferencias alimentarias de la gente y la que influye directamente en su conducta social, en el cuidado personal y en su salud física. La promiscuidad sexual y la gula son conductas aprendidas, muy típicas de las sociedades capitalistas consumistas y poco intelectuales. La pasión por comer de manera desmedida ha creado una cultura de restaurante que domina y permea en todas las actividades humanas: en los negocios, iglesias, deportes, escuelas y colegios, convenciones y hospitales. Donde quiera que haya vida social, se cuela la gula como la parte más importante de toda reunión.

Es necesario comer. Los humanos necesitamos mantener un balance de consumo y gasto energético que satisfaga las necesidades básicas del organismo. Pero "satisfacer," "balance" y "básico" no es lo que se ha estilado en las sociedades modernas. Estas se distinguen por la proliferación de restaurantes de todo tipo y categorías, en donde se satisface hasta la saciedad. El balance de los nutrientes se rompe y se exagera, se consume más allá de las necesidades básicas del organismo lo que da lugar al sobrepeso.

Cerca de un 65% de los norteamericanos cargan más peso de lo que su organismo necesita. Desde muy temprana edad sufren de hipertensión y diabetes, además de que acumulan otros problemas de salud que se van desarrollando a diferentes edades.

A la gente hay que enseñarles a comer para que aprendan a satisfacer el hambre dentro de un marco de necesidad física, que se logra con el mínimo de gasto cantidad y eficiencia nutricional, y que no es para satisfacer el apetito pervertido por la costumbre, la tradición o el placer. Para lograr esa meta, la persona tiene que hacer una preparación mental. En la misma, las prioridades vitales deben establecerse en el orden en que cada edad lo requiere, y de acuerdo a la capacidad individual que la prevención lo permita. Los cursos de preparación deben ser previos al cambio, con excepción a los casos de enfermos con condiciones crónicas o agudas, que requieran llevarlos simultáneamente. En estos casos, la claridad mental y la disposición personal del enfermo debe ser un requisito indispensable para obtener el éxito del tratamiento.

En una sociedad cambiante, digitalizada, globalizada y cibernética, la disposición de la gente al cambio es justificable desde todos los ángulos y perspectivas. Todos los factores nuevos o renovados que han surgido gracias a la ciencia y la tecnología, facilitan el cambio y estimulan al prospecto a someterse a la prueba de todo lo que puede ser beneficioso para su salud y su vida. Para muchos, el cambio constituye un reto interesante: se convierte en una actividad placentera cuando a los pocos días comienzan a sentirse bien, o ven los cambios positivos que se operan en su organismo. La sensación de felicidad se extiende en cada célula que se renueva y se convierte en parte de un nuevo proceso regenerativo.

Para que los niños, jóvenes y adultos puedan aceptar los diferentes aspectos del cambio, tienen que ser reeducados en el proceso de salud de vanguardia. En este se establecen nuevos parámetros de vida y alternativas reales de prevención y curación. Todos los que estén en aptitud de alcanzar la transformación tienen que realizar el cambio.

Los beneficiados estarán asegurando un gran incremento en su salud, en su productividad presente y futura, y un aumento proporcional en el "spam" de vida. Todos piensan que la enfermedad es un evento inesperado que nos puede llegar en cualquier momento sin esperarlo porque está en nuestros genes y no podemos evitarlo. Si fuera así, lo llamaríamos accidente, como le llaman los médicos a los eventos cerebro-vasculares (CVA) que nos pueden sorprender porque aparentemente ocurren sin que podamos hacer nada para evitarlos.

Sin embargo, en la medicina natural bioética sabemos que ese tipo de "accidente" o de evento en el que se restringe el flujo de sangre al cerebro, por obstrucción de una vena o arteria, es un percance que se puede evitar. Por lo tanto, el término accidente no es propio en circunstancias que pueden evitarse. Es como si usted se arriesga a manejar en estado de embriaguez y ocasiona un accidente en el que pueden haber personas heridas o muertas. Tal situación puede ser considerada como un accidente para las personas que usted afectó con su negligencia al manejar ebrio, pero no para usted, quien lo provocó irresponsablemente.

Cuando perdemos la conciencia del daño que hace el alcohol en el organismo, nos arriesgamos peligrosamente a incurrir en conducta criminal y a provocar incidentes desgraciados. De la misma manera, pero aceptado socialmente y sin que se tache de conducta criminal, nos arriesgamos a sufrir un "incidente" cerebro vascular serio. Por las connotaciones clínicas que se le aplican no se clasifica como conducta suicida. Sin embargo, existe una relación de causa y efecto en ambos casos, provocada por la negligencia: en el primero, por consumir alcohol, y en el segundo, por ingerir ciertas grasas. Todas las alegaciones que se puedan hacer para justificar uno u otro caso no pueden evitar el efecto: el daño que se provoca. Los resultados de una alimentación común en la que no se toman en cuenta los factores que a largo plazo provocan enfermedades incapacitantes pueden ser clasificados como conducta negligente y suicida.

Por muchos años la ciudad de Hunza, situada en la frontera de la India y Pakistán, ha llamado la atención del mundo porque sus habitantes viven hasta 110-120 años. No padecen de las enfermedades que sufre el resto del mundo porque son vegetarianos. Consumen unas 1,933 calorías al día en las que se incluyen 36 gramos de grasa no animal, 50 gramos de proteínas y 365 gramos de carbohidratos.[37] Según el Dr. Robert McCarrison,[38] la dieta es el factor principal de la longevidad de esta nación, en comparación con las naciones vecinas que son tan enfermizos como todos los demás

37 http://actualidad.rt.com/sociedad/view/139666-hunza-enfermedades-longevidad. Tomado el 18 de octubre de 2014. "Conozca el secreto de los hunza, un pueblo que no conoce ni las enfermedades ni la vejez."

38 Médico escocés, descubridor del misterioso pueblo Hunza. Condujo uno de los primeros estudios relacionados a la deficiencia de las vitaminas, "we often forget the most fundamental of all rules for the physician- that the right kind of food is the most important single factor in the promotion of health, and the wrong kind of food the most important single factor in the promotion of disease." From Transsactions of the Seven Congress of the Far Eastern Association of Tropical Medicine, 1928.

habitantes del mundo y tienen una esperanza de vida dos veces más corta.

Según el reportaje, *"Los Hunza, el pueblo que no Envejece"* del periódico "Nueva Acción", hay mucho más que se puede añadir de esta nación que tiene hábitos diferentes de alimentación. Es importante señalar que no tienen hospitales, sino pequeñas salas de urgencias que se encargan de accidentes domésticos y laborales. No tienen cárceles ni policías. Son autosuficientes, pues siembran todo el alimento que consumen. Comparados con el resto del mundo, podemos decir que son gente excéntrica y rara. Pero si ellos nos visitaran nos verían como locos, raros y excéntricos, alocados de correr de un lado a otro en automóviles y comiendo desmesuradamente de todo, todo el tiempo. ¿Qué se puede esperar de gente que come de todo, todo el tiempo? Pues sensatamente hablando podemos resumir que estarán enfermos todos, todo el tiempo. Y no nos equivocamos. Hicimos un experimento con nuestros estudiantes y en una investigación que se realizó en la calle, con una muestra de mil personas, el 98% de los entrevistados sufrían de alguna enfermedad o condición aguda de salud.

El especialista en salud pública, Dr. R. Bircher, en la última frase del reportaje de los hunzitas nos da su impresión sobre el modelo de salud de esta asombrosa nación. Señala que, y cito: "es vegetariano, tiene una gran cantidad de alimentos crudos, las frutas y los vegetales predominan en la dieta, los productos son completamente naturales y tienen periodos regulares de ayuno".[39]

Esta frase, "tienen periodos regulares de ayuno", es importante porque nos da la clave de su salud actual en cada

---

39 http://actualidad.rt.com/sociedad/view/139666-hunza-enfermedades-longevidad. Tomado el 18 de octubre de 2014. "Conozca el secreto de los hunza, un pueblo que no conoce ni las enfermedades ni la vejez."

estación del año. Si los habitantes del resto del mundo ayunaran tan solo un día a la semana, podrían mejorar su salud en un 60% aproximadamente y eso puede ser tan beneficioso como para cerrar muchos de los hospitales existentes en todas las ciudades.

El ayuno es una forma de descanso del organismo, que permite que el cuerpo se recupere de su fuerte batalla contra las carnes y sus derivados. Además, se defiende contra los químicos de la alimentación moderna, el gluten de los cereales, la constante ingestión de azúcares, postres, bocadillos, bebidas y todo lo demás que se ingiere en las comidas y entre comidas.

Muy temprano en mi práctica descubrí que ayunar es el mejor ejercicio, terapia y medicina para el organismo. Descubrí también que a la gente se le hace muy difícil ayunar, por lo que inventé la forma de un ayuno más cómodo para los que lo necesitan. Es el ayuno anti dieta, y su aplicación sistemática es uno de los secretos más importantes del programa de salud natural. Hay diferentes tipos de ayuno: ayuno absoluto, ayuno intermitente y ayuno sustentado.

Si de la comida depende la enfermedad, del ayuno depende la salud. Esa ecuación no la entienden muchos que piensan que la salud depende de la buena comida y que la enfermedad depende de la mala alimentación. Otros tienen la idea de que las enfermedades son el resultado de virus y bacterias que se posesionan de órganos y sistemas y los afectan. La mayoría relacionan sus enfermedades a su herencia genética.

Sin embargo, hace ciento cincuenta años la mayor parte de las enfermedades le eran atribuidas a la desnutrición. Los gobiernos hicieron esfuerzos muy grandes para proveer alimentación adecuada, educar y fortificar muchos campamentos alimentarios con vitaminas y minerales para evitar la desnutrición de gran parte de la población. A medida que se fue resolviendo el problema de la falta de nutrientes, la nutrición se fue desbalanceando hacia el lado de la sobrealimentación. Hoy día, este es el problema que más conduce a enfermedades orgánicas.

La sobrealimentación, que conduce al sobrepeso, se puede observar en el 60 por ciento de la población general. Sin embargo, el 35 por ciento que no muestra sobrepeso podría tener el problema de sobrealimentación que afecta al sistema circulatorio y recarga órganos y sistemas. Esta población es tan propensa a las enfermedades como lo son los obesos, pero por no mostrar signos de obesidad, se descuidan. No crean conciencia de la necesidad de una buena alimentación y de practicar ejercicio; piensan que no es necesario. El 5 por ciento de la población, que se puede decir que están "sanos" o relativamente bien de salud, no saben en qué momento de su vida les sobrevendrá alguna situación que les cause un problema de salud. Pero si comen lo mismo que comieron los que ahora están enfermos, tarde o temprano, padecerán de las mismas enfermedades.

Dr. Norman González Chacón

CAPÍTULO 8

LA MEDICINA NATURAL COMO UNA ALTERNATIVA

La medicina natural científica y bioética surge como una gran esperanza para la humanidad, que sufre sin remedio las condiciones de salud que no tienen cura en la medicina convencional.

Hay que tener en cuenta que estos tipos de medicina tienen variantes. Al igual que ha ocurrido con la medicina convencional, tiene tendencias a corromperse, a desnaturalizarse y a "animalizarse", lo que la convierte en un medio peligroso si usted no tiene un criterio claro para escogerla.

Otros contaminantes que la industria ha introducido y mezclado con productos naturales son sustancias provenientes del laboratorio químico, que no son totalmente naturales. Por esa razón se ha tenido que crear un código de principios bioéticos a fin de establecer los criterios básicos que deben definir la medicina natural, su aplicación y la naturaleza de cada uno de los remedios o terapias que se utilicen en su práctica. El Instituto de Medicina Bioética Dr. Norman se ha interesado por la depuración de esta ciencia y evitar su degradación, su adulteración y el mal uso del concepto, para preservar la pureza de la única ciencia natural que puede ser la solución a los problemas de salud de la gente y de los gobiernos.

Antes de acudir a la medicina natural o a algún practicante naturopático debe asegurarse que entiende estos conceptos con claridad y que los pone en su práctica con celoso interés. De lo contrario, podría usted mejorar un poco, pero nunca curarse de su padecimiento. Hay diferencia entre mejorar y curar la enfermedad. Puede mejorar en síntomas, pero si la filosofía es incorrecta, todos los resultados estarán equivocados y la causa no desaparecerá. Pueden desaparecer o mejorar los síntomas como ocurre con la medicina convencional cuando se aplica una droga química, pero si no se cura la causa, los efectos secundarios pueden ir en aumento a medida que más medicamentos se consuman.

Eso ocurre muy a menudo cuando profesionales de la salud intentan practicar la medicina natural. Si el médico no conoce la filosofía básica de la medicina natural, que es opuesta a la de la medicina convencional, no podría practicar una medicina efectiva que cure realmente las enfermedades, aunque use productos naturales como medicina. A esa práctica no se le puede llamar medicina natural porque no se puede enmarcar en los parámetros que han sido establecidos. Estos se basan en leyes naturales y postulados científicos de probada eficacia. Entre ellos, el tratado de Hipócrates, leyes físicas y matemáticas, reglas de vida de naturaleza mosaica, leyes morales, civiles y éticas de aceptación universal y otras que se han añadido para prevenir la corrupción y degeneración de la práctica como ha ocurrido en otras profesiones.

El médico convencional es a quién más difícil se le hace practicar la medicina natural. Se le hace difícil porque los conceptos son, en muchos casos, antagónicos y totalmente contrarios a la práctica que se realiza en la medicina convencional. A menos que conozca y esté bien convencido y preparado en la filosofía bioética de la naturopatía genuina, cometerá errores. Estos errores no le permitirán al paciente curarse totalmente, ni aprender los conceptos básicos de estilo de vida, naturaleza pura de los medicamentos, incompatibilidad inmunológica a todo producto de origen animal y la reacción del sistema de complemento a tóxicos y a células extrañas. Aun cuando el paciente se cure con el tratamiento, no aprenderá las leyes de la naturaleza y volverá a enfermarse.

Para entender y practicar los conceptos naturales de vida y de armonía con la naturaleza humana, la naturaleza vegetal y el ambiente general, hay que estudiar mucho más que anatomía y fisiología convencionales. Por esa razón, si se trata de curar una enfermedad combinando las dos medicinas los resultados no serán tan efectivos y satisfactorios como ocurre en la medicina natural, porque una puede ser antagónica a la otra. Ese es el caso de las medicinas alternativas y la medicina naturopática practicada por médicos entrenados convencionalmente. No tienen el conocimiento filosófico para ser efectivos ni pueden llevar al paciente a un cambio radical de estilo de vida y de alimentación. Si la alimentación no se corrige a los parámetros máximos de eficiencia y se combina con el ayuno específico para cada caso, nunca se logrará que la gente aprenda a cuidar su salud y a no enfermarse, aun cuando se apliquen las reglas máximas de fitoterapia.

La naturaleza no puede ser forzada a producir resultados ni se le puede obligar a curar por métodos ortodoxos o químicos. De acuerdo al código Hipocrático, todo procedimiento invasivo o forzado se considera una violación semejante a un incesto fornicario.

Cuando forzamos a la naturaleza, los resultados son costosos y muy poco productivos. La violación contra la naturaleza le cuesta muy cara a la humanidad y todo lo que le hemos hecho al ambiente en injusticias, violaciones y abusos, se nos está devolviendo en enfermedades de todo tipo. No hay manera de evitar el daño que se nos está devolviendo a causa de la contaminación del aire y de las aguas, la fertilización química de la tierra, la hibridación y manipulación genética de las semillas, los cultivos hidropónicos químicos, la crianza excesiva de animales para consumo humano, la experimentación con armas nucleares y la contaminación del espacio con microondas diversos.

Toda esa aparente tecnificación de la agricultura y de las industrias, que puede verse como señal del progreso y del avance científico, es la confirmación de que la industria y la tecnología no pueden avanzar sobre el sacrificio del ambiente y de los recursos naturales porque tarde o temprano la naturaleza nos pasa factura de todo lo que hagamos en su contra. Tenemos cientos de enfermedades incurables que no se curarán mientras no rescatemos los recursos naturales y los naturalicemos de nuevo o nos aislemos totalmente de sus efectos.

Como hasta el momento no tenemos otro planeta al cual mudarnos, la única solución inmediata que puede aminorar el impacto ambiental sobre nuestra salud es la abstinencia selectiva de todo lo que está contaminado. Debemos vivir en donde más árboles haya para aprovechar un aire más depurado, y consumir alimentos cultivados sin fertilizantes, con semillas rescatadas de la manipulación.

Sin embargo, el problema no se resuelve así nada más. La situación es un poco más complicada y difícil de enfrentar, pero en pocas y simples palabras, esa puede ser la solución que como individuos podemos adoptar para aminorar el impacto negativo del ambiente sobre nuestra salud.

¿Cuáles Son Las Consecuencias?

Nuestro sistema inmunológico reacciona de manera defensiva ante cada sustancia extraña que penetre en la comida, entre en contacto con nuestra piel o entre por alguno de los sistemas. Ocupa células defensivas para su vigilancia, protección y eventual desnutrición. Cuando un elemento de origen animal; células, tejido, uñas, pelo, plumas, células descamadas o líquidos corporales entran en contacto con nuestro cuerpo, de inmediato nuestro sistema inmunológico sensibiliza células para protegernos y atacar al agente extraño. Lo mismo ocurre ante la invasión de virus o bacterias o vacunas que contengan químicos o residuos animales, tóxicos o humanos.

La lista de elementos extraños a los cuales nuestro cuerpo responde es definitivamente muy larga y compleja. A veces, si los reactivos son proteínas complejas como ciertos virus que se descomponen y recomponen y mutan, el organismo se ve en la obligación de mantener un número relativo de defensas en estado de alerta para resguardarnos del extraño.

Ese ejército protector que nos protege de la presencia de un elemento en particular no puede reaccionar a otros intrusos que penetren la barrera inicial. Están sensibilizados o "entrenados" contra un enemigo en particular y tienen que permanecer en alerta contra ese enemigo. No pueden atender la llamada de urgencia ante un nuevo atacante. Por lo tanto, el segundo ataque puede ser más peligroso que el primero porque hay menos disponibilidad de reservas inmunológicas.

Cuando la persona acostumbra a consumir diferentes tipos de carne de especies de animales distintas, sus defensas son menores y la respuesta inmunológica es de menor intensidad y cantidad de células en defensiva. Por eso muchas personas, ante el ataque de un simple virus o de una bacteria común, necesitan tomar defensas prestadas de antibióticos para combatir al enemigo que no encontró a un ejército fuerte y bien preparado. Si el ataque es de un virus, poco puede hacer el antibiótico que no sea combatir otras infecciones bacterianas que encuentran a su paso, pues los antibióticos no tienen efectos sobre el virus. Por lo tanto, no existe ni existiría una vacuna que defienda efectivamente contra todos los virus que pueden atacar. Al contrario, muchas vacunas restringen al sistema inmunológico en proporción a su efecto y reducen la fortaleza innata del cuerpo para defenderse y crear memoria inmunológica contra otros invasores. Por otro lado, el contacto físico con animales y la ingesta de la carne de animales reducen enormemente las defensas disponibles para proteger el organismo de otros agentes patógenos que lo ataquen.

Los animales se ven bien en el campo, pero no tienen utilidad para el vegetariano que no come carne, ni huevos ni leche. Por lo tanto, en la granja del vegetarianismo no hay cabida para los animales que contaminan el suelo. La tierra debe estar libre de excrementos de animales para que las hortalizas y tubérculos crezcan saludables.

La costumbre de fertilizar los vegetales con el excremento animal es muy mala práctica. Éstos son muy propensos a desarrollar bacterias patógenas. Las frutas y los vegetales de tallo corto adquieren el sabor y el olor desagradable del abono, y las hormonas excrementadas por los animales de granja estimulan un crecimiento de mucho tamaño y poco sabor. No sabemos qué otras desventajas pueden tener estos frutos contaminados con estiércol de animales, pero es una costumbre muy antigua que se debe abolir. No representa garantías de ningún tipo, excepto mercantiles o comerciales para producir más fruto a cambio de su calidad, sabor y salud del consumidor.

Como se puede observar y considerar, no estamos preparados para hacer las cosas bien y que repercutan para beneficio del ambiente y de la salud universal. Hemos cambiado tanto el curso natural de los ríos de la naturaleza como cada cosa que hacemos, comemos y realizamos. Por esa razón, cuando la naturaleza pasa factura, mucha gente sufre las consecuencias. Muchos seres humanos sucumben a las enfermedades, epidemias, desastres naturales, deformaciones físicas, trastornos mentales, calamidades de todo tipo, actos de violencia de otros, criminalidad, drogas y suicidio.

Vivimos en un mundo de alocados que actúan de manera extraña y de acuerdo a las manías que su mente desequilibrada desarrolla sin controles. Un gran porcentaje de la población sufre de serios desajustes mentales que son el resultado directo de la alimentación antinatural, la educación negativa y deficiente de los medios, de la falta de escolaridad y de la falta de valores. Esos son los cuatro elementos básicos que han desequilibrado al mundo y que necesitamos resolver para salvarlo.

De esas desgracias se benefician muchos que han fundamentado sus negocios sobre la base de la desgracia humana y han convertido las enfermedades en la excusa para hacer dinero y propagar sus ambiciones desmedidas. Crean una coraza de aparente bondad y generosidad para tapar la codicia que resulta de ganar dinero a manos llenas, para convencer a otros de sus "buenas intenciones" de ayudar a la humanidad. Sin embargo, ellos y sus familiares se convierten en víctimas de su propia desgracia y sufren las consecuencias igual que todos los demás. Su negación de la realidad los hace insensibles y pierden el verdadero sentido de la dignidad profesional. Viven convencidos de lo que están haciendo, afirmándose cada día en su errática visión de las enfermedades y de los problemas, al extremo que los sufren ellos mismos sin poder evitarlos.

Eso mismo puede ocurrir, y ha ocurrido en la medicina natural cuando quienes la practican no viven de acuerdo a los principios que tratan de imponer en otros. Por esa razón, al usted escoger un profesional de la salud que atienda sus necesidades, asegúrese que el que escoja viva en armonía con las leyes de la naturaleza que pretende aplicar. De lo contrario, corre un grave riesgo de perder su tiempo, su dinero y su salud.

PARTE III

FUNDAMENTOS Y PROPÓSITOS DEL NATURISMO

CAPÍTULO 9

FILOSOFÍA DEL NATURISMO

Una de las formas más convenientes y prácticas de vivir la vida, libre de las complicaciones modernas que nos envuelven las enfermedades, es a través del naturismo. Este es un estilo de vida sano y divertido que nos permite cambiar nuestras expectativas de vida a una dinámica más simple y saludable. Podemos vivir más plenamente con menos problemas de salud y sin pérdida de energía.

Sin embargo, la educación que reciben los miembros de la sociedad en cuanto a los asuntos de la salud está limitada por los conceptos tradicionales que por décadas se han ido forjando y son parte de una estrategia del sistema médico convencional. El fin de esta estrategia es controlar a la humanidad de una forma programada, para hacerla dependiente de una medicina cuya industria está basada en las enfermedades como materia prima, y su principal producto son los enfermos.

Por esa razón, cuando se pretende legislar para mejorar la salud pública, se legisla en términos de más médicos, más medicinas y facilidades hospitalarias. Esta tendencia, que puede resultar aceptable y normal dentro de cualquier sociedad constituida, no es más que evidencia de que la expectativa del sistema es que habrá más enfermos y más enfermedades.

En la Medicina Natural la gente aprende a obedecer las leyes de la salud así como a observar de forma protectora las leyes de la naturaleza. Se enseña a cuidar del ambiente, conservar los bosques y la fauna, no contaminar las fuentes de agua y a respetar la vida humana, así como la de los animales. Esto crea un gran sentido de responsabilidad de su salud y una firme convicción a no depender de los gobiernos para que los cuiden o curen cada vez que se enferman.

En el estilo de vida naturista, nuestro cuerpo es una propiedad que tenemos que tratar como un templo y tenemos la obligación de cuidarlo y mantenerlo en el mejor estado posible. "No somos nuestros". Se nos responsabiliza como quien alquila una propiedad. Puede disfrutarla mientras la cuide y le de el mejor mantenimiento, con la convicción de que nuestro cuerpo tiene todos los recursos naturales para ser saludable y para curarse de toda enfermedad que se pueda producir si se le da la oportunidad y se le proveen los medios.

Para lograr ese estado óptimo de salud, que fomente la acción de todos los mecanismos curativos, es necesario conocer las leyes naturales que gobiernan nuestro sistema y poner a nuestro cuerpo en armonía con las mismas. Para eso, tenemos que estudiar la relación de nuestro cuerpo con la naturaleza y su ambiente. Es necesario que comprendamos la importancia de cuidar de nuestro ambiente interno así como de mantener la higiene de nuestro ambiente externo.

La Naturopatía es la vanguardia de las ciencias de la salud. Es la tendencia casi obligatoria que marca el paso de los avances reales de la medicina curativa, debido a sus enfoques ambientales, alimentarios y naturales. Los conceptos que los naturópatas proclamaron en los setenta, los está confirmando la medicina convencional en este nuevo siglo. Toda la evidencia científica señala a la dieta, la incidencia de la mayoría de las enfermedades crónicas que sufre la gente. Esa diferencia le da la ventaja a la Naturopatía y apuntala sus cuatro principios:

1. El poder curativo de la naturaleza: el cuerpo humano tiene el poder innato para curarse a sí mismo en la misma forma que se enferma, pero a la inversa.

2. No tiene efectos adversos: las terapias y los tratamientos naturopáticos no deben tener efectos secundarios ni reacciones adversas.

3. Se identifica y se trata la causa fuera de los síntomas: cada vez hay más evidencia científica que revela la inutilidad de los tratamientos basados en drogas farmacéuticas que solo logran suprimir los síntomas, pero que no pueden curar realmente la enfermedad[40]

4. El profesional es un maestro que educa: Tomás A. Edison dijo: "El médico del futuro no le dará medicinas a sus pacientes sino que los entrenará en el cuidado del cuerpo humano, en la dieta, la prevención y causas de la enfermedad".

Definición Naturista De Enfermedad

Muchas enfermedades surgen como resultado de un esfuerzo que hace la naturaleza por librarse de ciertas reacciones que ocurren cuando se violan sus leyes. Los síntomas que pueden ser identificados y diagnosticados dentro de la patología clínica no son otra cosa que ese esfuerzo del organismo en estabilizarse. A ese proceso se le conoce en la Medicina Natural como CRISIS CURATIVA. La crisis curativa es como un aguacero que cae y lava las calles, plantas polvorientas, techos de las casas y todo lo que moja. Siempre que llueve, mucha gente sufre trastornos para llegar al trabajo, para hacer ciertas tareas al aire libre, para realizar labores de mantenimiento en las afueras de los edificios, etcétera, etcétera. Sin embargo, los inconvenientes de la

---

40 Dieta, Nutrición y y Prevención de Enfermedades Crónicas, Serie de Informes Técnicos 916 OMS/FAO

lluvia, a pesar que limpia y refresca el ambiente y trae abundancia del precioso líquido, son solo impedimentos momentáneos. Además, sabemos que el agua es indispensable. Algo similar a lo que pasa cuando llueve, ocurre cada vez que el organismo necesita limpiar y refrescar el ambiente interno o librarse de condiciones que le han afectado por algún tiempo.

Por ejemplo, cada vez que nos da catarro o gripe es una señal de que hay suficiente polvo, partículas extrañas y mucosidad en las vías respiratorias como para producir una crisis de limpieza. El catarro es la expectoración natural de esa basura. Cada vez que le limpiamos el filtro al equipo acondicionador de aire, le estamos provocando una acción semejante a la de un catarro o limpieza bronquial. Cada crisis presenta síntomas que, por su naturaleza, son identificados con nombres que hoy conocemos como enfermedades.

Las enfermedades son identificadas por los síntomas y los síntomas son la demostración de que el cuerpo reconoce la enfermedad y entabla una acción de combate a fin de restablecer la salud. Como hemos señalado, a esa batalla se le llama "crisis curativa". Cuando se aplican los remedios que han de suprimir o combatir la enfermedad y el organismo responde simbióticamente, se dice en la Medicina Natural que se está en el proceso de crisis curativa. La filosofía de la medicina moderna es "combatir" los gérmenes, virus, bacterias y micro organismos que invaden el cuerpo humano cuando éste se enferma. Para eso se utiliza la guerra biológica de los antibióticos. Cuando se utiliza la acción antibiótica a base de químicos supresores, la naturaleza recibe un ejército de defensas entrenadas para combatir cierto y determinado tipo de microorganismos. Estas son defensas químicas externas que se han tomado prestadas para hacerle la guerra al invasor. Se infiltra, en otras palabras, un ejército que también es invasor a fin de combatir la invasión bacteriana o viral con otro tipo de invasión química biológica. Por eso a la medicina moderna se le llama invasiva.

La filosofía de la Medicina Natural enseña que la presencia de esos microorganismos que atacan al cuerpo humano y que se expresan como los síntomas del catarro, para seguir con nuestro ejemplo, no es otra cosa que la señal de que hay basura orgánica en el sistema. Ese ambiente contaminado es el foco de atracción de elementos bacterianos y virulentos que acuden como aves de rapiña al área donde hay descomposición celular. La Medicina Natural es una ciencia probiótica en vez de invasiva. La técnica natural está dirigida a seguir la línea de menor resistencia a la naturaleza. Nuestro sistema de defensas dispone de antibióticos naturales específicos para combatir cada agente invasor que invade el organismo.

En vez de prestarle defensas químicas, como se hace en la medicina convencional, limpiamos el medio ambiente de escombros biológicos y desechos celulares orgánicos y químicos. Así estimulamos el sistema inmunológico a fin de que el propio cuerpo sea quien desarrolle la experiencia y fortaleza natural para combatir y destruir a los agentes invasores. Esto se hace como una alternativa natural innata al ejército de antibióticos que se usa en la medicina moderna.

A medida que el organismo se va enfrentando a sus enemigos y los va venciendo, se fortalece porque crea una memoria inmunológica que reconoce al invasor y sensibiliza células de su propio ejército protector. De esta manera se produce una inmunización natural, como una vacuna que fija la relación que la ciencia ha llamado "antígeno-anticuerpo". La acción de limpiar el sistema con miras a que este desarrolle sus propios mecanismos inmunológicos se denomina en la Medicina Natural como "acción de desintoxicar". Nuestro organismo rechaza toda célula o proteína extraña que provenga de otras personas o de animales y las destruye (véase referencia: Inmunología de Guyton). También actúa contra ciertos químicos dañinos que lo invaden. En la Medicina Natural se estimulan los procesos mediante los cuales el sistema inmunológico del cuerpo crea y fortalece sus mecanismos de defensa para que sea la misma naturaleza la que produzca su propia inmunización.

Desintoxicación Natural

La acción a través de la cual nuestro cuerpo se desintoxica es de tipo espontáneo. Constantemente nuestra química corporal metaboliza y elimina las sustancias de desecho que lo intoxican. Cada siete días y cada siete años ocurre un proceso de limpieza en nuestro sistema que responde a un periodo de descanso orgánico. Su fin es librar al cuerpo de sustancias que lo han invadido.

Las estadísticas demuestran que las edades en que más incidencia hay de cáncer, son aquellas cuyos números son múltiples de siete. Es decir, que es en las etapas de descanso y desintoxicación cuando el cuerpo humano hace su esfuerzo de purificación y cuando más incidencia hay de cáncer. Si se obedecen las leyes de la salud, los mecanismos inmunológicos se encargan de depurar cada sistema en una acción coordinada de tipo excretora. Si no respondemos a las leyes naturales del cuerpo, entonces todos esos desechos orgánicos se acumulan y forman masas, tumores y lesiones orgánicas. Su aparición y forma dependen de las circunstancias particulares de cada caso. Pero para todos hay un denominador común; la presencia de los elementos tóxicos que el cuerpo necesita expeler para mejorar su salud.

Un ingrediente importante que se necesita para llevar a cabo el proceso de limpieza orgánica es una alimentación natural y sencilla que no recargue los órganos de excreción ni las funciones vitales de depuración. A esta hay que añadirle una buena dosis diaria de agua pura, jugos de frutas enzimáticas (manzana, papaya, piña), ejercicio adecuado, paz mental y fe en la Naturaleza Creadora. Todo este conjunto de ingredientes son parte del método señalado y de las alternativas a la intoxicación del cuerpo humano. Cuando vivimos en armonía con las leyes naturales nuestro cuerpo se mantiene sano y fuerte.

Cuando rompemos la armonía de ese sistema de leyes, inicialmente perdemos energía. El día que comenzamos a perder energía, ese es nuestro primer día de enfermedad. Para evitar caer en esa dinámica negativa que nos conduce a la enfermedad, es importante que comencemos a planificar nuestro próximo día de descanso, justo al día siguiente de haber descansado.

A medida que avancemos en este interesante estudio, descubriremos muchas de las leyes que gobiernan nuestra salud y nos daremos cuenta de que al igual que muchos de los complejos aparatos electrónicos que se adquieren para el hogar, nuestro cuerpo necesita de un manual de instrucciones para mantenerse operando sin sufrir daño.

Debido a que el cuerpo humano es la más compleja maquinaria que se conoce, podemos decir que nacemos, crecemos y nos hacemos viejos sin saber en realidad cómo es que funciona nuestro cuerpo. Ni tan siquiera conocemos durante toda esa vida cuáles son las leyes básicas que rigen para sostener la vida saludablemente sin hacernos daño. Por lo tanto, es importante saber que la naturaleza se preocupó por ese asunto y nos dejó la información básica al respecto. ¿Por qué no la conocemos?

Aparentemente, hemos sido timados por el sistema y hemos caído en nuestra propia trampa. Es uno de esos enigmas de la vida que nadie puede explicar cómo se fue urdiendo hasta generalizarse en una práctica común en la que todos hemos contribuido para fraguar nuestro propio engaño. Es como un laberinto con una sola salida muy difícil de encontrar. Hemos sido educados para responder al sistema, a todos sus caprichos, a la programación equivocada de las artes y las ciencias, a estilos de vida autodestructivos y a la manipulación sistemática de los grandes intereses.

A medida que la tecnología médica fue avanzando, la gente se fue olvidando de los remedios caseros y de la medicina natural que se practicaba como parte de la tradición familiar. El sistema se fue complicando en el uso de fuertes antibióticos y drogas con efectos secundarios que solo podían ser dispensados por receta médica. El boticario que usualmente recetaba y vendía los remedios y medicinas de pueblo, pasó a ser un farmacéutico a quien la responsabilidad legal lo fue arrinconando hasta convertirlo en un expendedor de drogas sin capacidad para recetar ni intervenir en actividad curativa alguna. Aun el médico perdió el control de sus artes y se convirtió en un técnico, cuyas funciones han sido hábilmente controladas por las compañías de seguros médicos, los propagandistas médicos de las grandes empresas farmacéuticas y por la industria moderna de alimentos. Estas fueron tomando el control de las escuelas de medicina y de todos los profesionales de la salud.

Poco a poco el sistema se convirtió en una enorme empresa comercial, con unos brazos muy poderosos y unos tentáculos que se fueron alargando interminablemente, hasta arropar todas las esferas del campo de la salud y de la sociedad.

La industria de la salud es la primera y más grande industria comercial en el mundo. De acuerdo a un informe del Congreso de los Estados Unidos de Norteamérica, el costo per cápita del cuidado de la salud ascendió de $76.00 en el año 1950, a $552.00 en el 1976. El cuidado de la salud ha subido tan drásticamente que para 1992, el costo bruto nacional ascendió a 800 billones.[41] Hoy nadie sabe a ciencia

---

41 DHHS Pub. No. PHS-91-50212.

cierta cuánto ha aumentado. Día a día sube, y las cifras son tan alarmantes, que cuando salen las estadísticas ya están obsoletas; los números han cambiado y la tendencia es astronómicamente alta.

Por motivo de esta industria de la salud y lo que hemos aprendido o dejado de aprender sobre las leyes naturales, es que hoy día se confunde la crisis curativa con la enfermedad. En otras palabras, hoy día el esfuerzo del cuerpo en curarse y restablecer la armonía natural se entiende como el síntoma que hay que atacar. Para atacarlo, se le ofrece toda una serie de ejércitos antibióticos que en muchos casos van en contra de la naturaleza y complican nuestra condición en vez de resolverla. La experiencia del uso indiscriminado de los antibióticos es de tal naturaleza que se han creado súper bacterias que ningún súper antibiótico puede combatir.

En la Medicina Natural el propósito es, en primer lugar, ayudar al cuerpo a curarse y a limpiar la materia tóxica que causa la enfermedad. Por eso, en la Medicina Natural la crisis curativa es parte del proceso de sanación en vez de ser la enfermedad que se combate. Los procesos de desintoxicación del cuerpo a la larga lo fortalecen, porque este posee la capacidad de una memoria inmunológica.

CAPÍTULO 10

LA INDUSTRIA DE LA SALUD Y LA RELIGIÓN

La mayor parte de las enfermedades que nos afectan hoy día están relacionadas a nuestro estilo de vida y alimentación. Las costosas drogas que se usan para controlar estas condiciones y las cirugías que se realizan para ayudar a alargar la vida de los afectados, son remedios a corto plazo que encarecen los servicios de salud y el presupuesto general. Por ejemplo, según datos ofrecidos por el Departamento de Salud y Recursos Humanos de los Estados Unidos (DHHS Pub.No.PHS-91-50212), las enfermedades de las arterias coronarias afectan aproximadamente a 7 millones de americanos y causan cerca de 1.5 millones de ataques al corazón y 500,000 muertes por año. Se hacen unas 300,000 operaciones de "bypass" a un costo promedio de $30,000.00 cada una, para un total de 9 billones en gastos. Dado el caso que son pocos los pacientes para los que estos tratamientos logran prevenir la muerte prematura, todo ese gasto es casi perdido en su totalidad.

Debido a que las enfermedades del corazón y de las arterias son resultantes de la dieta y el estilo de vida, es más importante que se oriente a la gente en cuanto a cómo mejorar sus hábitos de vida. No se debe esperar a que sea la enfermedad la que decida su futuro. Una pobre alimentación con alto consumo de grasas, uso de tabaco, alcohol, falta de ejercicio adecuado y de descanso son los ingredientes detonantes de la crisis que tarde o temprano estallará. El costo será alto para todos. Cada ciudadano que no se cuida le eleva los costos a los que sí cuidan su salud.

Como toda empresa comercial tiene que generar ingresos para sostenerse, es muy peligroso llegar a ciertas instituciones clínicas con un buen plan hospitalario en momentos en que las finanzas de la institución estén bajas y haya camas desocupadas. Usted puede ser víctima de una intervención innecesaria que le puede costar doblemente caro.

Esta práctica se ha generalizado y mucha gente ha sufrido operaciones y tratamientos de radiación y quimioterapia, amputaciones y hasta hospitalizaciones de toda índole sin ser realmente necesarios. Esto sucede simplemente porque el médico, el hospital o ambos necesitaban urgentemente del dinero que se le factura a los planes de seguros de salud o que pueda pagar la persona. Todo ello bajo la justificación de alguna dolencia o molestia que no merecía gran importancia, pero que los llevó allí.

Miles de operaciones quirúrgicas tales como apendicectomías, colecistectomías, colostomías, mastectomías, histerectomías y cesáreas se podrían economizar si no tuviéramos el incentivo de los planes o seguros de enfermedad. Este beneficio que le permite a la gente recibir servicios de salud sin tener que pagar por ellos, también le facilita a los proveedores excederse en sus funciones para poder cobrar exageradamente al plan determinado. Es que la programación mental de la sociedad hacia la sociedad misma es altamente cruel y radical. Muchos no lo hacen con la intención de hacer daño o defraudar, pero en la dinámica social en que se desenvuelven ciertos profesionales de la salud, se da un fenómeno que describo como la cosa más natural del mundo. La gente ha confiado tanto en la medicina oficial, que no conciben que haya una medicina natural tan económica y efectiva. Al no conocer de ninguna otra alternativa, la gente no tiene otro remedio que aceptar lo que el sistema le impone y la forma en la que el sistema se autorregula a sí mismo.

Todos pretenden curarse con una medicina que no cura. Las drogas farmacológicas modernas tienen sus indicaciones y sus contraindicaciones adjuntas en su empaque. Si usted lee las indicaciones de la mayoría de los productos farmacéuticos modernos, podrá comprobar que ninguno garantiza que cure alguna enfermedad. Al contrario, muchas drogas tienen indicaciones y contraindicaciones que pueden reproducir el mismo mal que se pretende curar. Esto ocurre en contra de los más lógicos razonamientos. A nadie se le ocurre buscar otras alternativas para resolver el más grave problema del ser humano, que es el de su salud.

Por eso, el naturismo es una gran alternativa, que en ciertos casos puede ser mucho más efectiva y beneficiosa que un plan de seguro médico. Se puede considerar algo así como un seguro de salud de carácter providencial, o posiblemente la única garantía de estar saludable que se puede realmente obtener.

El naturismo pone la responsabilidad de la salud en las manos de la gente y nos enseña a cuidar de ese importante aspecto de nuestra vida. El derecho a escoger una forma o estilo de vida sano es una vía alterna para librarnos de muchos de los males que afectan a la gente. Es una manera de llevar a cabo los procesos curativos, regenerativos y preventivos del cuerpo humano independientemente de si tenemos o no una cubierta que nos asegure los servicios de salud. Ese conocimiento es la diferencia que nos da la libertad de programar nuestra vida y la de nuestros hijos en la forma más conveniente.

El naturismo como estilo de vida es una salvaguarda, tanto preventiva como correctiva. Su estudio y aplicación práctica encamina e instruye a la familia en las disciplinas necesarias para una mejor salud. Incluye hábitos alimentarios, ejercicio, descanso, higiene física y mental, protección y conservación del ambiente, recursos naturales, economía, agricultura y religión natural.

El término "religión natural" debe ser entendido a la luz del hecho de que el ser humano tiene la tendencia natural de adorar, reverenciar o respetar a un ser supremo en la forma y manera en que su idea o concepto se materialice en su mente. Usted puede ser de cualquier religión o creencia y aun así puede ser un buen naturista. De la misma manera, usted puede ser un buen naturista y ser un buen religioso. No importa la religión a la que pertenezca, siempre y cuando su afiliación no le obligue a practicar algún tipo de ritual o a ingerir alguna cosa que vaya en contra de su salud. No obstante, la Medicina Natural puede ayudarle a minimizar los efectos secundarios de cualquier sustancia nociva, del mismo modo que lo hace cuando la persona se somete a tratamientos tóxicos de drogas químicas o sufre el impacto negativo de la adicción a drogas.

Por desgracia, no todo lo que se vende en las tiendas de productos naturales es natural y mucho menos "saludable". Como en todas partes, la cizaña está mezclada con el trigo y esta no es una excepción. Hay que ser muy cuidadosos al comprar productos "naturales" y se debe leer detalladamente el contenido y saber el uso que se le va a dar al producto para estar seguro de invertir correctamente el dinero. También es bueno saber el uso para el cual se diseñó determinado producto. Hay diferentes enfoques en cuanto a la salud, y en todos los mercados, hay gente que se aprovecha de la necesidad de los que buscan alternativas, la natural inclusive, aun en donde se supone que se oriente correctamente. Esto ocurre porque el derecho a la libre empresa le permite a la gente mercadear casi todo tipo de productos sin que necesariamente sirvan para lo que se reclama, y aún así se ofrecen en venta y la gente los compra.

Hay muchos productos comerciales, y todos los días salen al mercado formulas supuestamente naturales que reclaman curar desde el cáncer hasta la impotencia, desde el SIDA hasta las enfermedades circulatorias. Muchas personas caen en este tipo de fraude y anualmente se gastan millones de dólares en esta industria cuyo principal producto no es una determinada "medicina" sino la extrema publicidad que se hace. Estos esfuerzos publicitarios en su mayoría, no reflejan el valor real que se le adjudica a determinado producto. Una gran parte de estas fórmulas se hacen conocidas por la repetición de los anuncios, comienzan a aparecer en las tiendas de salud o "health food stores" y la gente acude a buscarlas con la esperanza de alivio.

En su mayoría, los dueños y empleados de los "health food stores" no están preparados ni educados en el concepto naturopático puro y, por lo tanto, muchos no están capacitados para recomendar el producto adecuado para cada caso. Si usted interesa una evaluación precisa y responsable debe consultar un naturólogo o naturópata de reconocida reputación.

En este campo también hay cizaña o paja mezclada con el trigo. Algunos naturópatas no son naturólogos y utilizan productos derivados de animales y vitaminas sintéticas. Además, le recomiendan comer carne, pescado, leche y huevos a sus clientes. Esto es contrario a los más elementales principios de la medicina natural. No sabemos la razón por la cual ocurre este fenómeno, pero se ve muy a menudo. Al administrarle los remedios naturales indicados, el enfermo mejorará en proporción al cambio efectuado y a consecuencia de los productos que comenzó a usar, pero es muy difícil que se cure totalmente bajo esas circunstancias.

La buena práctica de la Medicina Natural no es recetar productos naturales para determinada causa o síntoma. La buena práctica de la Medicina Natural es curar a la gente usando los remedios de la naturaleza y a la vez enseñarles a no volver a enfermarse mediante la obediencia a las leyes de la salud y un cambio positivo en sus estilos de vida. Si al paciente no se le cambian los hábitos alimentarios y se le eliminan los productos derivados de animales, no puede curarse por completo. Por esa razón, un buen naturólogo o naturópata es aquel que educa en los mejores hábitos alimenticios y estilos de vida.

Si usted quiere obtener resultados óptimos y rápidos en el proceso de recuperación, no puede depender de tomar tal o cual producto. "Un programa a medias le producirá resultados a medias y no le permitirá disfrutar de la noble y maravillosa efectividad de la naturaleza cuando se le permite obrar y se le dan los materiales y las herramientas necesarias". Si a esto se le añade una actitud mental positiva y una buena dosis de fe, los resultados pueden ser excelentes.

No hay la menor duda de que lo que enferma a la gente es lo que respiran, lo que beben y lo que comen. Estos tres factores son determinantes en el estado de salud de la mayoría. A estos factores se añaden otros que en menor grado también contribuyen, como lo son la actitud mental de la persona en relación a sus familiares y compañeros de trabajo, su autoestima y su confianza en su ser supremo, si lo tiene. Su alimento espiritual o intelectual es todo aquello que la persona ve en el cine o en la televisión, lo que oye por la radio, lo que lee, lo que percibe en sus meditaciones, en las reuniones a las que asiste y lo que habla o conversa con otras personas.

Más adelante estudiaremos el funcionamiento de nuestro cuerpo desde la perspectiva de los tres grandes sistemas integrados y entenderemos mejor este asunto de la alimentación de los sistemas en sus diferentes fases.

Está comprobado que la influencia de la televisión y del

cine en el carácter formativo de la sociedad es determinante. De igual forma lo fue la lectura y la radio en años pasados, cuando no existían medios visuales. Muchas películas y novelas, programas de misterio y de violencia crean un ambiente negativo para los mejores intereses de la salud. Las intrigas novelescas causan angustias mentales y crean un clima adverso para la recuperación de un paciente enfermo.

El clima positivo de algunos temas religiosos o el sentido de culpa que impregnan muchos cultos religiosos son factores determinantes en la salud de la gente. Hay congregaciones cuyo clima es enfermizo porque sus pastores o guías crean un ambiente negativo muy desfavorable para la salud. Otros, sin embargo, transmiten una influencia positiva que fomenta el progreso en todas las áreas. Esto es así, tanto en la fase física, como en la espiritual y hasta en lo material.

Ocurre también otro factor adverso y muy peligroso para la salud de mucha gente que vive una efervescencia fugaz y temporera de falsa curación a raíz de un estímulo colectivo en un culto religioso. Esta emoción temporal le hace a la persona sentirse curado bajo el estímulo de las sustancias neuro-hormonales que segrega el cuerpo humano y que crean una sensación de placer y bienestar temporero que suprime todo dolor y cansancio por algún tiempo. La persona cree estar curada porque el estímulo la inhibió temporalmente de los síntomas, pero a medida que la emoción va desapareciendo, los síntomas van reapareciendo. Este tipo de experiencia es adversa a la salud espiritual del paciente y crea dudas profundas en su mente, lo que les hace flaquear en la fe. En la mayoría de los casos, estas personas no se atreven a exteriorizar su frustración por temor a ofender a su dios, al ministro o a sus hermanos en la fe que fueron "testigos" de su experiencia espiritual. Se confunden al pensar que estuvieron "curados" por un tiempo y no entienden por qué la enfermedad reaparece.

Una ceremonia, ritual o culto religioso, educativo y reflexivo donde se destaque el poder activo de la fe, encausada a reforzar la convicción de un cambio positivo en el estilo de vida, puede ayudar mucho a que la gente adquiera fuerzas para llevar a cabo la restauración de su salud. Todo ello mediante la aplicación práctica de las leyes naturales y divinas combinadas con el ejercicio sano de la fe genuina y restauradora dentro de una perspectiva correcta que obre para la sanidad del cuerpo y del alma. No podemos olvidar que según la biblia, cuando Jesucristo curaba exhortaba al beneficiado a irse en paz y a no volver a pecar para evitar un mal peor. Por lo tanto, el maestro recomendaba un cambio radical en el estilo de vida del enfermo curado para preservar la curación milagrosa..

Hemos observado que la conducta general de las congregaciones que adoptan una alimentación sana es diferente, y su espíritu misionero es más activo tanto en su comunicación como en su testimonio. Este tipo de religioso le da menos problemas a sus guías espirituales ya que su salud física y su estado emocional y espiritual son mejores.

El naturismo no es incompatible con la religión. Es más, resulta beneficioso para la salud espiritual del ser humano. Lo que sí es incompatible con el naturismo es cualquier tipo de alimentación y la llamada curación con drogas comerciales. Estas no solo pueden ser utilizadas sin el mayor pudor, sino que tienen una serie de efectos secundarios que resultan dañinos al ser humano. Lejos de ser una industria, el naturismo es un estilo de vida cuyas implicaciones van desde los hábitos de alimentación hasta la relación que tenemos con el medio ambiente y la gente que nos rodea. Claro, el naturismo mismo ha estado afectado por la falta de escrúpulos de algunos que no siguen las leyes naturales y que fomentan una alimentación que está lejos de lo que dice la Medicina Natural. Por eso, es necesario educarnos en el naturismo puro y saber identificar cuáles prácticas y productos le pertenecen y cuáles no.

CAPÍTULO 11

CIENCIA, RELIGIÓN Y MEDICINA

Estudios recientes hechos en los Estados Unidos y en el que participaron unas treinta universidades y un grupo multifacético de investigadores, revelan de forma muy convincente y científica la relación que existe entre cualquier tratamiento y el poder de la religión.[42] El estudio expone los efectos de la religión en diversas áreas, entre ellas: el uso y abuso de sustancias controladas, enfermedades del corazón, cirugías, relaciones matrimoniales y suicidio. Traduzco literalmente la nota editorial, y cito:

> "Apoyando el compromiso de la gente, se obtiene un medio multifacético para reducir el costo de los tratamientos de adicciones y desórdenes mentales, al producir hospitalizaciones más cortas con un ritmo de recuperación más rápido sin tener que prescribir costosas drogas."[43]

David Larson, M.D., presidente del National Institute for Healthcare Research y sus asociados, sugieren que la espiritualidad juega un gran papel en el cuidado y prevención de los desórdenes físicos y mentales. Los efectos benéficos que la religión produce en sus profesos creyentes y "que ha sido olvidada por la comunidad médica," juega un papel importantísimo en la recuperación de cualquier enfermo.

---

42 Religion: The Forgotten Factor en "The World & I". febrero de 1996. Pág. 293-317.
43 Religion: The Forgotten Factor en "The World & I". febrero de 1996. Pág. 319.

"Nosotros nunca podremos entender el poder curativo de la oración, excepto si decimos que está muy lejos de ser un placebo. La religión contiene una de las más poderosas fuerzas curativas en las relaciones humanas. Uno de esos poderes es la forma en que enriquece el drama de la vida; es como encamina a mucha gente a cambiar su ambiente autodestructivo, por unos ideales de paz, de prosperidad y de regeneración."[44]

A muchos la religión les ayuda a lidiar con el estrés nuestro de cada día, el dolor y la enfermedad agobiante y los pronósticos que los enfrentan a una muerte inminente. La fe los ayuda a ver este proceso como algo natural que les sirve de puente entre una etapa de la vida y la otra. Según el informe del comité, "la medicina que ignore esto, solo está parcialmente desarrollada".

Otro aspecto del estudio revela que menos de una cuarta parte de los médicos encuestados respondieron que tenían una visión de Dios (en cualquier religión) como su deidad personal o creían que Dios podía sanar o ayudar en la recuperación del enfermo. Este bajo por ciento de médicos creyentes expone a un gran grupo de religiosos que necesitan tratamientos u operaciones quirúrgicas a manos de hombres que no cuentan con la ayuda de su religión para intervenir el cuerpo humano. Aún cuando el médico sea religioso, su metodología aprendida de científicos evolucionistas es a veces antisanitaria, y no le ofrece alternativas a los creyentes.

Todos estos argumentos forman parte de una serie de situaciones por las que todos pasamos en las que nuestros derechos son violados o las circunstancias sociales y/o las presiones de grupos obligan a que no se provea una política pública que proteja los intereses de estas minorías. En el

---

44 Religion: The Forgotten Factor en "The World & I". febrero de 1996. Pág. 319.

caso de los Testigos de Jehová y las transfusiones de sangre, todavía se dan casos en que médicos y jueces han conspirado para obligar a una persona a recibir una transfusión de sangre en contra de su voluntad o de los familiares. De esa manera, le violan los derechos de conciencia que le impiden, por motivos religiosos, recibir una transfusión de sangre.

Las Iglesias Cristianas, al igual que el resto de las religiones, tienen una responsabilidad colectiva de tomar posiciones claras y definidas en cuanto a estos asuntos de conciencia que se hacen cada vez más necesarios a medida que la vida se hace más técnica y complicada. Así se podrá orientar a su feligresía en cuanto a situaciones nuevas producto de los cambios que la tecnología y las nuevas formas de enfocar los problemas sociales le presentan al creyente. Algunos de estos temas son de naturaleza positiva para la sociedad y el creyente, mientras que otras son peligrosamente negativas. Estos asuntos deben ser tratados abiertamente entre pastores o guías espirituales y luego enseñados colectivamente a la sociedad como se ha hecho con las drogas y el aborto. Hay un sinnúmero de factores que deben ser tomados en cuenta por las autoridades gubernamentales y por las iglesias que tienen que ver con los cambios que el nuevo siglo crea en el mundo.

Hay que crear nuevos enfoques para viejos conceptos. Hay que atemperar los mismos a la luz de las nuevas necesidades que se producen por los avances tecnológicos y una emergente conciencia ciudadana. Un vistazo al nuevo catecismo católico nos puede dar una idea de algunos de los interesantísimos temas que los religiosos de todas las denominaciones pueden considerar en sus estudios teológicos y que son importantes para la estabilidad de la sociedad misma. Uno de los puntos neurálgicos es la biotecnología o la intervención genética del científico en la genética humana.

La ciencia, que pretende reestructurar la genética humana y animal y la creación vegetal sin una guía divina que lo oriente, puede descarrilar la naturaleza y crear mayores problemas que los que pretende corregir. Ya hay evidencia del daño que se le ha hecho a la humanidad con los experimentos nucleares, la hibridación de los vegetales y la manipulación de virus y bacterias en laboratorios. Estos han creado desastres monstruosos que amenazan la vida de los habitantes del planeta. Un ejemplo de esto es la creación de las abejas asesinas debido a un accidente científico en el que se pretendía cruzar genéticamente abejas africanas con abejas domésticas. Otros desastres fueron el de la droga *talidomine*, la vacuna fallida de la hepatitis B que dio origen al retrovirus del SIDA, la vacuna porcina, drogas que han tenido que ser retiradas por sus efectos secundarios y miles de otros casos que se pueden mencionar. En todos y cada uno de ellos los científicos han descarrilado la cadena biológica natural y han creado daños irreparables al planeta y a la humanidad.

La mayoría de estos científicos están guiados por ansias de fama y fortuna y no tienen el más mínimo temor espiritual ni respeto a las leyes naturales de la creación. Creen en la evolución en vez de la perfección de un poder creador. Ignoran ese factor y pretenden humanamente mejorarlo. Lo más triste y a la vez más peligroso de este asunto es que los niños están recibiendo esta información en las escuelas como ejemplos de progreso y de adelanto tecnológico. De igual manera, la humanidad los recibe como adelantos de los cuales tiene que enorgullecerse. Esta actitud es un atentado a la creación original y un evidente endoso a la teoría evolucionista. Los religiosos tienen que tomar la iniciativa de proteger el ambiente para validar sus enseñanzas de valores morales..

Es por esa razón que se deben preservar los valores filosóficos fundamentales de esta importante ciencia que se perfila como la alternativa medicinal del futuro, para que no se pierda su esencia. "Hay muchas formas de practicar las artes curativas, pero una sola es la que cura verdaderamente". Solo el estudio profundo y cuidadoso de las leyes de la naturaleza, nos podrán guiar a la práctica responsable de una medicina de origen natural. De lo contrario, la práctica, cualquiera que sea, se prostituirá. Sus características tanto prácticas como teóricas tienen que señalar únicamente al Creador como médico y a los agentes naturales como los medios que han de actuar sobre el cuerpo enfermo que lo transformarán, tanto física como espiritualmente.

El estudio de las ciencias naturales, según las escuelas científicas contemporáneas, puede servir de complemento para identificar las leyes naturales que ya el hombre ha descubierto en el laboratorio. Pero nunca debe separarse la creación de su Creador. Eso establece el balance y armoniza la naturaleza con sus criaturas. Por lo tanto, el estado de salud verdadero no se conseguirá hasta que el enfermo haya armonizado su vida con todas las leyes físicas y espirituales que gobiernan su cuerpo. Por ejemplo: si una persona con enfisema pulmonar a causa del tabaco recibe una curación milagrosa por el poder de Dios y la oración de fe, y vuelve a fumar… ¿cuánto cree usted que le va a durar el milagro? Lo mismo ocurre cuando una persona se cura de otras enfermedades relacionadas a su estilo de vida y alimentación.

Cuando Jesucristo curaba a la gente, siempre les decía: "vete y no peques más", para que no te pase algo peor. Lo único que puede extender y perpetuar el milagro es un cambio positivo y permanente de los hábitos que causaron el daño. Este asunto debe ser parte de la curación mental para que se fije permanentemente en el intelecto y sirva de elemento aleccionador. Ese es el rol de la medicina natural que, por un lado, le pone fin a la intervención comercial con drogas invasivas y enseña un estilo de vida que procede de leyes naturales.

El hombre, en su afán de lograr descubrir remedios que curen las enfermedades y habiendo comprobado que las drogas solo producen confusión y daño orgánico, ha creado otras formas de medicina alternativa. Cada una con una filosofía diferente, pero todas con un fin común. A saber, la curación.

Estas filosofías curativas son como las diferentes rutas que pueden existir para llegar a un mismo lugar. El viajero furtivo buscará la ruta más corta y de menos inconvenientes para llegar cuanto antes. Pero si no conoce las diferentes rutas, puede que no acierte con la más corta y directa, ya que cada vez que pregunte, la persona de turno lo llevará por donde más y mejor le parezca. Esa es la razón por la cual hay diferentes tipos de sanadores con diferentes enfoques y filosofías de esas artes. La razón que justifica tales diferencias es parte de la naturaleza humana que es dada a combinar, adaptar y modificar todo lo que está a su alcance.

Muchos consideran que es muy difícil vivir en armonía con las leyes naturales, por lo que cada cual adapta lo que puede a su conveniencia. Eso funciona en la misma proporción en que se apliquen los conceptos que le dan vigencia a las leyes naturales, porque como ciencia al fin, depende de factores matemáticos que actúan de acuerdo a principios y leyes. Si la ley se aplica en cierta medida, en esa misma proporción puede verse la mejoría. Si eso satisface al enfermo y llena sus expectativas, esa es su prerrogativa. Hay gente que se conforma con mejorar un poco aunque después vuelvan a recaer. Tienen en su mente la idea de que una medicina se toma para curarse, aunque vuelva a enfermarse de nuevo. Ese razonamiento es cierto cuando la persona quiere seguir viviendo de la misma forma que la llevó a enfermarse. En estos casos, ellos usarán la medicina natural como una muleta. La aplicación temporera de los conceptos naturales para fines meramente oportunistas, no debe fomentarse, pues con el tiempo y el uso, pueden desvirtuar los valores de la Medicina Natural y provocar que la gente pierda su confianza en ella.

Eso es lo que ha ocurrido con la medicina convencional o alopática y a esa misma desgracia puede llegar la Medicina Natural si sus exponentes o practicantes se alejan de la filosofía fundamental y la convierten en un negocio para tratar síntomas. Si para esos fines mezclan los conceptos genuinos de la Medicina Natural con ese tipo de sofismas, misticismos, filosofías y medias verdades, la gente se confunde y deja de confiar en la única alternativa que puede curarlos.

Algunos mezclan filosofías orientales de gran eficacia con prácticas de curanderismo espiritualista, etcétera, etcétera. Parten de premisas correctas, pero caen en ideas erróneas que en su fondo, al igual que la medicina alópata, no curan ni ofrecen esperanzas al enfermo que vive en una constante ansiedad de curarse. Aquellos que sean llamados a la práctica de la verdadera medicina natural deben ser convertidos, primeramente, y ésta los conducirá a la verdadera medicina. Ambos parten de las mismas premisas. A saber, El Gran Libro de la Naturaleza.

Cuando se aplica el segundo gran mandamiento de la ley bíblica, "amarás a tu prójimo como a ti mismo," tal encomienda nos responsabiliza, en cuanto y donde sea posible, a la educación que nos haga aptos para ello. Al constituirnos en naturólogos, somos "educadores" de la medicina natural y adquirimos en nuestras manos la gran responsabilidad de la vida de aquellos que vengan en busca de salud física. Su vida espiritual también está incluida y debemos estar preparados para enseñar ambos preceptos. Si les hacemos creer que son las hierbas medicinales, las pastillas o nuestro gran conocimiento de las técnicas de curación quienes los va a curar, estaremos cometiendo un doble y gran error: contra el Creador y contra la humanidad. Violamos la gran Ley del Amor cuya expresión en palabras se encuentra en el Libro de la Naturaleza. Si procedemos bajo los estatutos del engaño, no solo violamos la ley natural, sino todas las leyes naturales y preceptos sociales establecidos para salvaguardar el orden y la salud. Nos ponemos de esa manera en abierta discrepancia con los principios básicos de la ley natural que es igual para todos y que permite que el agua, el sol y los recursos disponibles en la naturaleza estén al alcance de todos.

Cuando se aplica el tratamiento natural en algunas personas, puede ocurrir al principio una aparente mejoría, lo cual puede dar lugar a una falsa seguridad de que se ha curado. En estos casos el enfermo, al sentirse mucho mejor, cree que está bien y su primera tentación es abandonar la alimentación natural que se le asignó y seguir tomando solo el "medicamento" recetado que él cree que lo curó. A su mejor entender, la dieta fue solo un castigo temporero que el "médico" le impuso en lo que las medicinas hacían su efecto. Al sentirse bien, de inmediato vuelve a su antigua forma de alimentarse que fue lo que lo llevó a enfermarse. Esta tendencia es bastante común y si no se orienta bien a la gente, todo el esfuerzo es en vano y la enfermedad vuelve a tomar posesión del enfermo. Así se pierde tiempo y esfuerzos preciosos que pueden ser la diferencia entre vivir o morir.

Al perder la noción real de lo que se hace, el paciente pierde totalmente la visión de lo que es la verdadera medicina. Su objetivo es curarse cuanto antes para volver a sus antiguos hábitos que lo llevaron a enfermarse y en estos casos el médico o el naturópata pueden ser sus cómplices. Así se deshonra al Creador y se desacredita la medicina que este ha provisto con el fin no solo de curar, sino de "salvar".

La labor de enseñar a los enfermos a curarse y a los sanos a no enfermarse es una tarea difícil, pero que rinde buenos beneficios. Cuando las personas entienden perfectamente que la enfermedad es el resultado directo de hábitos de vida incorrectos, heredados y adquiridos, cuya única consecuencia es destrucción y muerte, se dan cuenta que la única forma de contrarrestarla es cambiando total y permanentemente su forma de vida y no volver atrás por su propia voluntad. De esta manera, la tarea curativa se torna en una disciplina educativa y el consultorio se convierte en un aula. Para muchos, esto representa una pérdida de clientes porque estos aprenden a no enfermarse más y, por consiguiente, puede parecer una pérdida de dinero para el profesional porque pudieran no volver al consultorio. Por esa razón, muchos no enseñan al paciente las técnicas curativas y no le proveen suficiente información. Sin embargo, hemos comprobado que mientras más y mejores recomendaciones se le da a los enfermos, más y mejor preparados nos llegan otros pacientes. Nuevos casos significan más experiencia y la misma nos convierte en mejores instrumentos. De esta manera, podemos ayudar a la naturaleza a obrar con más rapidez y eficacia.

La medicina natural no solo sufre los ataques directos de la medicina oficial, los cuales son muy fáciles de contrarrestar. Recibe también los ataques internos de cierto tipo de naturópatas, de los llamados "médicos naturopáticos" y de otros practicantes cuyos principios se encuentran en conflicto con las leyes naturales. Estas personas siguen filosofías diversas inventadas por gente cuya experiencia no necesariamente está en perfecta armonía con las leyes universales de la vida. La verdadera medicina natural ha sido atacada por diversas tendencias que, de una u otra manera, han producido efectos dañinos y adulterantes.

Han surgido ideologías extrañas a la verdadera medicina natural de diferentes lugares, con diferentes propósitos y por infinidad de razones. De Oriente han aparecido tantos conceptos extraños como personas y culturas intervienen en su propagación. Estas tendencias tienen puntos de convergencia con algunos de los conceptos que rigen la medicina natural o utilizan leyes comunes para fortalecer sus filosofías. Sin embargo, ciertos conceptos separan unas cosas de otras y hacen que a muchos les sea difícil comprender las diferencias. El orientalismo ha influido tanto en el mundo occidental que casi no se puede distinguir la línea de separación entre una cosa y la otra. Sin embargo, hay fórmulas orientales buenas, las hay menos buenas y otras muy malas.

Otro problema de concepto lo han ocasionado aquellos que siguen la línea de la naturopatía, pero que no orientan a la gente para mejorar su estilo de vida. Por otro lado, el problema también lo crean ciertos médicos alópatas interesados en usar algunas de las técnicas de la medicina natural. Estos combinan o mezclan los conceptos de diferentes tipos de medicina y crean una forma híbrida que es peligrosamente engañosa.

Otra forma de confundir los conceptos es llamar medicina natural a la homeopatía o a la dieta macrobiótica. Cuando los valores innegables de la verdadera medicina natural se propagan por el testimonio de los beneficiados, muchas personas acuden buscando los mismos resultados. Es entonces cuando estos pueden ser guiados equivocadamente a estas modalidades que, al fin y al cabo, no son ciencias completas y hacen perder el tiempo al enfermo igual que ocurre con muchos de los tratamientos médicos convencionales.

Por varios siglos el hombre ha sostenido la premisa de que si llega a conocer y a entender el organismo humano, puede establecer patrones mecánicos para intervenir en el funcionamiento del organismo mediante operaciones quirúrgicas y otros métodos inventados por él. La tendencia a trasplantar órganos de animales y de congéneres es una de estas prácticas y otra de las peligrosas aventuras que estimulan a la comunidad científica y que constituye otra violación a las leyes naturales.

Hoy día, el cuidado de la salud es la tercera industria en los Estados Unidos, con una aportación de más de un 19% al producto nacional bruto. Muchos de los billones de dólares asignados al campo de la medicina se utilizan en el desarrollo de tecnologías nuevas, complejas y sofisticadas. Los enormes hospitales cuentan con una gran maquinaria para efectuar diagnósticos y terapias. Esta es una de las causas principales del alto costo en el cuidado de la salud.

Como mencionamos anteriormente, el costo per cápita ascendió de $76.00 en el 1950, a $552.00 en el 1976. La mayor parte de este aumento se utiliza para sufragar el enorme costo de mantener operando a las instituciones médicas. La práctica de la medicina se ha centralizado en complejos médicos que incluyen especialistas y maquinarias. Dicha centralización conlleva más especialización y un equipo más sofisticado, lo que resulta en un mayor gasto de recursos y de energía. A mayor energía y recursos humanos invertidos, mayores son los costos operacionales. Como si esto fuera poco, la medicina moderna ha creado una crisis en los costos de los servicios médicos debido a lo que se conoce como enfermedades iatrogénicas.

Las enfermedades iatrogénicas son causadas por los efectos secundarios de medicamentos que han sido recetados para una condición y han ocasionado otra enfermedad. Mucha gente no sabe que el alivio temporero de una condición en un paciente, por medio de un método clínico moderno, por lo general viene acompañado de un problema mayor a largo plazo. No obstante, los médicos continúan recetando drogas y efectuando intervenciones quirúrgicas, llevando a cabo cesáreas innecesarias y aplicando drogas tóxicas, químicas y altamente destructivas que resultan peores que la misma enfermedad. Esto, sin duda alguna, lo que hace es agregar mayores problemas a estos pacientes.

Cada 24 a 30 horas aproximadamente, entre un 50% a un 80% de todos los adultos norteamericanos ingieren una droga recetada por un médico. El enfermo puede experimentar un alivio temporero, pero el efecto nocivo que produce esta droga en el organismo es, en muchos casos, mayor que el bien que pueda causar, tal y como explicamos anteriormente sobre el uso de antibióticos.

Los antibióticos son recetados en forma arbitraria para cualquier infección. Estos combaten de forma indiscriminada a las bacterias. Destruyen muchos organismos importantes que son esenciales para el funcionamiento adecuado del cuerpo humano. Como consecuencia, surgen infecciones intestinales, problemas de los órganos reproductivos, deficiencias vitamínicas y una gama de trastornos que se añaden a la enfermedad original. No debemos descartar, además, el problema de los efectos secundarios de los antibióticos, ya que su uso masivo ha ocasionado la proliferación de bacterias nuevas que son muy resistentes a los propios descubrimientos de la ciencia convencional, además de virus difíciles de combatir.

De acuerdo a un estudio publicado por un subcomité senatorial en el 1962, de las 4,000 drogas que fueron vendidas legalmente en los últimos 24 años casi la mitad no poseía valor científico comprobado. Estas drogas, además de ser ineficientes, son peligrosas y ocasionan enfermedades. Los trastornos secundarios ocasionados por estas han matado a más personas que el cáncer de mama.

Los efectos adversos de estas drogas están considerados entre los diez (10) primeros causantes de hospitalización de los pacientes. Mientras estos pacientes reciben tratamiento en un hospital, uno de cada cinco contrae una enfermedad iatrogénica y muere de ella uno de cada treinta. Algunos de los factores que propician enfermedades son:

    a. La contaminación química y ambiental que ha sido

un factor principal en la incidencia de cáncer, trastornos de la circulación y de los pulmones, que contribuyeron al 59% de las muertes ocurridas en el 1976;

b. Los efectos mortales de la contaminación en el organismo humano son sorprendente. En la ciudad de Nueva York se ha comprobado que muchos de los conductores de taxi tienen un alto nivel de monóxido de carbono en la sangre (comprobado mediante análisis de sus donaciones para transfusiones de sangre). Recientemente, unos científicos le manifestaron a un subcomité senatorial que no es posible encontrar leche sin contaminación para alimentar a los infantes. La leche materna contiene pesticidas, residuos y otros agentes carcinógenos. Las fórmulas de leche, por otro lado, contienen depósitos peligrosos de plomo y otros químicos contaminantes.

c. Varios informes gubernamentales, efectuados en los últimos años, concluyeron que del 60% al 90% de todos los tipos de cáncer en los Estados Unidos han sido causados por factores ambientales. Los mismos fueron creados por el hombre tales como: preservativos, aditivos y sustancias químicas tóxicas.

d. En el 1978 los resultados de un estudio extenso demostraron que del 20% al 40% de todos los tipos de cáncer están relacionados con el contacto de metales y químicos.

Ante estos exponentes de una realidad ineludible, es necesario tomar medidas que le permitan a la humanidad aprender a defenderse de estos factores exponenciales de tanta influencia sobre la gente, animales, plantas y ambiente. Hay muchas cosas que se pueden hacer para proteger la creación. Una de ellas es hacerse miembro de alguna de las organizaciones ambientalistas. Si no la hay o no conoce al grupo local, usted puede formar un capítulo local en su iglesia u organización a la que pertenece. Proteger la creación debe ser uno de los principales objetivos de toda organización religiosa. Según defendemos nuestra ideología religiosa, nuestro ideal político o los colores de nuestro equipo deportivo, debemos crear conciencia de la necesidad que existe de defender la creación. Cuando protegemos la creación, estamos haciendo justicia a la naturaleza y a sus leyes.

La pérdida de los valores fundamentales crea disfunciones sociales de grandes proporciones. La raza humana ya no puede más con tantas enfermedades y problemas sociales. En gran parte, esto se debe a los mensajes subliminales que la gente recibe de la propaganda mercantilista que ha trastocado los valores y ha sustituido las enseñanzas básicas de la naturaleza por sofismas humanos que han hecho fracasar a la humanidad. Hay que volver por las antiguas sendas y preguntar por los caminos cuál es la ruta que nos retorna al Principio de Principios *(Back to Eden Jetro Closs, film Paul Gautschis).* La buena mayordomía del hombre incluye entre sus obligaciones restaurar, en cuanto sea posible, todo lo que se ha degenerado o ha sido adulterado y degradado en algún modo. En gran parte, esto incluye las aportaciones de la ciencia y la medicina moderna. Estas son las más desviadas de todas las ciencias.

PARTE IV

CONCEPTOS BÁSICOS

DEL NATURISMO

CAPÍTULO 12

LA NATUROLOGÍA Y LA IRIDOLOGÍA

El instinto natural de hombres y animales les ha guiado a buscar en las plantas la cura de sus enfermedades desde siempre. La constante experimentación les ha permitido descubrir que no solo es así, sino que en la naturaleza también hay otros agentes curativos que pueden ayudar a resolver los problemas de salud de la humanidad mucho más rápida y efectivamente.

Grandes laboratorios buscan afanosa y desesperadamente en las plantas aquellas sustancias con propiedades químicas específicas que puedan servir para curar o aliviar ciertas enfermedades. La lógica científica es la de localizar estos químicos naturales, aislarlos y luego reproducirlos en el laboratorio sintéticamente. Esta práctica generalizada en la comunidad científica es antagónica a los mejores intereses de la salud del cuerpo humano. Todo compuesto sintético va en contra de los procesos naturales de vida y de restauración de aquellos órganos afectados, y eventualmente su uso produce efectos secundarios al resto de los órganos sanos.

Anteriormente señalamos que la Medicina Natural parte de principios y leyes universales. Muchos de estos principios y leyes se conocen, pues pertenecen a diferentes ramas de las ciencias corno la química, la física, la biología, la botánica, la geología, la astronomía, las matemáticas y la fisiología humana, entre otras. Al tratar de reglamentar los conceptos que rigen la práctica de la medicina natural se hace sumamente difícil definir los alcances de una ciencia tan compleja que abarca tantos campos del saber.

Las leyes de la salud, aunque aún no se han codificado en ningún libro bajo ese título, son un conjunto de principios y conceptos que al ordenarse en algún tratado y aplicarse íntegramente resultan en un tratamiento tan exitoso como el grado de aplicación. Por eso, existen distintos tipos de naturismo y los resultados que cada cual puede obtener al aplicarlos son proporcionales al grado y al tipo de aplicación. Esta reacción es también relativa al conjunto de leyes que se agrupan en determinado tratamiento. Por eso es que existen diferentes tipos de Medicina Natural, o mejor dicho, se aplican dependiendo del país, individuo, sus conocimientos y la proporción de leyes naturales que se puedan aunar en determinado tratamiento. Como es lógico y natural suponer, a mayor cantidad de leyes que se apliquen, mayor también será el grado de efectividad del tratamiento.

La Medicina Natural es el método regenerador de la naturaleza misma. Desde el punto de vista del enfermo, se puede decir que a mayor grado de esfuerzo que la persona esté dispuesta a hacer por su salud, mayor será el éxito y más rápido se verán los resultados. Por esa razón, existen también naturópatas de diferentes filosofías en todo el mundo. A mayor comprensión de las leyes naturales, mayor será el alcance y el éxito de sus aplicaciones.

La medicina natural es tan noble que con la aplicación de un solo principio, en un momento adecuado y en un determinado caso, puede producir un milagro. En otros casos con solo balancear una deficiencia el paciente responde curativamente. A esta capacidad que tiene la naturaleza de restaurarse es lo que llamamos Medicina Natural. Ocurre en todos los órdenes y un ejemplo muy simple es cuando se troncha o arranca una rama de un árbol o se quema un bosque. En poco tiempo la naturaleza cicatriza y reverdece compensando maravillosa y naturalmente el trauma. Lo mismo se puede aplicar al cuerpo humano cuando se enferma o hiere. Pero lo más interesante resulta cuando se pueden estimular estos procesos en una acción correctiva para curar las cicatrices de accidentes o de cirugías que en muchos casos, aunque sean internas, pueden ocasionar incapacidades permanentes o ser limitantes en diferentes grados.

"Es mejor prevenir que tener que lamentar" dice un antiguo y conocido proverbio. Sobre esta base se puede decir que la primera función de la medicina natural es prevenir, la segunda es mantener la salud y la tercera corregir las deficiencias resultantes de las violaciones a las leyes naturales de la salud.

Las leyes de la salud son muchas y como no se enseñan en ninguna escuela, la gente nace, vive y crece en total ignorancia a los principios básicos que rigen la naturaleza humana, el ambiente, la agricultura, la ecología y los recursos naturales de que disponemos. Esta falta de conocimiento es lo que hace que en vez de actuar en favor de las leyes de la salud, obremos casi en acuerdo mutuo para desbalancear la naturaleza en todas sus expresiones.

Aun los más destacados científicos del mundo, cuando elaboran sus fórmulas y teorías, tienen que tener en cuenta las leyes naturales para lograr el éxito. Aunque la mayoría de las veces el científico obra en contra de la naturaleza, no puede sustraerse de la realidad de que luchar contra la naturaleza es perder irremediablemente.

Toda la gente, las plantas y los animales están regidos por estas leyes universales. Toda la creación debe responder a este orden establecido. Pero el hombre ha cambiado, violado, alterado y tratado de vulnerar, de una u otra manera, todos los procesos naturales que fundamentan estos principios.

Han sido los humanos quienes han trastornado todo el orden natural de las cosas. Los resultados de esta desafortunada intervención no pueden ser peores: enfermedades incurables, desastres, cataclismos, contaminación, plagas, degeneración y muerte.

Desde que se tiene conocimiento, el hombre ha sido la única criatura que se ha dedicado a cambiar o alterar el orden natural de las cosas. El don de la inteligencia se ha usado para experimentar en contra de las leyes naturales.

Los tres grandes "pecados" que se comenten contra la naturaleza son: 1. comer la carne de los animales muertos y alimentar los niños con leche de animales, 2. cruzar las especies de animales y de vegetales mediante la hibridación o la intervención genética y 3. contaminar el ambiente y destruir los árboles. Estas tres grandes violaciones a la ley natural son básicamente la causa de todos los males que sufre el hombre, el planeta y el ambiente. Algunas personas están tan acostumbradas a su falta de energía que creen que nacieron sin ella. Esta conformidad no les permite advertir la gradual y constante pérdida de energía que se añade cada año. Los órganos que fueron heredados con deficiencias, y los que poco a poco se debilitaron como consecuencia de los malos hábitos de vida, quedan susceptibles y sucumben poco a poco a la gran presión negativa a la que son sometidos.

Como mencionamos al principio, la medicina moderna ha fallado en su intento de resolver los problemas de salud de la humanidad. Al tratar de clasificar las enfermedades por los síntomas se aleja de las necesidades básicas de los enfermos y no puede producir soluciones para dichos problemas hasta que estos llegan a convertirse en causas agudas o crónicas. No obstante, hace falta una clasificación, pero no de los síntomas, sino más bien de la individualidad bioquímica del paciente. Este conocimiento permite aplicarle los patrones de análisis correspondientes que permitan al profesional conocer la fase orgánica en que funciona dicho enfermo, y poder llevarlo por etapas hasta su total recuperación. Por lo tanto, en vez de clasificar los síntomas para bautizarlos con un nombre, es menester clasificar la causa para someterla a tratamiento. El fin que se persigue en todos los casos es común. A saber, LA CURACIÓN NATURAL, que si bien elimina los síntomas es porque va a la causa, y eliminada la causa, desaparecen los síntomas.

El Seguimiento Naturista A La Enfermedad

"La enfermedad es un esfuerzo que hace la naturaleza por librarse de las condiciones resultantes de una violación a las leyes de la salud". De acuerdo a esta definición, los síntomas son las señales de que el cuerpo lucha internamente por librarse de la enfermedad, y cualquier tratamiento debe ir dirigido a ayudar a la naturaleza a desprenderse de las condiciones que hayan resultado del constante vivir sin conocer o practicar las verdaderas reglas de la salud. Por lo tanto, sepamos o no la naturaleza del problema, el primer paso a dar cuando hay señales de lucha interna o de "enfermedad" es:

1. Ayudar a abrir todas las vías de salida o de excreción del cuerpo

2. Detener la entrada de toda comida que, de alguna manera, pueda introducir toxinas o proteínas al cuerpo o recarguen u obstruyan los órganos encargados de procesar y eliminar dichas sustancias

3. Adoptar inmediatamente y poner en práctica los siete principios básicos para la salud que son: aire puro, agua pura, descanso, ejercicio, temperancia absoluta, alimentación sana o ayuno y confianza en el poder curativo de la naturaleza.

Es sorprendente la cantidad de sustancias tóxicas,

parásitos, basura orgánica, depósitos sólidos, residuos alimenticios, grasa putrefacta, rancia y otros elementos minerales insolubles que recargan e impiden al organismo funcionar libremente y sin perder energía. Los principales órganos de excreción de todas esas sustancias son los intestinos, los riñones y la piel. Otros órganos como el hígado, la vesícula, el páncreas y el bazo ayudan a producir cambios bioquímicos en la conversión o catabolismo de las sustancias de desecho hasta su final eliminación. En caso de que no haya la oportunidad de excretarlas, se encargan de almacenarlas hasta que se presente dicha oportunidad.

Debemos pensar en nuestro cuerpo, que ha vivido por muchos años violando las leyes de la salud, como si fuera una casa abandonada que hace muchos años no se limpia. Durante ese tiempo el cuerpo, aunque ha eliminado parte del grueso de su residual, no ha podido librarse de todos los elementos que han entrado a través de la ingestión. Las substancias acarreadoras son, entre otras: comestibles enlatados, tintes de cabello, jabones químicos, pesticidas industriales y domésticos, trabajos dentales, vacunas, drogas, tintes de las telas, desodorantes, perfumes químicos, gases atmosféricos de las industrias de los automóviles, colorantes artificiales, cosméticos químicos, metales pesados, agua de la cañería, carnes de los animales muertos, hormonas, estrógeno que contienen las carnes y otros contaminantes. Si a estos le sumamos la adrenalina del estrés que se produce como consecuencia de la complicada vida moderna, estamos sometiendo al cuerpo humano al peor de los castigos que sociedad alguna haya producido en el pasado.

El cáncer es la suma total resultante de toda esta actividad química, la cual mina la estabilidad física y espiritual de los seres humanos y los esclaviza hasta exterminarlos. Por eso necesitamos aprender los métodos preventivos y las alterativas correctivas que puedan evitarnos contraer cáncer y por consiguiente, sufrir los tratamientos médicos hospitalarios.

Existen varias formas de ayudar a la naturaleza en su trabajo de limpiar el cuerpo de todos estos elementos contaminantes y dañinos. La primera que estudiaremos es la más importante debido a que tiene aplicación tanto interna como externa, es decir, doble aplicación.

La enfermedad es un conjunto de síntomas que nos alerta de que en algún lugar el cuerpo humano está haciendo un esfuerzo por librarse o compensar las deficiencias que se han producido como consecuencia de:

1. Factores externos: estos son los que afectan la vida o la salud de las células, tales como toxinas que pueden contaminar los alimentos, el agua o el aire que se ingiere, las que se respiran o con las cuales se entra en contacto, sea por exposición química o radioactiva y las que se ingieren con el alimento.

2. Factores internos: son los que se crean como consecuencia de actitudes, ideas o traumas psicológicos que de alguna manera producen desbalances nerviosos, hormonales, endocrinos o psíquico. Cualquiera de los cuales o en conjunto hace del estrés una condición patológica.

3. Leyes universales: la violación al código o a las leyes de la salud. Puede ser consciente o inconscientemente, como cuando se usan sustancias controladas como drogas, alcohol, cigarrillos, grasa, carne de animales muertos o medicinas químicas con efectos secundarios. Cuando consciente o inconscientemente se incurre en errores nutricionales como malas combinaciones de alimentos, el comer de prisa o fuera de hora, el no masticar correctamente, no tomar suficiente agua, no descansar correcta y

adecuadamente, y otras muchas formas o actitudes hacia las necesidades fisiológicas del cuerpo humano, que por desconocimiento o descuido, se llevan a cabo constantemente.

La Naturopatía es la forma más natural que se puede aplicar para restaurar los desbalances, los cuales pueden ser causados por todos o cualquiera de los factores contenidos en estos tres grandes renglones. Un ejemplo de medicina natural, aplicada a una persona que sufre de las vías respiratorias porque vive o trabaja en un ambiente altamente contaminado por tóxicos, es el de reubicar esta persona a un área limpia. Su remedio más natural es primeramente salir del ambiente que le afecta. El segundo paso, es tratar de reparar el daño que causó el tiempo que la persona estuvo expuesta a esta contaminación. El tercer paso, es el de aplicar expectorantes naturales para descongestionar las vías bronquiales afectadas por la exposición y por el tiempo en que se estuvo en contacto con las mismas.

Como puede usted comprender, el naturismo es un medio natural y lógico de armonizar el cuerpo humano con el ambiente donde se vive. Para poder ayudar a una persona a restaurar su salud, el naturólogo practicante o naturópata debe conocer los principios básicos que rigen la salud del cuerpo así como de la naturaleza o ambiente que le rodea. En cada lugar hay factores distintos que deben ser tomados en cuenta para mayor efectividad en la aplicación de los métodos naturales.

El naturismo o la naturología es un estudio científico que parte de la aplicación práctica de leyes físicas, químicas, biológicas, matemáticas, astronómicas y morales en beneficio del hombre y su ambiente. Se sabe que la enfermedad es el resultado de la violación a una o a varias de esas leyes. El naturólogo debe revisar la vida, el medio ambiente y las condiciones internas de cada caso para descubrir cuáles son las necesidades básicas de esa persona y luego hacerle las recomendaciones necesarias.

La Iridología

La iridología es la ciencia que estudia el iris del ojo y su relación simbiótica con los diferentes órganos del cuerpo. El iris es la parte de la maravillosa estructura del ojo que nos permite ver formas y colores. El iris es un diafragma que se abre y se cierra estimulado por la luz exterior. Cuando hay poca luz, la pupila se dilata y abre para que entre más luz. Cuando hay mucha luz, la pupila se contrae para evitar un deslumbramiento. Esta acción de abrir y cerrar es estimulada por dos importantes sistemas internos. Uno es el sistema nervioso simpático y el otro es el parasimpático. El primero dilata la pupila y el segundo la contrae.

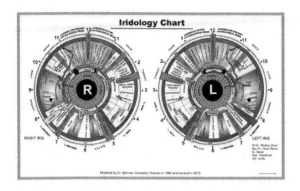

Ambos sistemas, obrando en conjunto, se denominan sistema nervioso autónomo o vegetativo. Una red de nervios conectados al cerebro actúa sobre el borde interno del iris y lo excita para que abra. Estos nervios están todos conectados a una red que cierra el circuito y que va a cada órgano del cuerpo y regresa al centro de conexión que se encuentra localizado en los ganglios ciliares. De la misma manera que la córnea, este convierte las señales visuales en impulsos eléctricos, y las lleva al cerebro donde se vuelven a convertir en imágenes. Estas señales también viajan a los órganos y sistemas desde donde retornan al cerebro, para llevar impulsos eléctricos que cargan información importante que se registran como señales en la superficie del iris.

Para descubrir cuál es la condición interna, se mira el iris del ojo humano. Esta superficie que, en algunas personas es azul y que en otras puede ser castaño o verde, es como una pantalla de computadora. En ella, el iridólogo experimentado y conocedor puede ver marcas características, que señalan la condición interna del cuerpo humano e indican tanto la causa como los efectos de las condiciones a las que la persona ha estado expuesta. Estas marcas deben ser interpretadas por el iridólogo. La efectividad y precisión del iridólogo dependerá de su sabiduría, experiencia y conocimiento del cuerpo humano.

Estas señales correctamente interpretadas nos dan una idea clara de cómo se encuentra cada órgano o sistema. Si estos están bien, no se produce señal alguna, pero si hay interferencia, esta es registrada de forma permanente.

Cuando uno de los nervios del iris es interceptado o afectado por alguna interrupción, las fibras de ese lugar pierden su temple y se afectan de simpático a parasimpático o viceversa. El origen de la señal indica con claridad el origen del impulso mediante la interpretación experta de las diferentes marcas que producen. Por ejemplo, la formación de un tumor produce una depresión en las fibras del iris. El crecimiento del tumor se podrá detectar por la depresión del área en el iris. Las fibras se separan y forman un gran cráter. Si el problema surge por la acumulación de elementos químicos en el área, la fisura correrá de un sistema al otro.

Dependiendo del estímulo eléctrico negativo, el área acumulará ácidos que impiden la transmisión de los elementos conductores de carga positiva, como el sodio y el potasio. Esto creará un flujo del sistema que más próximo esté al ganglio donde se encuentran las neuronas excitadoras, y se inflamará el segmento. Las sustancias excitadoras son la acetilcolina, la colinacetil-transferasa y la colinesterasa.

Los iones conductores positivos son sodio y potasio, el negativo es cloro y el bipolar es calcio. Luego explicaremos los diferentes tipos de calcio y sus funciones como transmisores electivos positivo o negativo. El voltaje del soma neuronal es de 70 a 100 milivoltios, y las diferencias son producidas por factores diversos. La energía que estimula estas reacciones nerviosas y viscerales fluye de los órganos y sistemas al cerebro, y de este se devuelve a los sistemas pasando por el ganglio ciliar del cerebro al ojo.

Por esa razón, el origen de la fisura o cráter que se forma en el iris dependerá de donde se origine la interrupción de las señales eléctricas y la distancia a la bomba de sodio más próxima. La membrana de cada nervio posee una bomba de sodio y una de potasio. El sodio es impulsado hacia el exterior y el potasio hacia el interior. Toda sustancia que no pueda pasar por las membranas nasales es iónico o de carga negativa. Aquí se acumulan iones de fosfato, de sulfato y de proteínas no asimiladas o metabolizadas. También se adhieren a estos iones orgánicos elementos inorgánicos tóxicos y substancias químicas diversas, que obstruyen el libre paso por las membranas. Esta carga electronegativa produce su señal en el iris, pues interrumpe el flujo electropositivo al cerebro y, por consiguiente, al iris del ojo, que es uno de los terminales más importantes de esa computadora.

Así se forma un tumor en un área específica que se debilitó porque no recibió los elementos necesarios para mantenerse saludable. Un tumor o una obstrucción quística producirán una marca en el ojo parecida a una fisura o un cráter, mientras que una depresión de insuficiencia en un área orgánica producirá una señal prominente como un montículo en la superficie del iris. O sea, que tenemos que leer las marcas en el iris como se lee un negativo fotográfico o una placa de rayos x.

Es importante señalar que ciertos factores pueden alterar el buen funcionamiento del sistema nervioso central, donde se producen las señales que van al iris del ojo y que marcan naturalmente la condición de cada órgano y sistema interno. Uno de estos factores es el de algunas drogas que inhiben el sistema nervioso después de un uso prolongado, los quimioterapéuticos como la cortisona y la prednisona, el AZT y algunos inmunosupresores. Otros factores que pueden afectar las señales del ojo son las transfusiones de sangre o la inyección de células vivas a través de las venas. Por esa razón, siempre se debe informar el uso de estos en la hoja de información que el naturólogo necesita antes de ver cada caso. Otros agentes que pueden desviar o confundir ciertas señales neuronales son la exposición a radiaciones tanto atómicas como electrónicas.

Como puede usted deducir, las cirugías oculares, el uso de drogas y las transfusiones de sangre pueden dañar su sistema de señales interno y afectar, de esa manera, el instrumento más importante de su cuerpo. No solo para usted ver desde adentro todo lo que le rodea afuera, sino también, para ver desde afuera como está funcionando todo su sistema interno.

Hemos señalado algunos elementos químicos que interfieren o participan en el proceso de llevar la señal nerviosa al cerebro a través de su interfase que, finalmente, produce la señal en su ojo. Estas señales dependen del estudio general del sistema neurovegetativo. A continuación veremos algunos impedimentos que interfieren el buen funcionamiento de este sistema.

Tan pronto se descubren las deficiencias internas a través

de este sencillo, pero eficaz análisis externo, se procede a preparar un programa combinado. En el mismo se incluyen suplementos nutricionales, dieta y terapias adicionales (hidroterapia, barroterapia, ejercicios, masajes, baños termales, baños solares, ayunos especiales y muchas otras formas de usar los elementos de la naturaleza como el agua, el sol, el aire, el ejercicio y el descanso, las plantas, los alimentos y algo que es muy importante, absoluta paz mental) para estimular la recuperación de los órganos o sistemas afectados. Estas son las medicinas que se han de usar para rehabilitar el organismo.

Cualquier otro elemento que se salga fuera de esta lista, puede que no sea parte del naturismo. Aun así, debo aclarar que si en alguno de los suplementos a usarse existe alguna sustancia sintética o elemento de origen animal (como el calcio proveniente de la leche [calcium lactate], de huesos [bone meal], de cascarones de ostras [oyster shells], de cascarones de huevos, de corales y de sustancias extraídas como el aceite de hígado de bacalao [fish liver oil], el cartílago de tiburón y otros restos de animales, el colágeno, el calostro y las células madres de bovino) no deben clasificarse como "naturales" para ser usados dentro del más puro concepto de medicina natural bioética y del tratamiento recomendado.

Hay muchos otros componentes que deben descartarse por su origen directo de animales. Se trata de extractos glandulares disecados (raw glandulars) los cuales provienen de órganos y glándulas de animales. La venta de estos productos en las tiendas de salud en envases idénticos y, a veces, de la misma marca de otros productos que se usan en el naturismo trae una gran y grave confusión a los consumidores, quienes no saben diferenciar entre uno y otro. Ningún naturólogo debe usar o recomendar estos productos. Nadie se cura realmente si no deja de comer carne de cadáveres, y estos productos son residuos de cadáveres disecados, encapsulados o formulados como preparaciones naturales cuando en realidad no lo son. El que los usa está consumiendo carne cruda.

Productos Orgánicos Y No Orgánicos

Hay una gran confusión en el campo del naturismo con relación a lo que es natural y lo que no lo es. Por ejemplo, los vegetales cultivados orgánicamente y los vegetales cultivados comercialmente son dos cosas diferentes. También existe una gran diferencia entre lo que es híbrido y lo que es natural u original. La mayor parte de los productos vegetales que obtenemos en el mercado son, en su mayoría, híbridos o injertados y han sido químicamente cultivados.

Los químicos que se usan para abonar las cosechas, así como los plaguicidas y substancias que se usan para retardar la maduración o acelerarla, para mejorar el color y para acentuar el brillo, son tóxicos dañinos a la salud y la mayoría de ellos causan cáncer y otras enfermedades. Otro problema que tenemos que resolver y aclarar es el de los granos y cereales integrales.

Hace 15 o 20 años que se comenzó un proceso de orientación en cuanto a la necesidad de incluir fibras en la alimentación general de la población. Las tiendas de salud comenzaron a vender los granos y cereales integrales. A estos no se les pule ni se les quita la cáscara al procesarles, al molerse o al cocinarse como alimento.

Para la década de los 80, hubo un gran auge en el consumo de alimentos integrales. Grandes compañías procesadoras comenzaron a usar fibras naturales en sus productos, y hoy día, la mayor parte de los médicos y gastroenterólogos aconsejan a sus clientes el uso de productos integrales y fibras para una mejor salud intestinal. Muchas farmacéuticas fabrican productos a base de fibras para ser añadidos a la dieta común, y se toman como si fuera una medicina que se prescribe a personas con malos hábitos de alimentación que no consumen fibras en cantidades suficientes.

El uso de fibras puede ser una solución temporera al problema intestinal de lentitud del recorrido peristáltico, denominado estreñimiento. Pero muchas fibras pueden ser contraindicadas para un sinnúmero de condiciones que hay que tomar en cuenta cuando se aplica el naturismo. Las fibras de la cáscara o el gluten de todo cereal, aunque puedan muy bien acelerar el paso del bolo digestivo, pueden resultar altamente dañinas y tóxicas para ciertas personas. Por lo tanto, no se deben clasificar con los alimentos de salud ni se deben vender en tiendas donde se reclamen productos salubres. La mejor fibra es la celulosa natural de las frutas.

Alimentos Que No Alimentan

El gluten se saca de la cascara o de la cubierta exterior de los granos y cereales secos. Esta superficie es una combinación de una proteína de celulosa que no se puede digerir y que se usa como fibra. Este tipo de fibra contiene una gran cantidad de tóxicos entre los que se encuentran los residuos de pesticidas que se usaron en su cultivo. Además, contiene tóxicos naturales que el cuerpo humano, por lo general, detecta y rechaza cuando puede. Estas substancias, entre las que se encuentran la gliadina, el ácido fítico y otros componentes, obligan al intestino a cerrar los cilios de absorción para que estos venenos no entren a la sangre. Cuando esto ocurre, los cilios, que son las que absorben los nutrientes del complejo B, de las vitaminas y aminoácidos esenciales, se pliegan y se cierran para evitar la absorción de substancias nocivas a la salud. Por consiguiente, se crea un síndrome de mala absorción que se conoce como "enteropatía ciliar" (Ciliac Disease) que es muy común en personas alérgicas a la toxina "gliadina" que se encuentra en el gluten del trigo, centeno, maíz, cebada o avena.

Cada año nacen más niños con intolerancia a la leche y al gluten de estos cereales. La enfermedad se ha tornado en un mal general que, de una u otra manera, afecta a toda la población. En algunas personas consumirlos puede producir deformaciones de la columna vertebral (escoliosis o kifosis), mientras que a otras le produce problemas bronquiales como alergias, dolores de cabeza, migrañas o asma. A muchos les causa ciertos tipos de anemia, mala absorción de calcio, inflamaciones de las articulaciones y otras condiciones patológicas que pocos sospechan que provengan del consumo de estos cereales. Estudios recientes relacionan el consumo de trigo y sus derivados al aumento de deformaciones congénitas en los recién nacidos y problema de raquitismo, síndrome Down, y daño al cordón neural.

Una inmensa mayoría de los casos cardiológicos por padecer arritmias, taquicardias y otras cardiopatías que se tratan con drogas, son causados por el trigo cuando se ingiere en cualquiera de sus formas. Inflamaciones del tracto digestivo, gastritis, colitis y muchos otros desórdenes gastrointestinales son, en su mayoría, causadas par el gluten de trigo, centeno, cebada, arroz o maíz.

Como puede usted ver, no podemos bajo ningún concepto llamar alimento al trigo, maíz, cebada o centeno. Su uso como "comestible" representa un serio problema de salud para una gran parte de los habitantes del mundo.

Un problema similar al del trigo, la cebada, el maíz y el centeno ocurre con el arroz. Este importante grano ha sufrido la misma intervención genética que los otros cereales y granos mencionados. Para muchas personas, su uso produce casi los mismos problemas y, además, es un importante factor causal en la mayoría de los desórdenes intestinales modernos que aquejan a la población mundial. Desde estreñimiento, divertículos, pólipos, hemorroides y hasta el cáncer, son causados por el consumo del arroz comercial tanto de grano largo pulido como corto o integral. Se ha comprobado que el arroz, tanto pulido como integral, es el alimento de mayor grado inflamatorio.

La constante experimentación genética con los alimentos ha causado un daño irreparable a los productos alimenticios más importantes de la tierra. Este gran desastre universal es causa directa de la gran ola de "enfermedades incurables" que existen en el mundo moderno. Cada vez que se interviene una semilla y se altera su genética natural, ya sea por hibridaciones o por trasplante de genes, se altera también su capacidad de ser asimilada y convertida en energía positiva en el cuerpo humano. Al ser ingerida, por el hombre o por los animales, estos "alimentos" dejan de alimentar y se convierten en una pesada carga digestiva que llena momentáneamente el reclamo natural de hambre, pero que al ser digeridas, no satisfacen las necesidades básicas de alimento. Su utilización como carbohidratos, proteínas y calorías huecas o vacías no alcanzan a satisfacer las necesidades nutricionales de los sistemas. En cambio, dejan en la sangre una cantidad enorme de residuos y radicales que causan una gran y densa sedimentación.

Muchos de estos "alimentos", aunque crecen y se dan en plantas vegetales sembradas en la tierra, no pueden ser clasificados como alimentos orgánicos. Su rotación molecular, tanto en el átomo como en sus iones, es inversa a su rotación natural original. O sea, que su naturaleza es mayormente parecida al fenómeno de los sintéticos. Los sintéticos son compuestos químicos que se combinan en los laboratorios imitando al compuesto natural u orgánico. En la mayoría de los casos, los compuestos naturales y los sintéticos utilizan o comparten la misma fórmula química para su identificación. Pero hay una pequeña diferencia entre uno y el otro y es que su rotación molecular es diferente. O sea, que si en el natural gira a la derecha, en el sintético gira a la izquierda o viceversa. A este fenómeno se le llama levo rotación si es a la izquierda o dextro rotación si es a la derecha.

Otro término que se usa para diferenciarlos es el de "imagen en el espejo". En el caso de los naturales, estos representan la figura original mientras que el compuesto sintético es la imagen del espejo. Este es uno de los ejemplos más fáciles de entender. Una imagen reflejada en un espejo es idéntica al original, pero usted no puede "vestir", ni "peinar" a la figura que se refleja en el espejo, porque tiene que hacerlo en el original. Así ocurre con los compuestos sintéticos.

Usted no puede depender de los compuestos sintéticos para su alimentación porque eso conlleva una gran pérdida de energía. La imagen no habla ni actúa a menos que el original lo haga. Veamos el siguiente ejemplo.

Todo científico va a asegurar que el ácido ascórbico y la vitamina C natural son la misma cosa o que el ácido ascórbico es vitamina C y la vitamina C es ácido ascórbico. Químicamente hablando esto es así, pues no podemos negar que cuando nos paramos frente a un espejo la figura que se refleja es la nuestra. La vida no está en la imagen reflejada sino en el original.

De la misma forma ocurre cuando tratamos dos casos de asma con vitamina C. Si hacemos el experimento con dos niños gemelos que sufren una bronquitis fuerte o padecen de asma, y le damos altas dosis de vitamina C natural a uno y ácido ascórbico al otro, notaremos que el niño tratado con vitamina C natural mejora notablemente, mientras que el niño al que se le suministran altas dosis de ácido ascórbico empeora y posiblemente muestre síntomas de intoxicación como malestar estomacal, diarrea o dolor de cabeza. Este tipo de experimento nos puede convencer de que ambos compuestos, la vitamina C natural y el ácido ascórbico, no son la misma cosa aunque compartan la misma fórmula química.

La vitamina C natural se obtiene de las frutas y alimentos naturales que no han sido intervenidos genéticamente o no han sido injertados. La mayoría de las frutas cítricas que son altas en contenido de vitamina C han sido injertadas o hibridadas. Lo que contienen en realidad es ácido ascórbico. Lo mismo ocurre con otras vitaminas y compuestos nutritivos cuando se encuentran en frutas híbridas.

La mayor parte de las abejas no gustan del polen de estas flores. Generalmente si tienen mucha necesidad del mismo, escogen ciertos granos, pero dejan la mayoría del polen en las flores híbridas. Por esta razón, muchos frutos de las estaciones experimentales y de las fincas modernas tienen que ser polinizadas a mano, una por una, por el agrónomo o agricultor. Las abejas no gustan del polen altamente híbrido y si lo hacen, están expuestas a morir en la aventura, como desgraciadamente ha ocurrido y se han exterminado miles de enjambres.

El adulterio a la creación le cuesta por tres al hombre en su afán comercial de obtener más dinero por las cosechas. En primer lugar, van creando desbalances orgánicos y ecológicos que casi han exterminado las abejas en las plantaciones comerciales. En segundo lugar, ha convertido los nutrientes de frutas y vegetales en tóxicos de potencial inerte o nocivo a la salud general de plantas, hombres y animales. Y en tercer lugar, ha dejado a la tierra y a sus habitantes sin alimento puro que restaure y revitalice la salud de hombres y animales. En fin, es importante señalar que la naturaleza tiene leyes por las cuales se rigen todos esos procesos orgánicos. Cuando estas leyes se alteran, se obvian, se violan o se ignoran, las consecuencias no se dejan esperar; pues son la respuesta natural de la causa que produce su efecto. Cuando se desconocen las leyes y se violan principios orgánicos naturales que tienen que ver con cosas tan importantes como lo son la salud de la gente, del ambiente y de las criaturas de la tierra, no podemos esperar otros resultados que no sean desastres y enfermedades. Eso es lo que hemos cosechado como consecuencia de la constante y frecuente violación de los más elementales principios de subsistencia.

Esta situación, que afecta al globo terráqueo y a su atmósfera, ha sido directamente producida por la mano del hombre. Este ha sido el instrumento que ha producido el más grave y mayor deterioro a toda la creación. La grave situación por la que pasan los diferentes sectores de la sociedad, es un reflejo directo de la crisis que se crea cuando se transgreden leyes universales de vida y comportamiento.

La ciencia tradicional ha basado sus conclusiones en teorías que se apartan, la mayor parte de las veces, de los más elementales principios de la ley natural. Cuando se depende de la experimentación y se usa el método científico común, los resultados, generalmente, son encaminados hacia propósitos preestablecidos y la intención es planificada para beneficiar a quienes pagan o financian un determinado estudio.

La forma en que se diseña cada estudio o experimento determina los resultados. Es como el jugador que usa dados "cargados" para ganar a toda costa. "El fin justifica los medios" y "los medios justifican el fin" parece ser el lema del método científico moderno para lograr conclusiones que respondan a los intereses que se quieren beneficiar. Esto no siempre permite que la humanidad reciba el beneficio para el cual la gente paga sus impuestos, sus planes de salud, las medicinas y los tratamientos médicos.

Esa es la razón por la cual, en la medicina moderna, no existe una farmacopea curativa. Ninguna droga química es garantía de curación absoluta. Todas las drogas farmacéuticas son diseñadas para tratar los síntomas, pero no para curar la causa. Como hemos discutido ya, son dos cosas diferentes, tratar una condición no es curar la causa. Muchas personas se pasan en tratamientos la mayor parte de su vida sin ver la verdadera curación. En cambio, cada cierto tiempo de tratamiento aparecen nuevas enfermedades que son consecuencia de las drogas y medicamentos que se le aplicaron para tratar los síntomas de los primeros males que aparecieron.

Cuando usted escuche decir que ciertas vitaminas son tóxicas, quien lo dice se refiere a vitaminas sintéticas o extraídas de fuentes animales. Por ejemplo, la vitamina A proveniente del beta-caroteno o vegetales amarillos como la zanahoria, es soluble en agua y por lo tanto, nunca va a resultar tóxica para el sistema. Sin embargo, la vitamina A proveniente del aceite de hígado de bacalao o de pescado resulta tóxica en ciertas cantidades, porque no es compatible con los procesos digestivos del cuerpo humano. Esa puede ser dañina a la salud. Lo mismo ocurre con otras vitaminas.

CAPÍTULO 13

CRISIS CURATIVA, EL ENIGMA DE LA ENFERMEDAD Y LAS DROGAS TÓXICAS

Una de las razones más importantes que tengo para redactar este libro es advertir sobre la crisis curativa. Tan pronto se comienza el tratamiento natural de desintoxicación del organismo por el empleo y uso de los medios naturales, se presenta la crisis curativa. Es decir, al principio o durante la cura se han de presentar, por algunos días, síntomas desagradables que no son de ninguna forma motivo de alarma. Como veremos más adelante, es un proceso natural que puede durar algunas horas o días, dependiendo de cada caso.

Durante este proceso pueden reaparecer, por corto tiempo, síntomas de enfermedades que habían sido tratadas con medicamentos artificiales como aspirinas, drogas e inyecciones. Luego del verdadero tratamiento natural desaparecen definitivamente. Esto se explica porque las drogas, inyecciones y otros tratamientos artificiales no curan, sino que se limitan a detener por breve tiempo los síntomas de la enfermedad, envenenando, intoxicando y empobreciendo la sangre, disminuyendo las reservas propias del organismo. Es decir, estos tratamientos esconden la enfermedad por un tiempo, pero no curan la condición.

Solo el uso del tratamiento natural llega a la raíz del problema, a la causa de todos los males y de las enfermedades, expulsando del organismo todas las materias tóxicas que ocasionan daño y promoviendo la verdadera salud natural. Comprenderá usted que la acción de limpieza y curación tan poderosa que se desata en el organismo con la Medicina Natural, tiene que producir trastornos momentáneos, pero pasajeros. Es a ese aspecto de la recuperación que llamamos "CRISIS CURATIVA".

La "crisis curativa" es la señal de que el proceso de curación y purificación ha comenzado. También es señal de que el organismo había sido tratado de manera antinatural y que ahora se deshace de todo lo que le quitaba energía. Estos síntomas pueden durar algunos días, por lo que hay que desarrollar paciencia, perseverancia y espíritu de sacrificio. Todas las cosas buenas son difíciles de alcanzar y la salud es lo más precioso, sobre todo, cuando se pierde.

Muchas personas me han dicho: "Yo pago lo que sea, dígame, ¿cuál es el remedio?", pero no hay una fórmula mágica. No existe una droga instantánea para curar determinado mal. De la misma manera que una enfermedad va madurando hasta convertirse en mal crónico, tiene que volver sobre sus pasos para curar. En otras palabras, para poder llegar al estado de enfermedad, el órgano enfermo fue pasando de la etapa aguda, a la sub-aguda, y de esta a la crónica. De la misma manera, sucede la recuperación, pero a la inversa.

Sabemos que los males crónicos no producen dolor en esta etapa. El dolor es una señal del sistema nervioso del cuerpo, pero cuando existe un bloqueo por las toxinas, la persona no siente la señal característica de determinado mal. Pero alguna vez tuvo que padecerlos.

En el tratamiento natural, tan pronto comienza la eliminación de toxinas se produce una acción de rechazo, y reaparecen por algunos días los dolores de cabeza, de espalda, de piernas o del lugar más afectado en la persona tratada. Por lo general, la recuperación comienza de pies a cabeza, a la inversa de cómo fue degenerando el organismo.

Enfermedades, ulceraciones, síntomas, infecciones de la piel, de la boca, tumores, erupciones, dolores y males que alguna vez sufrimos y que fueron curados con drogas, pasarán por nuestro organismo nuevamente como una procesión en marcha atrás.

En muchos casos, por el paladar del paciente pasa el sabor exacto del medicamento que tomó para determinada enfermedad. En otros, el olor de determinada droga o medicina vendrá a la nariz, acompañado de náuseas y repulsión de parte del organismo que aprovecha la oportunidad para hacer limpieza y librarse de toda materia extraña acumulada por años. Comprenderá usted que este proceso de purificación natural tiene que producir trastornos, y por eso queremos advertirles.

Muchos, al sentir debilidad, nauseas, mareos, dolor, diarrea y otros síntomas, se han asustado y han sido llevados a un hospital. Nuevamente son bombardeados con drogas, creyendo que es una infección o algún proceso degenerativo, deteniendo así el proceso curativo natural. Según se detienen los síntomas, así también se inhiben las reservas del organismo que lucha ardientemente por expulsar al enemigo. El cuerpo pierde la batalla y hay que esperar otra oportunidad, que a veces no llega nunca. Esta es la razón por la cual suspenden el programa natural, cuando al sentir todos esos síntomas adversos se acobardan y dejan el tratamiento, negándole a su organismo el justo y natural derecho de recuperación que había comenzado.

Algunos se quejan de que no habían padecido dolores de cabeza en años y ahora comienzan a sentirlos. A esos, les decimos que el cuerpo está en recuperación. Si soporta unos días, disfrutará de los resultados. Otros, que han estado padeciendo de dolores, los ven desaparecer para siempre. Cada organismo es diferente y todos tienen que pasar su proceso de purificación. Para algunos es fácil y los síntomas pueden pasar sin mayores molestias, pero para otros es más difícil.

Algunos organismos piden unos días de descanso, y es menester guardar cama en un lugar bien ventilado, bañarse dos o tres veces al día, cambiarse de ropa y de toalla, darse enemas cada dos o tres horas, alimentarse a base de crudos, frutas y vegetales, tomar té de plantas naturales y jugos naturales. Durante esa etapa incómoda se deben repasar los tratados de medicina natural para fortalecer el intelecto, desarrollar la fe mediante la confianza y la introspección constante, y así tener la energía mental necesaria para tomar las decisiones correctas.

No hay nada mejor que poner a prueba aquello que nos causa duda o perplejidad. Diez días en la dieta natural correcta es suficiente para el más incrédulo. Quitemos la carne y los otros alimentos tóxicos de la dieta de todos los días, sustituyámosla por alimentos sanos y nutritivos y podremos ver que en término de horas o días (dependiendo del tipo de organismo) se presenta la CRISIS CURATIVA. En otras palabras, fortalecemos el organismo y lo primero que este hace es limpiarse a sí mismo. Más sencillo aun, podemos decir que si le damos los instrumentos necesarios y la materia prima, el mismo cuerpo se da su mantenimiento.

Noten que hago énfasis en este principio, pues es fundamental para todo el que entra al naturismo. Repito, el organismo humano está maravillosamente diseñado y es capaz no solamente de combatir con éxito las enfermedades, sino también de mantenerse a sí mismo libre de ellas. ¿Cuáles son los medios? Pues sencillamente, la alimentación correcta, descanso, paz mental, ejercicio, agua pura y suficiente luz solar. Un buen balance de los elementos básicos indispensables es necesario para darle a nuestro cuerpo la resistencia para combatir con éxito.

Esta aseveración puede resultar conflictiva en su mente,

pues seguramente usted habrá estudiado las recomendaciones de muchos nutricionistas en cuanto a una dieta balanceada y al comparar, verá una notable diferencia entre ellos y las nuestras. Esto se debe a que el naturista sabe por experiencia propia que no hay mejor forma de vivir sana y felizmente que la que ellos han probado. A saber, la alimentación sana y vegetariana en armonía con las leyes naturales.

Es interesante notar como el estudio de las reacciones voluntarias de nuestra naturaleza, cuando se armonizan con las leyes naturales, producen una gran satisfacción a todos aquellos que lo ponen a prueba. Las miles de personas que han pasado por esta experiencia contagian su optimismo después de pasar el periodo crítico inicial. En algunos, las reacciones comienzan a las pocas horas de comenzar el proceso de desintoxicación. En otros, a las pocos días. Sin embargo, en algunos este proceso tarda meses. Su tardanza o duración depende de muchas circunstancias. Por ejemplo, la clasificación orgánico-celular del individuo. Esto es en términos de agrupación celular por área de tejido o compacticidad nucleo-molecular de la persona. Conocer este factor nos da una ventaja a los naturólogos sobre los que practican la medicina convencional, ya que podemos hacer una clasificación individual en cuanto a los márgenes de las tolerancias específicas de cada persona.

La tolerancia se determina mediante pruebas de laboratorio, pues la inexactitud de los parámetros, si no se clasifica primero al paciente, a veces no permite un diagnóstico preciso. Esto nos aclara por qué es que muchas personas, cuyas pruebas de laboratorio dan resultados negativos, continúan sintiéndose enfermas. En la medicina natural, se clasifica primeramente al individuo y luego se procede a analizar las pruebas de laboratorio de acuerdo a dicha clasificación.

Esta es la razón por la cual, a través de los medios naturales de análisis, se puede detectar una condición anormal antes de que lo pueda hacer el más sofisticado equipo de diagnóstico clínico moderno. En otras palabras, muchas personas que clínicamente están saludables, las diagnosticamos enfermas mediante el método natural.

Las normas de las pruebas de laboratorio clínico se establecen de acuerdo a un estudio-encuesta que se lleva a cabo entre una mayoría de personas de determinada región. De los resultados de ese estudio se establecen los distintos parámetros o niveles mínimos y máximos con los cuales se va a determinar quién está bien y quien está enfermo.

Todos los habitantes de ese lugar van a ser medidos por la misma regla sin tomar en cuenta que cada persona tiene su clasificación individual, y que debe ser considerada al evaluar su caso. Aunque la gráfica de los valores de las tolerancias dan sus rangos máximos y mínimos, siempre va a haber un lugar en donde se puede acomodar cada caso, pero se está tratando al individuo en forma general y nunca se podrán determinar sus tolerancias individuales para descubrir su verdadera condición. Tomemos como ejemplo una de las tolerancias más comunes, pues determina la acidez de la sangre, un factor muy importante que refleja el balance de la nutrición y su relación con el medio ambiente.

El laboratorio nos da unos rangos de ácido úrico que fluctúan desde 2.2 hasta 9 para lo que se considera normal en mujeres y hombres. Esto quiere decir, que todos los pacientes cuyas cifras estén entre los valores que acabamos de mencionar van a ser diagnosticados como "normales" sin tener en cuenta que, para muchas personas con diferentes tipos de organismos, un 5 o un 7 de ácido úrico puede ser motivo de síntomas. Estos pueden variar desde manchas en la piel hasta fuertes dolores de espalda o el conocido mal de la gota. Por esa razón, NO podemos aplicar los mismos valores a unos que a otros. Para algunos puede ser mucho lo que para otros puede ser poco.

Los niveles de tolerancia varían de una persona a otra y lo que puede ser alto para unos, para otros es relativamente normal. Hay que tener en cuenta que personas que presentan condiciones agudas de gota, con solo bajar un poco la cantidad de ácido úrico en la sangre tienen un gran alivio. Esa es una forma de establecer parámetros individuales. No obstante, algunos van a presentar unas cifras diferentes a otros. Cada uno de ellos puede dar una cantidad numérica distinta, pero todos los que no se sentían bien, sentirán alivio cuando sus niveles de acidez bajen un poco. Es probable que todos ellos estén dentro de las rangos o parámetros de lo que se entiende que es aceptable como bueno. Pero si la persona ha sobrepasado sus propios márgenes de tolerancia, se sentirá mal aunque sus rangos estén dentro de los parámetros. Por lo tanto, para que pueda haber una alarma efectiva que produzca un diagnóstico, los niveles de ese paciente deben de sobrepasar todos los números de la escala. Es entonces cuando se está clínicamente enfermo para fines de la medicina moderna.

A base de nuestra experiencia en esta materia y a los estudios que hemos realizado en miles de casos analizados, hemos podido clasificar los diferentes tipos de organismo en tres diferentes clases: O, A, y B. Existen una o dos variaciones en cada una de ellas en donde se pueden combinar factores de A y de B o de O y de A. Esta es una clasificación del individuo con sus tolerancias máximas de acuerdo a su naturaleza orgánica y su tipo de sangre.

Muchas personas que se sienten enfermas y acuden al médico son enviados al laboratorio para localización de causa. Es muy probable que se obtenga un resultado "negativo" si no aparece ninguno de los elementos en la sangre fuera de sus parámetros normales. Entonces, se le dice que está bien, por lo que la persona se alegra momentáneamente. Pero si los síntomas persisten y sigue sintiéndose enferma, aumentará su ansiedad y preocupación.

Lo común es que el médico le recete algún medicamento sencillo para tranquilizarlo, o le administre un antibiótico o tal vez un sedante sin saber bien cuál es la causa de los síntomas. Los síntomas pueden ser reprimidos con medicamentos por un periodo de tiempo, pero al reaparecer más agudos, la persona vuelve a su médico, quien no escatimará esfuerzo alguno en tratar de aliviar dichas dolencias. Si no se localiza el problema, le pueden sugerir una cirugía exploratoria.

Muchos, al ver que el paciente sigue quejándose de los mismos problemas, y que a medida que se añaden medicamentos no mejora, envían el paciente al psiquiatra. Se aduce, entonces, que sus males son mentales, pues todos los resultados del laboratorio y sus expedientes revelan que no hay prueba clínica que justifique sus quejas.

Estas personas, en su mayoría, tienen problemas orgánicos que producen dichos síntomas, pero la deficiencia del sistema, al no poder ver los resultados de forma individual, no permite que el médico vea la evidencia a tiempo cuando probablemente su solución era fácil.

Todos estos casos son rechazados por no haber prueba clínica que compruebe sus quejas. Eventualmente se ha de evidenciar la causa, ya que los órganos afectados generalmente siguen su rumbo degenerativo hasta que al fin son fácilmente diagnosticados y es necesaria una intervención de emergencia.

La clasificación orgánica del individuo es muy importante en el proceso de desintoxicación o limpieza, ya que de este factor depende el tiempo o periodo de preparación que se va a necesitar para que las defensas acopien pertrechos y se levanten en guerra. Por lo tanto, podemos asegurar que la duración de la crisis y sus síntomas en conjunto van a estar afectados por dicho factor. Esta duración no es una constante que se pueda establecer y codificar ya que es afectada por factores internos y externos que pueden alterar su estructura, ya sea a favor o en contra de la naturaleza. Veamos algunos de estos: factores genéticos, nutricionales, ambientales y emocionales. Además, tenemos que tomar en cuenta el trauma por accidente y los químicos tóxicos que a veces son determinantes. Si los tóxicos se consumen de manera adictiva, producirán cambios internos cuyos efectos alteran tanto el cuerpo físico como la mente y la personalidad. Mientras haya saturación de estos químicos se retardara el desarrollo de la crisis curativa.

Todos estos factores son determinantes, y siempre puede haber otros químicos que el organismo haya absorbido y que aunque se desconozcan, influyen y determinan el tiempo que las defensas naturales necesitan para alcanzar su fortaleza máxima para lanzarse al ataque. Estas no declararán la guerra hasta que haya la seguridad de que la misma se ha de ganar y para eso debe haber ocurrido una buena limpieza primero.

Lo primero que hace el sistema es depurarse de toda materia extraña que congestione el sistema y sus vías de eliminación y purificación. Todo el organismo va a verse afectado. Puede haber fiebre, dolor en los huesos, en los músculos o de cabeza, agotamiento, sudor copioso, cambios de temperatura, náuseas, mareos, diarreas y muchos otros síntomas parecidos a enfermedades sufridas anteriormente.

Van a reaparecer síntomas de viejas dolencias, o enfermedades que habían sido padecidas y tratadas con drogas. Luego puede sobrevenir una eliminación tóxica o putrefacta por cualquiera de los sistemas o por cada uno de ellos en secuencia determinada. Si viene por el sistema urinario, se puede producir una aparente cistitis, una inflamación renal o molestias que pueden aparentar una infección grave de los riñones. Los síntomas son idénticos a este tipo de afecciones que se padecieron alguna vez.

Esto es señal de que la sangre necesita limpiarse. Dichas señales no deben ser motivo de alarma. Como verá más adelante, si se persevera, en pocos días habrá cesado todo y la naturaleza nos dirá que vamos en progreso positivo. A pesar de la crisis y las molestias que esta acarrea, sentiremos el alivio de la recuperación.

Lo primero que sucede es una limpieza parcial de todos los órganos. Luego se ha de ir produciendo una limpieza local e individual de cada uno de ellos comenzando desde la cabeza hasta los pies o desde los pies hacia la cabeza. En otros, ha de comenzar del tronco hacia arriba o hacia abajo. Es difícil determinar cómo ha de suceder y en qué orden. Cada caso tiene sus peculiaridades, pero la limpieza se ha de producir y sabemos dónde se manifiesta porque los síntomas son evidentes.

El cerebro y las zonas frontales de la cabeza drenan por la nariz, la garganta y hasta por los oídos. Parte de la mucosa que se desprende del cerebro baja en forma de catarro nasal sin expectoración bronquial. Si se nota una flema blanquecina y pegajosa, puede estar drenando colesterol del cerebro y se puede sentir un poco de desbalance en lo que limpia. A veces se producen ambas cosas. Si hay expectoración bronquial, se produce desintoxicación del cerebro por las fosas nasales y la garganta. Cuando sucede esto, se deben hacer limpiezas intestinales continuamente, de manera tal que dicha sedimentación pueda ser eliminada a la mayor brevedad posible o, de lo contrario, se producirán náuseas y rechazo metabólico.

En las extremidades, la limpieza se produce desde las áreas más distantes al corazón, desde las arterias subclavias a las venas cava inferior y superior. Lo mismo sucede a través del sistema linfático, llevando paralelamente la misma trayectoria. Así también drena el sistema muscular, el sistema nervioso, el óseo, etcétera. No es de extrañar que durante la CRISIS se sientan dolores en los huesos, en las zonas musculares y trastornos del sistema nervioso, pues cada célula ha de experimentar su limpieza y esto no ocurre desapercibidamente. A veces no se duerme bien un día, pero el siguiente duerme en exceso por lo que le cuesta trabajo despertarse.

Toda la proteína y las grasas almacenadas, obtenidas de las células de carne de animales muertos y de otros alimentos grasos que obtuvimos al comer cadáveres, tienen que ser eliminadas para ser sustituidas por las proteínas y grasas naturales provenientes de los vegetales. A este proceso se le denomina en medicina natural, "REABSORCIÓN CELULAR".

La reabsorción celular es un proceso orgánico-químico que se produce gradualmente desde el núcleo de la célula hasta el protoplasma. Su duración se produce en etapas de ciclos que se completan hasta su total instauración en el sistema, lo que puede tardar hasta siete años en una persona que mantenga un nivel ácido normal y una alimentación totalmente vegetariana.

Este proceso es lento y el organismo hará los ajustes necesarios en cada ciclo de tiempo mientras ocurre la recuperación. La primera etapa de esta limpieza, para una persona promedio que ha comido carne, que ha usado aspirinas y otros analgésicos, café, cigarrillos, sodas y no ha usado drogas más fuertes, puede durar un año. Estas personas sufren la CRISIS a los pocos días de haber comenzado y, de ahí en adelante, comienzan a sentirse mejor hasta su próximo ciclo o su siguiente etapa de crisis.

Las etapas de crisis seguirán ocurriendo esporádicamente

lo que irá restableciendo la salud poco a poco, pero de forma cada vez más sólida. Es importante anotar las fechas de las manifestaciones de la crisis pues, como veremos, estas se han de repetir en menor grado durante el segundo año si se ha permanecido en el tratamiento y se han obedecido las leyes de la salud.

La persona que esté pasando por este proceso, sentirá algunas de las mismas sensaciones sintomáticas que en esa misma época sintió el pasado año, pero con la diferencia de que ahora es menos molesta y duradera. La mayor parte de las veces desaparece en término de horas si la dolencia no fue parte de un estado crónico. Si fue parte de un estado crónico, entonces, dichos síntomas pueden ser un poco más evidentes y molestos. Pero lo más importante de todo, es que viene el recuerdo en la misma época, dando evidencia de que todavía las defensas recuerdan y luchan. La cronología del proceso es perfecta de acuerdo a los ciclos de la naturaleza. En mujeres que tuvieron hijos, se sentirán los síntomas del embarazo, justamente en las fechas cercanas al nacimiento de cada hijo.

Estas etapas depurativas se han de presentar año por año haciéndose menos evidentes y más débiles hasta desaparecer por completo. Sin embargo, como expresé anteriormente, la total restauración de un organismo que ha sufrido los embates de las drogas, los estimulantes, las carnes y otras substancias dañinas, puede durar hasta siete años.

Algunas etapas de la limpieza que comienza con la crisis curativa producen síntomas análogos a enfermedades padecidas, cuyas características podemos reconocer fácilmente. Cuando se produce el rechazo por parte de nuestras defensas, se inicia una reacción en cadena que afecta cada órgano. El proceso se produce de una manera diferente en cada persona, pues sus manifestaciones son impredecibles, tanto en términos de tiempo, orden de aparición o características. Por lo tanto, es imposible hacer un manual que defina el orden de dichas etapas, pero su seguimiento es sencillo y pueden ser fácilmente reconocidas. Lo más importante es saber que si se ha obedecido la ley natural y las recomendaciones señaladas por el naturópata, los resultados han de ser positivos en todo momento, aun cuando la persona se sienta muy mal por un tiempo.

No se debe temer a que el proceso falle, pues hay una ley natural que nos protege y es que *"no se produce la crisis hasta que el organismo está preparado para ganar la batalla"*. Repetimos nuevamente: el organismo NO se lanza al ataque hasta no estar seguro de que dispone de los recursos que le garantizan el éxito de la empresa. Este proceso es desconocido para la ciencia, pues la práctica médica es intervenir y para eso se introduce siempre un elemento extraño que inhibe al organismo de desplegar todos sus recursos en la forma natural adecuada.

Cuando un enfermo se recupera en un hospital donde se le han suministrado drogas, lo hace casi siempre porque sus defensas naturales son tan fuertes que aun sobre la química de las drogas, la naturaleza se repone. Las drogas interfieren con el sistema inmunológico creando una fase artificial y momentánea que imita lo que las defensas naturales hubieran hecho si le hubiéramos proporcionado los recursos, la oportunidad y el tiempo. Aun así, la naturaleza es tan fuerte, que a veces se produce recuperación a pesar de las drogas químicas o mejor dicho, ocurre mejoría incluso en estos casos si así se le puede llamar. Se puede decir que muchas personas se curan a pesar de las drogas, y lo hacen por la fortaleza de la naturaleza en vez de por la efectividad de las drogas.

Siempre que se administran drogas a un paciente, se sabe que el efecto nocivo de dicho medicamento es mayor que el efecto curativo que pueda tener, si alguno. Partiendo de esa premisa, de que la droga no cura sino que esconde las causas a través de un ataque a síntomas, llegamos a una serie de conclusiones axiomáticas que se producen espontáneamente en la Medicina Natural y que son parte de un patrón.

Un estado suprimido, es un dolor diferido. Por ejemplo, si se suprime un catarro por un tiempo, cuando reaparece puede ser una bronquitis y si esta se suprime se convierte en pulmonía. Por lo tanto, un catarro suprimido puede causar una pulmonía. De la misma forma, pero a la inversa, una hemorragia nasal puede evitar una meningitis, o una diarrea puede evitar o curar una bronquitis.

Así mismo, una supresión de las amígdalas puede convertirse en lesión pulmonar o puede dar lugar a infecciones renales. Una psoriasis tratada con cortisona puede convertirse en cáncer de algún órgano interno o en lupus. Una bronquitis suprimida con drogas se convierte en asma crónica. Una diabetes tratada con insulina se complica y degenera en artritis, hipertensión, problemas cardiovasculares y ceguera, (cataratas, glaucoma, etcétera). Una artritis tratada con drogas y cortisona degenera en tumores cancerosos, diabetes, hipertensión severa y Parkinson.

Estas conversiones focales de unas condiciones agudas a otras condiciones crónicas nos dan una idea del funesto papel de las drogas modernas en el tratamiento de las enfermedades comunes. Esta es una de las razones del alto incremento en la incidencia de cáncer en los últimos años, precisamente cuando más uso se ha dado a toda clase de drogas para todo tipo de condiciones. Considerando el grave daño que los medicamentos farmacéuticos le infligen al cuerpo humano, es mejor no tener que depender de ellos aunque la medicina moderna los siga usando a falta de algo mejor. Algunos médicos prefieren no recetarlos, pero se da el caso en que es el enfermo el que exige tal o cual medicamento. Si el médico, por saber que no es conveniente, se los niega, entonces el paciente cambia de médico para que se le complazca mejor.

Las drogas de hoy no pueden ser eliminadas ni metabolizadas por el cuerpo humano, y son almacenadas en forma de ácidos en los tejidos de cada órgano. De esta manera, forman acumulaciones tóxicas que van reduciendo las funciones orgánicas del área hasta incapacitarla. Si además de eso, existe una eliminación deficiente a través de los canales principales, la eliminación de desechos tóxicos no será posible y así circularán en la sangre.

Una buena parte de los desechos de las drogas quedarán atrapados en los grandes órganos de eliminación, pero una cantidad considerable de las sustancias no filtrables pasarán a las áreas más susceptibles y desprovistas de mecanismos de rechazo, como lo son las áreas sensoriales del cerebro, los ovarios, la próstata, el hígado y los riñones o aquellos que son reflejo de debilidades por tendencias heredadas. Estos órganos, si no han podido regenerarse de esas debilidades congénitas por la sobrecarga negativa que han recibido durante su vida, sufren el riesgo de sucumbir ante la recarga a que están sometidos. Por lo tanto, son las áreas más vulnerables para recibir la descarga tóxica y por carecer de defensas alertas para rechazarla. Por razón de este proceso, los elementos dañinos quedan bloqueados en las áreas que enferman y degeneran. Según la cantidad de medicamentos que la persona haya usado, tratando de contrarrestar los síntomas que producen esas condiciones, la situación será más o menos grave.

La suma de todos los elementos represores y las debilidades inherentes ya mencionadas hacen que el organismo se entregue al trabajo de degradación del órgano afectado, por lo que se atrae hacia este una gran concentración de elementos tóxicos de todo el sistema. Así se libran, en cuanto sea posible, otros órganos que pudieran ser expuestos y afectados por el mismo mal. La explicación científica de este fenómeno de autodestrucción está en el capítulo de cáncer del libro Fisiopatología de Guyton.

Desde que se introdujo la modalidad de extraer los órganos enfermos de los pacientes en vez de tratar de curarlos, se han multiplicado otras afecciones, que a su vez, dañan órganos que son vitales. *Es igual que colocar un puente en un fusible que se ha fundido, en vez de reponerlo.* Cuando venga la sobrecarga es posible que se queme toda la casa. Lo mismo sucede con el hígado, cuando se le elimina la vesícula, con los senos si se eliminan los ovarios, con el intestino si se suprime el apéndice, etc. Sin embargo, la misma gente va al cirujano solicitando que se les extirpen dichos órganos creyendo que con la operación va a resolver el problema. Solo para reconocer más tarde que los mismos achaques anteriores a la cirugía reaparecen con más fuerza, y otros que se añaden. Cada órgano que se extirpa produce una falta y cada falta producirá sus consecuencias.

Por ejemplo: una mujer sin ovarios o sin útero tarda más en desintoxicarse que una que tiene su regla mensual, pues la sedimentación, que es la borra negra que baja en la menstruación y muchas de las toxinas y hormonas que son desechadas por el organismo, drenan a través del flujo menstrual.

El primer paso que debemos recordar es que hay que reconocer los síntomas de la enfermedad: "la enfermedad es un esfuerzo que hace la naturaleza por librarse de las condiciones resultantes de la violación a las leyes de la salud". La primera señal que se puede observar cuando se incurre en deficiencia orgánica es la pérdida de energía.

En cada caso, fuera de las muy raras excepciones de

sintomatología, se presentarán síntomas variados unos de otros, los cuales señalarán una causa. No obstante, hay que entender claramente que en el concepto de medicina natural, NO EXISTEN ENFERMEDADES SINO ENFERMOS. Por lo tanto, es importante tener en cuenta que la mayor parte de las mal llamadas enfermedades por la medicina moderna no son otra cosa que la manifestación sintomática de la causa.

Por ejemplo, la alergia nasal es la demostración externa de que los pasajes del aparato respiratorio y sus órganos claves están congestionados de materia extraña, y el cuerpo está tratando de eliminarlos. Cuando se usan drogas para disminuir o suprimir los síntomas, se paraliza la acción purificadora del sistema inmunológico. Este trabaja poderosamente para levantar un ejército de células obreras diestras para dicha labor específica, las cuales son desviadas de su objetivo para enfrentar el medicamento o antibiótico administrado. Así, se paraliza la acción natural del cuerpo hacia determinado enemigo y queda sujeto a la acción temporera de defensas externas prestadas, que solo afectan la forma de actuar del organismo pero no resuelven el problema, porque la causa o el mal sigue donde siempre estuvo.

Cuando pasa algún tiempo, la condición regresa. No obstante, algunas personas tienen un organismo con tan buenas defensas que, aun con el medicamento, persiste y rechaza la materia extraña acumulada.

Causas

Para la medicina moderna la causa de la mayoría de las enfermedades es de origen desconocido. Este gran enigma que se crea por no haber un cuadro claro de las enfermedades y sus causas no les permite prescribir tratamientos que realmente curen dichas condiciones. Sin embargo, tanto la causa como la cura son conocidas en la

Medicina Natural. Los síntomas son el aviso o la señal que el cuerpo emite que existe una anomalía orgánica o causa. Es importante que aprendamos a diferenciar los síntomas para descubrir la causa. Una cosa no descarta la otra.

Los conceptos que la medicina moderna ha implantado en las mentes de las personas por los últimos 50 años han sido en detrimento de la salud general de la humanidad. Pero resulta económicamente exitosa para los médicos y hospitales que se lucran de ella. Debido a que el éxito médico hoy día no se mide sobre la base de la capacidad curativa del método y sí sobre el de su productividad económica, es importante tener en cuenta este hecho cuando tengamos que tomar medidas de salubridad todos los días o en estados de emergencia.

Como mencionamos anteriormente, los síntomas son la señal que el organismo emite para avisar de que algo anda mal. Cuando son tratados y reprimidos, la verdadera causa no desaparece como algunos piensan. La causa persiste y generalmente degenera como consecuencia de la debilidad que los medicamentos producen en las defensas naturales. En otros casos, cambia de foco y en su lugar aparece otra enfermedad iatrogénica que hace cierto el viejo adagio: "El remedio es peor que la enfermedad".

La primera lección de salud es la prevención. Siempre he dicho que "una onza de prevención vale más que una tonelada de curación". Los que estudian las leyes universales de la salud se convierten en ejemplos vivos de su obediencia. Poner en armonía el cuerpo humano con las maravillosas leyes físicas que lo gobiernan es una experiencia viva del más interesante y provechoso estudio que el ser humano pueda hacer. En cada vuelta del camino es de esperarse un gozo y una satisfacción que solo una perfecta y armoniosa salud pueden producir. Arrancar los secretos de la salud del libro de la naturaleza proporciona gozo físico y espiritual al que lo ejerce. Ciertamente, es una satisfacción que se basa en hacer el bien y reponer las pérdidas del organismo ante una medicina industrializada y mayormente comercial.

Dr. Norman González Chacón

CAPÍTULO 14

HIDROTERAPIA

La limpieza sistemática del intestino grueso se ha convertido en una de las formas más importantes de hidroterapia moderna. Aunque se desconoce dónde y cómo se originó, hay evidencia del uso de la hidroterapia en culturas muy antiguas.

En los escritos del Mar Muerto de las cuevas de Qumrán y en el evangelio de los Esenios se hace referencia a esta terapia como un medio para purificar el organismo. Se recomendaba hacer el instrumento limpiando una calabaza por dentro y usando el bejuco de manga. Se llenaba de agua pura y fresca y se colgaba de un árbol. Más adelante, la historia nos da cuenta de su uso por los griegos y por los romanos. Mucho más tarde pasó a ser parte de la instrumentación común del médico a domicilio.

En la época gloriosa del imperio romano, se usaron distintos tipos de lavativa con diferentes propósitos. Aunque siempre se usó con fines medicinales, también tuvo sus aplicaciones sociales.

Cuando los emperadores celebraban sus suntuosas fiestas e interminables banquetes, los comensales acostumbraban vaciar sus intestinos para poder seguir comiendo. Para ese fin se construían servicios sanitarios en abundancia, con recipientes adecuados para que los invitados pudieran vaciar sus intestinos y volver a comer. Los artesanos modelaron envases distintos y variados con todo tipo de pedrerías, esmaltes de porcelana y metales preciosos como oro, plata y bronce. Las lavativas se usaron como sueros para diferentes usos.

Por otro lado, a los gladiadores romanos les administraban lavativas de sangre de toros bravos para incrementar su valor y fiereza. Así también se usaron drogas estimulantes, alucinantes y sustancias afrodisíacas para fines de diversión. No obstante, se usaron con fines medicinales y se establecieron en todo el continente europeo como una importante terapia de salud.

Según fue decayendo el imperio romano se fue perdiendo el uso del enema como medio estimulante, y su uso quedó restringido a las aplicaciones terapéuticas solamente. Con la aparición del médico de familia en los siglos XVIII y en los comienzos del XIX, una vez más se volvió a utilizar el enema como agente medicinal en Europa, y de allí se extendió rápidamente a las américas. En el maletín negro que le era peculiar al médico de aquel tiempo, iba un estetoscopio sencillo y rudimentario, algunas sales minerales y la bolsa de cuero del enema. Su uso se propagó cuando se inventaron las bolsas de goma y se generalizaron para la venta en las boticas de pueblo. Era difícil encontrar un hogar en donde no hubiera un dispositivo o bolsa para enemas.

Con el advenimiento de la medicina moderna y los antibióticos, se creyó que todos los problemas de salud de la gente estaban resueltos con alguna de las diferentes variedades de antibióticos y de sueros intravenosos. La cara nueva y reluciente de la medicina moderna ridiculizó los métodos antiguos de tratamientos que por años sirvieron, y los repudió con vergüenza. Algunos métodos, como el de ponerle sanguijuelas a la gente, eran barbarismos que no podían ser aceptados como parte de una medicina que se perfilaba como altamente científica. Por ser parte de la terapéutica antigua, el enema sufrió el mismo rechazo cuando se añadieron los laxantes modernos y se prescindió de todo lo que se usaba antes.

Las escuelas modernas de medicina se avergonzaban de tantos métodos poco científicos que se practicaron durante años, y siempre que se recordaban las barbaridades que se cometieron en nombre de la ciencia, se mencionaban las sanguijuelas, las cirugías, las extracciones dentales a sangre fría hechas por barberos y los enemas o lavativas. La tendencia de los científicos "modernos" a burlarse de los antiguos médicos es una debilidad humana que, en muchas ocasiones, ha retardado el progreso de los que no aprenden de la experiencia adquirida por sus antepasados. Nunca se debe descartar algo que pueda tener utilidad, si se usa de la forma adecuada.

El éxito del científico se basa en la recopilación de la experiencia adquirida por la experimentación. De manera que si se descarta la experimentación, la investigación científica deja de ser válida y pierde su objetivo.

Recientemente, una Universidad de Fráncfort publicó sus experimentos con sanguijuelas para ciertos tipos de tratamientos y se pregonaron con mucho respeto. De la misma manera, el libro de gastroenterología médica más reciente reconoce el tratamiento de enemas como una forma de curar la incontinencia urinaria en pacientes diabéticos con neuropatías y estreñimiento:

"One nonspecific but effective strategy for treating incontinence is to stimulate defecation at regular intervals by use of enemas to keep the colon and rectum empty of feces. This strategy is particularly useful in patients who are incontinent of solid stool and has been used extensively in children with chronic constipation and encopresis".[45]

Además, recomienda para el mismo propósito:

---

45 Marvin H. Sleisenger y John S. Fordtran, *Gastrointestinal Disease, Pathopysiology, Diagnosis Management* p.327.

"Some authors do not use laxatives, but rely solely
upon a daily or every other day enema... for a
month, then decrease its frequency as progress is
noted. The objective is to create an artificial
regularity". "This approach results in about a 50 to
75 per cent rate of success over long-term
periods".[46]

El fracaso de otros métodos, supuestamente científicos y
modernos, los ha llevado nuevamente a tener que usar lo que
una vez fue descartado por antigüedad y según ellos, por ser
poco científico. Ahora, dentro de los textos modernos de
gastroenterología, el enema no se ve tan anticuado ni tan
fuera de perspectiva. Los grandes laboratorios farmacéuticos
están fabricando una gran cantidad de medicamentos que
vienen para usarse en enemas, ya que resultan más efectivos
a través de ese medio. Sin embargo, por más de veinte años
los naturópatas que recomendamos los enemas fuimos
ridiculizados y se pretendió dar la impresión de que éstos
hacían daño. Aún quedan médicos y profesionales de la salud
que le hacen creer a las personas que los enemas hacen
daño, mientras que ellos, para hacer un examen del intestino,
tienen obligatoriamente que depender del tipo de enema más
tóxico que existe, que es el enema de Bario (barium). Este sí
puede hacer daño, pues el bario es un metal pesado cuyas
sales son venenosas y pueden causar ciertos tipos de cáncer.
Si la intención del enema es detectar alguna malignidad que
se sospeche, el bario la puede precipitar.

Ha costado trabajo educar a la gente para que puedan
aprovechar los efectos beneficiosos de la hidroterapia interna
o lavado colónico mediante el uso de los diferentes tipos de
enemas. Pero los que han tenido la oportunidad de utilizarlo,
dan fe de los resultados obtenidos y los usan por años sin
temores de ninguna clase ya que no existen efectos
secundarios que puedan derivarse de una terapia tan

46 Sleisenger y Fordtran, *Gastrointestinal Disease*, 356.

beneficiosa. Ahora bien, no hay lugar a dudas de que si una persona tiene un cáncer avanzado en el intestino y este se encuentra ulcerado y deteriorado, puede ocurrir perforación con el enema, lo mismo que puede ocurrir sin el, pues la presión de la excreta dura es mayor que la del agua del enema.

Además, el agua se moldea a la forma del intestino mientras que las heces fecales endurecidas obligan a las paredes del intestino a distenderse y presionan. De manera que las razones que alguien pueda aducir para culpar a los enemas y adjudicarles un daño que realmente no pueden producir, son en cierto modo un daño que se le provoca a las personas a las que se les está privando psicológicamente de la oportunidad que tienen de curarse o aliviarse por el uso de los enemas. Por lo tanto, si alguien le presiona o trata de persuadirlo para que no use los enemas, esa persona puede ser culpable de sus futuros sufrimientos si su condición empeora. Adviértale a quien trate de persuadirlo sin tener las pruebas que puede haber una reclamación en su contra por daños que su ignorancia le puedan causar. Tratándose de un profesional de la salud, estaría incurriendo en negligencia, pues no existen razones científicas para ese tipo de alegaciones. La medicina moderna ha perdido la confianza de la gente por su ineficacia en curar. Si descubrimos que hay alternativas viables que pueden hacer la diferencia y brindar un medio curativo eficaz, tenemos todo el derecho de explorar cada posibilidad. Los que han usado los enemas por años, dan fe de sus beneficios y de sus resultados.

El intestino grueso es uno de los órganos que más rápidamente se renueva. El uso de la lavativa mantiene el colon libre de residuos peligrosos que puedan quedar y formar adherencias que más adelante puedan producir pólipos o divertículos. El cáncer gástrico es más común en hombres sobre los 42 años que en mujeres, mientras que las enfermedades inflamatorias del intestino y el síndrome de colon irritable son más frecuentes en mujeres entre los 35 a los 42 años.

Los comestibles irritantes como los pepinillos, la pimienta, los embutidos ahumados y preservados en sal y nitritos y los compuestos nitrogenados, son algunos de los agentes más peligrosos que dejan residuos tóxicos en los intestinos y pueden dar origen a cáncer. Cuando se mueve regularmente el intestino y se mantiene limpio de ese tipo de residuos, la tendencia es a regenerar y las posibilidades de que se forme cáncer son mucho menores.

La dieta que acompaña nuestro programa de desintoxicación es otro elemento más a favor de la salud. La Sociedad Americana del Cáncer recomienda la eliminación de las carnes y grasas provenientes de animales para evitar padecer de algún tipo de cáncer. Toda esta información que se ha ido acumulando y que abona a un cambio radical en los estilos de vida y hábitos alimenticios de la gente, es evidencia de que el nuevo milenio traerá cambios sorprendentes en las recomendaciones nutricionales de las agencias concernientes con la salud nacional.

El Dr. J.H. Kellogs, el magnate que revolucionó la nación con sus famosas fórmulas de "corn flakes", escribió lo que suponemos fue su primer libro sobre la higiene del colon y las terapias intestinales: Colon Hygiene. Este volumen de información valiosa, que se publicó para el año 1888, es hoy una joya de información importante que está disponible para los estudiosos. Las recomendaciones del Dr. Kellogs están al día en filosofía y en aplicaciones terapéuticas.

Además del Dr. Kellogs, el Dr. Max Gerson, un médico alemán que comenzó sus experimentos con enemas de café en la universidad de Múnich para el año 1930, más tarde escribió sobre el tema y practicó las terapias colónicas o enemas de café con sus pacientes en los Estados Unidos.

El Dr. Gerson desarrolló su investigación en diferentes tipos de cáncer y los enemas de café. El Centro de Control de Cáncer de La Universidad de San Diego en California hizo estudios al respecto y supervisó el programa Gerson con pacientes de cáncer tipo melanoma en sus diferentes estados de cronicidad. Los resultados publicados revelan hechos sorprendentes. Se logró extender la expectativa de vida de los enfermos afectados por melanoma localizado con estos tratamientos.[47]

El estudio se hizo bajo estricta dieta vegetariana, jugos crudos de vegetales, frutas frescas y enemas de café a diario. De 14 pacientes con melanoma localizado en estados I y II, el 100°/o sobrevivieron por 5 años comparado con un 79% de 15,798 casos reportados por Balch.

De 17 enfermos con melanoma regionalizado con metástasis en estado IIIA, el 82% estaban vivos a los cinco años en contraste con un 39% de 103 casos reportados por Fachklinik Hornheide. De 33 casos combinados de estado IIIA y IIIB con melanoma regionalizado y metástasis, 82% estaban vivos a los cinco años comparados con un 41% de casos reportados por Fachklinik Hornheide. La supervivencia reportada es la más alta comparada a todos los estudios reportados anteriormente en casos de melanoma.

La mayoría de los investigadores que han trabajado en las investigaciones sobre los enemas de café han aprobado su uso en enfermos afectados de lupus, tuberculosis, insuficiencias cardio-renales y otras. La evidencia va más allá de los cinco años, ya que muchos continuaron vivos después de los 10 años, lo que sobrepasa todas las expectativas de vida si las comparamos con todos los otros tratamientos convencionales.

---

47 *Alternative Therapies Health and Medicine* 1, no. 4 (September 1995): 29-37.

CAPÍTULO 15

FISIOLOGÍA DE LAS ENEMAS

Las secciones transversales y descendiente del colon son las áreas de mayor absorción. Es en estas precisamente donde ocurre gran asimilación de toxinas, provenientes de los residuos alimenticios no asimilados. Cuando el sistema necesita agua, los canales de absorción se abren y se absorben dichos líquidos del intestino grueso, dando lugar a que los tóxicos entren a la corriente circulatoria.

Se ha establecido científicamente que muchas de las formas de cáncer que se producen en el intestino son consecuencia de la toxemia alimentaria. Las estadísticas revelan que cada año la incidencia de cáncer en el colon aumenta proporcionalmente, lo que ha hecho que la Sociedad Nacional del Cáncer se pronuncie señalando que todas las investigaciones hechas hasta el momento, señalan una marcada relación entre la dieta y el cáncer.

Los métodos preventivos lógicamente indican que una dieta correcta, buenos hábitos de masticación y una buena higiene del colon son las únicas armas que podemos utilizar para reducir el riesgo de ser parte de estas estadísticas negativas.

Se ha comprobado que el cáncer del colon en personas que no han recibido ni radiación ni quimioterapia es uno de los males más sencillos y fáciles de curar. Se ha notado que manteniendo el colon limpio mediante una higiene práctica diaria, no solo se renueva la capa epitelial rápidamente sino que también se produce una renovación celular en los tejidos de las otras capas que componen el tracto digestivo. A la misma vez, se ha podido observar la gran rapidez con que la sedimentación sanguínea se reduce, dando lugar a cambios muy significativos en todo el sistema cardiovascular. Por consiguiente, en los riñones, que son lavados y enjuagados una y otra vez al paso de grandes cantidades de agua fresca que circulan en el organismo, las sales minerales insolubles a pH bajos de los líquidos corporales quedan en suspensión, y son descompuestas por la acción alcalina de dicho solvente universal para ser eliminadas fácil y rápidamente a través de los filtros urinarios.

Las pruebas indican que el balance ácido básico que prevalece en la mayor parte de las personas es la causa del mal funcionamiento de los mecanismos reguladores de electrolitos. Esta acción es disminuida en proporción al grado de acidez. Esta proporción afecta directamente a todas las funciones metabólicas primarias y secundarias, y sus consecuencias se pueden apreciar en las actividades compensadoras de los órganos filtros que no pueden ejercer sus funciones saludablemente. De aquí parten las deficiencias orgánicas que surgen después de los cuarenta años, cuyas cifras de edad promedio descienden vertiginosamente cada año. Ya se pueden ver mujeres de veinticinco años o menos sufriendo de menopausia prematura, así como a niños y adolescentes padeciendo de diabetes, artritis y otras enfermedades degenerativas, características de la ancianidad. En cada generación se puede observar menos capacidad defensiva, así como más susceptibilidad a contraer condiciones que son resultado directo de las causas antes mencionadas.

Circulan muchos rumores negativos cuyo único objetivo es asustar a la gente que siente la necesidad de lavar su colon regularmente. Conozco personalmente a no menos de treinta a cincuenta mil personas que acostumbran a usar el lavado del colon diariamente como una costumbre y lo han estado haciendo por más de doce o quince años consecutivamente. Esto sin que se haya producido ni una de las condiciones que alegaban los que han inventado las teorías de que las lavativas o enemas colónicas hacen daño.

Al contrario, hemos visto a personas que sufrían de colitis crónica, ausencia de flora intestinal, parásitos, ulceras gástricas, anemia, divertículos, pólipos, hernias esofágicas, catarro intestinal, estreñimiento, diarreas, cáncer y otros problemas del tracto digestivo, que según ellos afirmaban, las enemas hacen daño y que esas enfermedades no se curan. Estos, sin embargo, han curado total y rápidamente cuando se le implantaron lavativas específicamente indicadas para cada caso.

Una de las aplicaciones clínicas más efectivas del enema es en casos de adicción a drogas. Según nuestra experiencia y los estudios relacionados a los procesos de desintoxicación adictiva, hemos descubierto el gran valor terapéutico de los enemas de café usadas diariamente. Estas reducen los efectos (*withdrawal*) de las crisis adictivas.

La terapia colónica puede hacerse a cualquier hora del día o de la noche. Debe tenerse en cuenta que si se hace a una misma hora todos los días, se creara un hábito muy conveniente ya que se adiestrará el intestino a moverse habitualmente a esa hora. La temperatura del líquido puede variar desde tibia hasta fría. Cada persona debe explorar con diferentes grados de temperatura hasta lograr descubrir cuál es la más conveniente a su caso. Se pueden usar diferentes tipos de nutrientes para distintos propósitos. También pueden usarse infusiones de plantas, sal de higuera, levadura de cerveza liquida, calcio, sodio, potasio, extractos de plantas como la tuna, el llantén, la sanguinaria, el agua de coco, el poleo, el bicarbonato de soda y el agua oxigenada. Estos dos últimas requieren de cantidades controladas pues el exceso de iones de bicarbonato o el oxígeno que se libera del peróxido pueden ser nocivos si se sobrepasa la dosis de una cucharada por galón.

La lavativa colónica de café tiene varias ventajas. El primero en utilizarlas y propagar su uso general fue el Dr. Max Gerson de California. Sus investigaciones en torno a las causas y curas del cáncer lo hicieron famoso. Hoy su hija, la Dra. Gerson, ha continuado su labor práctica investigativa. Aunque las entidades médicas oficiales persiguieron al Dr. Gerson y lo desacreditaron a nivel público y privado, muchas clínicas utilizan hoy con gran éxito las enemas de café en el tratamiento de toda clase de canceres. Se está usando, incluso, para minimizar los efectos secundarios de las químicas oncológicas. También se utiliza el enema del té de la hoja de marihuana para esos propósitos.

El enema de café es sumamente útil en casos de síndrome de insuficiencia inmunológica (AIDS) por su capacidad restauradora del sistema inmunológico por su habilidad para remover los bloqueadores autógenos. Es recomendada como terapia permanente y diaria en los casos de hombres que han sufrido vasectomía y cuyos espermatozoides son vertidos a su sangre con efectos sobre el sistema linfocitario que pueden causar deficiencias o inmunizarlos en contra de sus propios genes. Esto puede desencadenar una autodestrucción masiva tal como ocurre con el cáncer o altas concentraciones de colesterol y sales. Así también, es muy útil en los casos de mujeres que han tenido hijos o han quedado embarazadas de más de tres maridos.

En los casos de cáncer diagnosticado, el enema de café, en conjunto a grandes cantidades de aminoácidos y folatos de levadura, son capaces de detener el proceso destructivo celular y permitir la regeneración orgánica si esta no está químicamente inhibida. En este tipo de caso, el enema con suplementos nutritivos ha sido empleado en intervalos de tres horas, lo que le ha permitido a muchos pacientes en estado terminal levantarse del lecho para curarse o les ha dado fuerza para morir dignamente sin muchos sufrimientos.

Un enema de café actúa de forma múltiple en el organismo humano. A la vez que limpia el tracto digestivo, remueve la flora bacteriana y elimina todos los agentes patógenos que se encuentren en esa vía. Sabemos que la mucosa intestinal necesita mantener un balance de la población bacteriana y si no hay una limpieza a menudo, la E. Coli patógena se multiplica peligrosamente y, en esa misma proporción, se disminuyen las defensas inmunológicas en la sangre. Esta reducción da lugar a procesos inflamatorios en diferentes áreas. Sin embargo, la limpieza del colon mantiene un nivel balanceado de los diferentes organismos que componen la flora o mucosa intestinal.

El enema de café estimula la limpieza del hígado cuando este se encuentra recargado por grasas o químicos que lo invaden. Las xantinas del café son alcaloides que estimulan dramáticamente la producción de enzimas que descomponen la mayor parte de los compuestos que tienden a congestionar las áreas hepáticas y estimulan el metabolismo de las grasas.

Según estudios realizados por el Dr. Luke K. Lam de la Universidad de Minnesota en 1981, el café aumenta las defensas del cuerpo para anular los efectos cancerígenos de ciertos compuestos químicos de la familia de los policíclicos como lo es el benzopireno. Las enzimas del café actúan de forma protectora y descomponen estas substancias cancerígenas. Según una teoría bien conocida en el ambiente científico, las sustancias protectoras activan ciertos sistemas enzimáticos que cumplen su misión protectora desactivando y metabolizando los compuestos tóxicos mediante un proceso que acelera ciertas reacciones biológicas hasta su total degradación y excreción.

Por ejemplo, en el caso del benzopireno, el sistema

enzimático protector se conoce muy bien. Se llama "glutation-S-transferasa" o abreviadamente, GSH-S-t. Después de probar varios compuestos químicos y otros naturales, el Dr. Lam notó que el grano del café aumentó el GSH-S-t., mucho más eficientemente que ningún otro producto. El aumento de la reacción biológica que anula la acción maligna del benzopireno fluctuó entre el 78% y el 182% por encima de lo normal. Los resultados de ese estudio fueron revelados en la reunión nacional de la Sociedad Química Americana celebrada en Nueva York en 1981.

Otro importante uso del café es la capacidad que tienen sus enzimas para desarmar compuestos químicos de acuerdo a un código específico señalado por la naturaleza.

Según estudios realizados por el Dr. Jack Goldstein,[48] las enzimas del café pueden cambiar el tipo de sangre de B a O. El estudio lo dio a conocer el Dr. Mercy Kurtyan, director médico de esa misma agencia y se reportó la capacidad que desarrolla el cuerpo humano para destruir y eliminar de la sangre aquellas substancias que no pertenecen a su código genético. El café les permitió depurar la sangre a tal extremo, que pudieron remover los factores Rh que determinan el tipo de sangre. Este descubrimiento puede muy bien resolver el problema de la escasez de ciertos tipos de sangre en los bancos de sangre de la nación.

Según el Dr. Kurtyan, mediante la enzima del café, los investigadores lograron cambiar la sangre del tipo B al tipo O que es el tipo de donante universal que sirve para todos los otros tipos sin que se produzca rechazo. Según los médicos de la institución, pruebas de transfusiones llevadas a cabo por ellos en el hospital, no revelaron rechazo alguno por parte de los pacientes a los que se les transfundió la sangre depurada del factor Rh.

---

48 Jefe investigador de Bioquímica Celular de la agencia de Servicios de Sangre de New Brunswick, New Jersey.

La enzima que se denomina alpha-galactosidasa, remueve la galactosa del azúcar que se encuentra en las células del tipo B, pero que no existe en el tipo O. En la galactosa es que se alojan y se sostienen los anticuerpos que hacen la diferencia entre un tipo de sangre y otro. Al removerlos por la acción química de estas enzimas en el corpúsculo rojo, la sangre queda libre de los agentes diferenciadores. Tan pronto se eliminan estas substancias, el sistema inmunológico del cuerpo asume una labor cognitiva que clasifica los genes y produce la integración. Podemos señalar que ambos procesos, el primero, que remueve las sustancias carcinogénicas y, el segundo, que desaloja la sangre de los anticuerpos específicos, son procesos que ocurren en favor de la economía general del sistema y ayudan en su capacidad de depurarse de agentes nocivos.

En ambos casos, vemos la acción interventora del café como el agente catalizador por excelencia. Es importante señalar que la presencia de estos anticuerpos en la sangre de los humanos es debido a su tendencia a comer carnes de animales. Los cuatro factores básicos O, A, B y AB son el resultado de esa contaminación que hemos comprobado y que la enema de café, usada por un periodo de tiempo considerable, puede remover.

Otros beneficios que pueden ser computados como consecuencia del uso de las enemas de café son, por ejemplo, la vasoconstricción de los vasos periféricos del cerebro debido la acción de la cafeína cuando pasa por las procesos digestivos. Cuando se absorbe la cafeína directamente de las áreas de absorción del intestino, las substancias alcaloides se conservan en su pH alcalino y el efecto es de vaso dilatación. Por lo tanto, el enema de café es la mejor medicina para un dolor de cabeza. Como señalamos al principio, el efecto de los enemas de café en las insuficiencias cardio-renales es sorprendente.

Conocemos casos en que después de un enema de café, unos riñones que no funcionaban, comenzaron a trabajar y de inmediato, se estabilizó la presión arterial y todos los signos vitales se normalizaron. El paciente, al cual le acababan de instalar la válvula de diálisis, tuvo que ser desconectado pues comenzó a orinar normalmente. En otros casos, las migrañas desaparecieron, el periodo menstrual se estabilizó y la inflamación de las piernas desapareció por completo.

Este tipo de cambio, que responde a una serie de procesos que ocurren en el organismo cuando hay un buen drenaje, se produce como consecuencia de un estímulo que la cafeína le da al sistema adrenal y acelera el metabolismo basal. Al producirse la desintoxicación, se estabiliza la condición y se estimula el sistema inmunológico contra cualquier agente nocivo que se encuentre en el organismo. La acción inmunitaria que se lleva a cabo, activa los linfocitos **T** que reconocen el antígeno y reaccionan con este. El locus que codifica la cadena alfa se localiza en el cromosoma 14 y son una familia de genes humanos con mutaciones animales. El locus para la cadena beta se sitúa en el cromosoma 7 donde se encuentra la otra familia de genes con residuos similares, pero de otros géneros. Cuando se encuentran ambas cadenas con defectos similares se crea un ambiente propicio para enfermedades auto inmunes y tendencias a infecciones por hongos y levaduras como la candidiasis.

El enema de café es excelente para desintoxicar de drogas adictivas, para eliminar adherencias endometriales, rebajar de peso, para hidratar la piel, para disminuir los ataques de asma y de alergias y para disminuir los niveles de azúcar en la sangre. También es bueno para la colitis ulcerativa y para la artritis. En casos de infecciones o fiebre alta, un buen baño caliente seguido de un enema fría ha probado ser la combinación terapéutica por excelencia.

La temperatura del agua caliente ayuda a elevar la

temperatura corporal para "quemar" la infección. El enema de café fría o fresca, hidrata y estabiliza la temperatura, además de que saca el calor generado en la fiebre. La capacidad hidratante del enema es en muchos casos superior a la del suero intravenoso por la rapidez con que entra y sale del sistema. Sobre todo, en casos donde hay algún tipo de insuficiencia renal o paro digestivo. La relación del intestino grueso con todos los órganos del cuerpo es la misma del ojo. De la pared intestinal surgen y convergen nervios que conectan a cada sistema y órgano. Cuando hay dolor en algún lugar, ya sea en un oído, en una muela, en una pierna o en la espalda, podemos localizar el nervio afectado en el plexo umbilical donde hacen sinapsis todos los terminales que arriban al intestino de cada grupo orgánico. Tan pronto lo localizamos, podernos estimular ese terminal con masaje circulatorio introduciendo el dedo índice en el punto afectado y girando el masaje en dirección a como corren las manecillas del reloj. Inmediatamente después del masaje, se hacen una o varios enemas hasta que el dolor desaparezca. Limpiando el área por donde pueda drenar la inflamación, se succiona el sedimento de células afectadas y se eliminan a través del intestino grueso.

Hay muchos alimentos, como discutiremos a continuación, que no deben llamarse, alimentos, ya que realmente no alimentan si la persona les tiene intolerancia. Debemos clasificarlos como comestibles que contienen alérgenos capaces de cerrar la absorción del intestino delgado por semanas. Las intolerancias son realmente alergias que se producen por dos razones básicas: 1. porque la persona no tiene 1os recursos digestivos para asimilar y metabolizar el producto; 2. porque el producto tiene algún tipo de sustancia que de alguna manera resulta tóxica o puede lesionar algún órgano o tejido.

Cuando se lava el intestino, se acelera el paso de las sustancias tóxicas por el tubo de absorción y se le facilita al sistema absorber los nutrientes sin que necesariamente tenga que absorber altas cantidades del veneno. En estos casos, además de todos los otros beneficios que se pueden obtener, el enema o lavativa sirve de catalizador. En casos donde se necesite aumentar la capacidad catalizadora del enema por razones de intoxicación severa, se añade media cucharada de bicarbonato de soda por cada litro de agua que se utilice para el enema. Este recurso es válido cuando hay problemas de digestión por exceso de acidez, en la uremia o enfermedades causadas por altos niveles de ácido úrico como la gota y la artritis ureica. La lavativa de agua, después de un tiempo, puede aumentar gradualmente la proporción. Se debe comenzar con un litro de líquido y luego se puede ir aumentando a medida que vaya limpiando el intestino y se toleren cantidades mayores. Para los infantes, se mide la misma cantidad de onzas que él bebe puede tomar de una vez y de esa misma cantidad se comienza a administrar la enema.

Usos Y Aplicaciones De Los Enemas Para Diferentes Condiciones

Asma

El enema de café es muy útil en los casos de asma y otras condiciones del sistema respiratorio por las capacidades broncodilatadoras de la cafeína. Mientras esta última actúa sobre los vasos efectores, la acción de vaciar el intestino produce la succión a las vías altas de los focos de mucosa atrapada (generalmente este efecto se consigue del segundo o tercer lavado intestinal en adelante).

En casos de fatiga o congestión bronquial, asma o fiebre, NO hay mejor terapia disponible que el enema de agua fresca o tibia alternadas cada dos o tres horas. Tan pronto como se normaliza la situación pueden irse disminuyendo, pero no deben ser descontinuadas de un todo hasta la total recuperación del paciente.

Cálculos Biliares

En los casos de cálculos biliares, el éxito de las enemas de café combinadas con administraciones orales de aceites medicinales han precipitado dichos cálculos a través del intestino, lo que ha evitado muchas operaciones (colecistomías) y, por consiguiente, muchos sufrimientos. Para cada caso, existe un tipo de lavado del colón o enema especifica. No se ha encontrado ninguna contraindicación, excepto en los casos de peritonitis aguda.

Anemia

Una de las formas más rápidas y efectivas de combatir todo tipo de anemias es mediante la utilización de aminoácidos de levadura y de compuestos de hidroxocobalamina vegetal en enemas de retención diarias. Estos pacientes con tendencias anémicas permanentes deberán hacerse un lavado de colon, temprano en la mañana, para entonces proceder con el enema de retención antes de la hora de almuerzo. O sea, unas cinco horas del primer lavado de la mañana.

Hemorroides

A algunas personas les bajan las hemorroides después de los primeros lavados intestinales, lo que es un poco molesto por algunos días ya que duelen mucho. En estos casos puede lubricarlas con aceite de oliva o de vitamina E (nunca use vaselina para suavizar las áreas afectadas). Las hemorroides pueden aparecer grandes y muy dolorosas, pero no debe descontinuar el uso de los lavados, pues retardara más el proceso de curación y se lastimará si se produce estreñimiento. Por lo tanto, debe continuar cuidadosamente con su tratamiento y verá que en poco tiempo las hemorroides o fistulas desaparecerán y se curarán para siempre.

Diabetes

Los diabéticos pueden bajar significativamente el uso de las unidades de insulina a medida que aumenten gradualmente las concentraciones de extractos de plantas amargas que contengan clorofila. No obstante, estos casos deben ser vigilados todo el tiempo con pruebas de orina y sangre, ya que pueden ocurrir casos de hipoglucemia súbita y producirse un daño irreparable. Se recomienda que solicite la asistencia diaria de su médico para vigilar los niveles de insulina.

Diarrea

La diarrea crónica, no importa la causa, responde maravillosamente bien a la terapia de agua. He visto infinidad de casos de colitis ulcerativa curar totalmente como consecuencia de una serie ininterrumpida de lavados de colon con substancias variadas como lactobacilos, café, hierbas medicinales, agua, arcilla, carbón vegetal y otras substancias naturales, indicadas de acuerdo a las características del mal y del caso en específico. En todos los casos, los síntomas de deshidratación han desaparecido a los pocos minutos de la primera insuflación de agua al colon.

La diarrea puede ser causada por altos niveles de tóxicos en el sistema. En este caso el mecanismo de defensa se ve en la necesidad de liberar una enzima que descompone la materia fecal obligando al intestino a vaciarse constantemente. Esto produce una pérdida de líquido de todo el sistema. Cuando este proceso se prolonga por la ingestión de drogas o medicamentos para detener la diarrea o por ingerir alimentos corrientes o irritantes se produce la deshidratación. La deshidratación del sistema puede evitarse con una dieta líquida y enemas que depuren el sistema de tóxicos. Aun en casos donde ya hay cierto grado de deshidratación, el enema con vitaminas es de tanto valor como un suero intravenoso. También pueden usarse algunas yerbas naturales para ayudar a hidratar, refrescar, alimentar, estimular y desintoxicar. También restaura las energías perdidas. En estos casos la enema puede usarse cada dos o tres horas o con más frecuencia si la necesidad lo requiere.

Fiebre

La temperatura del agua puede ayudar mucho y debe probarse a qué grado de temperatura el paciente recibe más beneficio. No obstante, la hipotermia de las áreas intestinales produce grandes cambios en el aparato regulador simpático lo que le ayudará indudablemente al enfermo. La deshidratación característica de la fiebre alta desaparece con cada terapia de agua que se introduce profundamente en el intestino.

El riego del colon a través de un enema de agua pura, produce un intercambio de líquidos. A través del intestino grueso se absorben agua y sustancias nutritivas, curativas o refrescantes que son llevadas a las células del cuerpo. Cuando este precioso líquido llega a las células, estas aprovechan para renovar sus reservas y, a la vez, limpiar el ambiente externo o renovar los líquidos extracelulares.

Como podrán ustedes apreciar, nuestro cuerpo que se compone aproximadamente de un 70% de agua, responde muy bien a todos los tratamientos de agua pura en todas sus formas. De la misma manera que usted disfruta un buen baño caliente, o bien una refrescante ducha de agua fría cuando hace calor, así todas las células de su cuerpo se gozan cada vez que reciben suficiente agua limpia para ellas renovar todo su ambiente. De esta manera, el flujo de los líquidos corporales se produce con el menor esfuerzo posible y de la forma más placentera para todo el Sistema.

Esperamos que usted no se conforme con aceptar o dudar lo que decimos. La única forma de saber dónde está la razón es probando y poniendo en práctica los remedios naturales y así puede usted decidir. Pero recuerde, que los remedios si no van acompañados de un cambio en el estilo de vida y en los hábitos alimenticios, pueden ser tan inefectivos como los medicamentos o drogas químicas.

"Tomarse una píldora es más fácil que cambiar la alimentación". Esta parece ser la filosofía de mucha gente que pretenden arreglarlo todo incluso curarse, tomando cosas por boca, pero no están dispuestos a cambiar los hábitos que los enfermaron. Para mostrar un ejemplo, pongamos el caso de un fumador empedernido que corre el mundo buscando un remedio para el enfisema sin tener que dejar de fumar. Así ocurre con los que quieren curarse sin cambiar sus hábitos alimentarios y sin limpiar el sistema.

Cuando se utiliza el enema, todos los canales de eliminación de los diferentes sistemas orgánicos, drenan hacia el intestino que es la vía mayor de excreción y hacia el cual fluyen las toxinas acumuladas. El que habla despectivamente de una terapia tan útil demuestra su ignorancia respecto a la más elemental y sencilla forma de higiene. Si todos la practicaran no habría tantos enfermos, pues como medida preventiva o como terapia de limpieza, es un recurso único de incalculable valor.

Estreñimiento

El estreñimiento intestinal es resultado de la alimentación moderna deficiente en fibras naturales. Solamente volviendo a la naturaleza se puede corregir, en parte, esta degeneración del sistema digestivo. Solo la alimentación estrictamente natural puede corregir tal deficiencia, sin que tengamos que darle una ayuda a nuestro intestino para librarlo de algo para lo cual no fue diseñado. Mientras tanto, SEAMOS LIMPIOS aseando nuestro interior así como nuestro exterior.

Desintoxicación

El uso adecuado de los enemas es muy importante durante el periodo de desintoxicación para estimular la eliminación de toxinas y así estabilizar las deficiencias orgánicas de nuestro sistema. La higiene intestinal es más importante que la oral, pues un intestino limpio es mejor medicina para el mal aliento que el más potente antiséptico bucal.

Algunas personas que no eliminan debidamente tienen mal aliento (halitosis) y, en ocasiones, sienten sabor a excreta en la boca. En personas que no eliminan o evacuan dos veces al día por lo menos, se produce la dilatación o relajación degenerativa de la parte muscular del colon que se atrofia en algunas de sus partes y no permite que se transmita la pulsación peristáltica desde su comienzo hasta el recto. Esto da lugar a acumulaciones fecales y humores fermentados, que al quedarse atrapados en esas áreas, producen gases y filtraciones que envenenan y recargan la sangre. Los riñones, páncreas, el hígado y órganos anexos, el cerebro y el corazón también se recargan.

La terapia intestinal es el elemento PRINCIPAL de desintoxicación del organismo. Si usted no la lleva a cabo en la forma correcta, no puede esperar resultados positivos a corto plazo. A veces se necesita mucho tiempo para activar un intestino vago y atrofiado. En estos casos se debe seguir estimulando el intestino con los enemas hasta que funcione normalmente por sí mismo.

En la terapia natural del intestino NO recomendamos los laxantes porque tienden a irritar el sistema digestivo. Además, el estreñimiento continúa después de que pasa su efecto. Algunos laxantes naturales pueden ser usados al principio del tratamiento para ablandar el excremento sólido y petrificado en las paredes del intestino. Los mejores laxantes son las frutas, alimentos ricos en fibras y todos los vegetales alcalinos. En casos de mucha dureza en las heces fecales, puede usarse el té de hoja de Sen (Senna leaves).

Los laxantes comerciales irritan el sistema digestivo y aceleran la afluencia de tóxicos a órganos afectados y a la sangre. No así el enema, que limpia los intestinos de materias putrefactas y produce una nueva generación de flora bacteriana amiga. Este proceso de renovación de la flora se consigue si vaciamos una cápsula de lactobacilos o primadófilos en la enema. Si hacemos un enema diario, usamos los lactobacilos una vez en semana. Así tendremos la seguridad de que la flora bacteriana va a ser renovada.

Dolor De Cabeza

En casos de dolor de cabeza por desórdenes digestivos el enema es una terapia maravillosa. Si existe la sospecha de intoxicación por químicos o por algún alimento descompuesto que hayamos ingerido, se debe hacer un lavado estomacal o administrar un vomitivo. Así se eliminan los residuos tóxicos que pueda haber en el estómago para luego hacer los enemas y limpiar el resto. Si el químico es dañino, debe acudir al centro de emergencias médicas de inmediato.

Enemas Para Contrarrestar Los Efectos Secundarios De Drogas Citotóxicas Quimioterapéuticos

Aunque se ha hablado ampliamente de los beneficiosos efectos del enema o lavativa de café para limpiar el intestino y remover ciertas sustancias de la sangre, es importante señalar que existen otras aplicaciones muy efectivas. En ciertas circunstancias si se quieren suprimir los efectos secundarios de ciertas sustancias tóxicas, el enema de café, combinada con ciertas plantas medicinales como lo son las hojas de tabaco, de marihuana, de té o de coca, sirven para contrarrestar los efectos de la quimioterapia y para desintoxicar y quitar la adicción a ese mismo tipo de drogas. Para estos fines, se debe usar la hoja fresca y verde de las plantas mencionadas. Se usa una cucharadita del té de hojas por cada litro de agua con café.

Hay muchas plantas que se pueden añadir a los enemas para obtener ciertos resultados. Si usted no conoce los ingredientes activos de las plantas, no debe experimentar usando ni mezclando plantas al azar. Una de estas plantas medicinales es la efedrina natural que se encuentra en la hoja de la nuez de cola. La hoja de esta planta usada adecuadamente en infusiones es un excelente broncodilatador y vasodilatador que puede ser usado para tratar muchas condiciones para las cuales no hay nada más efectivo. Puede ser combinada con el café y usada en enemas. Personas con problemas del corazón no deben usarla bajo ningún concepto.

Otra importante planta medicinal que no puede ser usada en Estados Unidos porque está controlada legalmente, lo es la hoja de la coca o lo que se conoce como el mate. Es muy efectiva para tratar el cáncer del intestino, esófago y de boca. Esta hoja utilizada adecuadamente, es altamente efectiva y prácticamente puede ser usada para todo tipo de cáncer si se utiliza adecuadamente y en infusiones de la hoja fresca y verde. El enema de la hoja del mate de la coca es excelente para contrarrestar los efectos secundarios de la cocaína y de la heroína cuando se está desintoxicando al paciente. También es efectiva para bajar la sedimentación de la sangre en personas que sufren enfermedades auto-inmunes como el lupus.

Otra droga controlada que algún día será convertida en

una poderosa medicina lo es la hoja de la marihuana. Esta hoja en infusiones y administrada en enemas es el más efectivo remedio para contrarrestar los efectos secundarios de las drogas quimioterapéuticas usadas para tratar el cáncer, el sida y otras enfermedades terminales. No obstante, es importante señalar que toda planta medicinal que se utilice fresca y directamente de la hoja tiene propiedades benéficas que no necesariamente producen toxicidad ni adicción como ocurre cuando se usan inhaladas, tomadas por boca, inyectadas o a través de la piel. La cafeína, la efedrina, la coca y la marihuana son medicinales cuando se usan debida y controladamente en enemas.

Esta información la doy a fines de adelantar el proceso educativo sobre este tema ya que algún día se descubrirá el valor medicinal de estas y otras plantas medicinales, que usadas en su forma natural, son remedios importantes que el mundo necesita. Sin embargo, al aislar químicamente ciertas sustancias y sintetizarlas para uso terapéutico se convierten en potentes drogas tóxicas que son altamente dañinas. Esa es la diferencia entre lo sintético y lo natural.

Estas hojas de plantas cuyo proceso químico produce fuertes narcóticos adictivos, son medicinas alternas muy efectivas cuando se usan controladamente de forma natural en programas combinados con dieta natural, ejercicio, hidroterapia, psicoterapia, trabajo ennoblecedor y constructivo y confianza en la naturaleza.

Esta información es estrictamente con fines educativos y no estamos recomendando ni prescribiendo el uso de estas sustancias controladas.

Procedimiento Para Uso De Las Enemas

En un irrigador o bolsa de enema se coloca aproximadamente un litro de agua. Se unta el extremo de la cánula con un poco de aceite de oliva o vitamina E líquida y se introduce en el recto y se espera hasta que el depósito este vacío. En algunos casos es necesario hacer esta operación de dos a tres veces, pues el intestino se encuentra tan lleno que no cede suficiente para dar paso a toda el agua de una vez. El irrigador debe ser colocado a cuatro o cinco pies de alto para que produzca buen vaciado por gravedad.

Es conveniente que el paciente esté acostado boca arriba con las piernas algo encogidas y las caderas un poco levantadas con una almohadilla. Se puede mover hacia el lado izquierdo primeramente y luego volver boca arriba nuevamente. Luego voltearse un poco hacia el lado derecho, dándose masaje circular alrededor del ombligo y respirando profundamente. Finalmente, se puede virar boca abajo, reteniendo el líquido todo el mayor tiempo posible en la posición sobre las rodillas y manos hasta levantarse y sentarse en el lugar donde se ha de efectuar el vaciado. En algunos casos es conveniente colocar una segunda enema después de la primera pues si la materia fecal esta dura, un enema no es suficiente.

Para los enemas con plantas se puede hervir el agua con las hojas o mejor se muelen las hojas en licuadora con el agua, se cuelan y se administran sin hervirlas. Para los niños pequeños se usa una perita pequeña que contenga aproximadamente 75cc por cada año de edad.

Los parásitos intestinales tienden a salir cuando se hace la limpieza intestinal. A veces usted puede verles flotando en el agua que elimina. Si este es su caso, puede usar varios vermífugos naturales de acuerdo a la variedad del tipo de parásito y añadirlos al enema. Se usa el pasote, el poleo, el aceite de ajo, algunas gotas de aceite de eucalipto y otros. Es muy importante exterminar los parásitos pues producen desechos tóxicos y variedad de enfermedades o síntomas que son confundidos con enfermedades, dolores de cabeza, manchas en la piel, picor vaginal o en el ano, tos seca, dolores de estómago, hambre y otras.

Los parásitos pueden salir del intestino y pasar a otros órganos como el hígado o les pulmones y producir efectos mortales o crónicos. Además, consumen casi todo el alimento que se ingiere produciendo anemia. Otro de los problemas más agudos y directos que produce el parásito es que afecta de manera terminante el sistema nervioso. El movimiento de los parásitos en el intestino o donde se hallen, produce impulsos revertidos que van desde el lugar donde se encuentran al sistema para-simpático y al sistema nervioso central, produciendo pesadillas, sueños raros, actividad sexual cerebral, hambre de ciertos antojos y otros síntomas desagradables y muy molestos.

Los parásitos se obtienen de la ingestión de carne de animales, por pisar descalzos el piso donde se sientan perros, gatos u otros animales domésticos, de llevarse las manos sucias a la nariz o a la boca, de la lengua de los animales cuando lamen la piel humana y de alimentos contaminados.

Después de restablecido totalmente, el intestino debe producir peristalsis o deseos de evacuar por lo menos dos veces al día. No obstante, un intestino degenerado con adherencias o divertículos puede tardar un año en contraerse y de dos a siete, en estar totalmente recuperado. Esto es, por supuesto, si se siguen cuidadosamente las leyes naturales de alimentación.

Aun aquellas personas que eliminan correctamente y que se alimentan de acuerdo a la ley natural deben seguir con la práctica del enema. Diariamente deben usarla para mantener el sistema depurado. La contaminación del ambiente satura las fosas nasales y se introducen a través de la piel y de los órganos de entrada otros elementos tóxicos que son convenientes drenar frecuentemente. Esta práctica es muy saludable.

Mito En Cuanto A La Flora Intestinal

Mucha gente habla de los enemas sin haber hecho un estudio profundo del tema. Hay mucha confusión creada por los médicos que antiguamente decían que los enemas lavaban la flora intestinal y por lo tanto no debían de usarse. Es importante señalar que la flora bacteriana es una capa de mucosa que se forma en las paredes del intestino y que se satura de diferentes tipos de bacterias. Estas bacterias pueden ser buenas o malas para nuestra salud dependiendo de muchos factores. Uno de estos, es que la bacteria (E. Coli) que es la que abunda, mientras más aumenta en cantidad de colonias, menos defensas inmunológicas tendrá nuestro sistema para defenderse de otras enfermedades. La flora de bacterias E. Coli, son el resultado de la putrefacción de las carnes de cadáveres cuando pasan por el intestino. Los vegetarianos no necesitan ese tipo de flora porque sus heces fecales tienen un pH intestinal mucho más alcalino que los que comen carne. Por lo tanto, son menos susceptibles a enfermedades degenerativas del sistema digestivo.

CAPÍTULO 16

ALIMENTACIÓN

Los compuestos que inhiben la actividad proteolítica de algunas enzimas se encuentran presentes en muchos de los productos del reino vegetal. Uno de los más conocidos inhibidores es la tripsina, que se encuentra presente en el frijol de soya. Dicho factor fue discutido inicialmente por Read y Hass,[49] y final y oficialmente por Ham y Sandstedt en 1944. De ambos estudios se desprenden las observaciones sobre el pobre crecimiento de los animales que estaban siendo alimentados con productos a base de grano de soya crudo.

Desde 1917, se había observado que calentando el grano de soya a temperaturas controladas se conseguía que los aminoácidos contenidos en dicho grano pudieran ser mejor asimilados, sobre todo, los sulfúricos. No obstante, estudios recientes indican una gran perturbación metabólica en la asimilación de los aminoácidos cistina y metionina cuando estos son administrados a animales en condiciones controladas. Se ha observado un gran incremento de dióxido carbónico en la sangre y en la respiración de dichos animales que han recibido metionina. Además, se observó que cuando dicho grano se calentaba, se producían serias deficiencias de zinc y triptófano.

La explicación a dicha deficiencia se justificó por la presencia de una gran cantidad de ácido fítico (Phytic Acid) que se encuentra presente en el grano de soya y en el de

---

49 Cereal Chem., 15, 59 de 1938.

ajonjolí o sésamo.[50] Si en la dieta se incluyen algunos derivados lácteos o calcio, entonces, se produce una mayor deficiencia de zinc.[51] Otra notable deficiencia que se produce como consecuencia de la ingestión del frijol de soya es la del yodo.

Los estudios realizados hasta el momento señalan la presencia de sustancias goitrogénicas en la soya, que aun la ingestión de yodo adicional, en grandes cantidades, no la compensaría. Ni la previene, aun cuando el grano no haya sido pre-calentado o procesado.

Bocio Goitrogénico

Por los problemas señalados se han hecho estudios posteriores que han revelado un alto porcentaje de problemas de crecimiento tiroideo en los infantes alimentados con leche de soya. En estos casos, fue necesario combinar dichas formulas y añadir cantidades altas de yodo para reducir dicho defecto. La alta concentración de yodo interfiere en el metabolismo del triptófano y la fenilalanina. De esta manera, la cadena de aminoácidos es alterada.

Uno de los inhibidores de la tripsina que ha sido aislado en laboratorios y estudiado subsecuentemente es el inhibidor Kunitz, cuya acción no permite que la proteína de la misma soya quede disponible para ser asimilada. Dichos estudios revelaron que se desprenden otros inhibidores de dicha proteína en un espectro completo y según la conformación de los aminoácidos en dichos granos. Estas presencias son específicas a cada variedad y depende de sus características.

Otros granos, como la habichuela o frijol de lima, contienen dichos inhibidores en las mismas proporciones en

---

50 O'dell & Savage: Proc. Soc. Exp. Blol. Med. 103, 304, 1960.
51 Leaser, Barnett, Lease & Turk: J. Nutr. 72, 66, 1960.

que se hallan los aminoácidos presentes. Dicho mecanismo bloqueador es como un candado de combinación o llave que cierra la absorción del agente específico. Estos tremendos inhibidores que cierran la puerta de entrada a las proteínas contenidas en el mismo grano, constituyen una barrera natural innata que aun ni el calor, al cocinarlos, logra disipar totalmente.

De la misma manera ocurre con otros granos secos como lo son el *mung bean,* el maní o cacahuate, la avena, el garbanzo, las lentejas, el trigo, las habas, los frijoles o habichuelas negras, rojas, pintas, de ojo negro, el centeno, la cebada, el maíz y el arroz.

Estos inhibidores están presentes y ampliamente distribuidos en los granos mencionados, pues son bloqueadores naturales. Las implicaciones, tanto económicas como de salud pública, son sumamente significativas, ya que hacen que dichas proteínas sean imposibles de asimilar en condiciones generales, especificas o controladas.

En los casos en que la combinación química de estos granos, entre sí, o con otros cereales, libere cantidades de proteínas utilizables por el sistema, su liberación acarreará grandes cantidades de compuestos de bases fíticas como lo son las fitohemaglutininas o lecitinas, las cuales tienen las cualidades de aglutinar las células o glóbulos rojos de la sangre. Dichas sustancias se encuentran presente tanto en las semillas como en los granos mono y dicotiledóneos.

Otros fuertes tóxicos que se encuentran en estos granos y que no son en absoluto modificados por el calor al cocinarse, han sido clasificados como falseolotoxinas como la concanvalina A y ciertas ricinas. Esta última se encuentra en grandes cantidades en el frijol o habichuela castórica y su uso fue esparcido a principios de siglo como purgante por la acción irritante e inflamatoria del tracto digestivo.

El ricino del castor produce inflamación intensa con destrucción masiva de las células epiteliales del tracto gastrointestinal (GI), hemorragias locales internas y serio daño al hígado, riñones y al corazón. De estas sustancias se obtienen preparaciones químicas que se usan en los laboratorios de biomedicina para restringir los linfocitos a inducir mitosis.[52]

El significado tóxico y dañino de las fitohemaglutininas sobre la sangre de animales criados con alimentos de estos granos, combinado con la ingestión por parte de los humanos, crea una cadena de circunstancias abarcadoras y un problema de salud pública. Estas no están en vías de solucionarse por el presente, dado el caso que sus consecuencias sobre la salud general no habían sido expuestas públicamente.

No obstante, la Sociedad Nacional del Cáncer tiene en sus manos la información necesaria, sobre la cual emitió un boletín en septiembre de 1984. El mismo circuló en algunos estados como Tejas, sin embargo, fue retirado inmediatamente debido a la conmoción pública que causó. La información publicada ubica los granos secos entre los primeros tres causantes de cáncer en el mundo.

Dado el caso que la dieta básica del 95% de la población mundial comprende el uso de granos y cereales, no es posible para ningún organismo justificar, económicamente, una medida que descarte o modifique el uso de dichos productos a nivel de pueblo. Otra condición que resulta añadida a la gran lista, fue estudiada originalmente por Strong,[53] confirmada y revisada por Gardner y Sakiewicz.[54] Este es un mal de raíces neurológicas que se produce en

52 (Liener and Pollansk: J. Biol. Chem., 127, 129, 1952); (Mattocks, Nature, 232, 476, 1971; Newberne & Rogers: Plant foods for man, 1, 23, 1973).
53 (Nutr., Rev., 14, 65, 1956),
54 (Exp., Medi. Surg., 21, 164, 1963).

los humanos que consumen cantidades, desde moderadas a considerables, de Lathirus Sativus (chickling vetch) o de Lathirus Clymenon (spanish vetchling), un grano que se cultiva en la India, que crece en Italia, Algeria, España, el norte de África, en el Oriente, en las montañas de Tian Shian al oeste de la China, en Norte América y al oeste de África. Dicho grano, que comúnmente se le llama trigo cícera, es usado para alimentar ganado en esos países y es mezclado con el trigo de hacer pan para abaratar su precio o usado directamente para hacer pan cuando hay escasez de trigo.

Los síntomas del latirismo en los humanos fueron estudiados por Cantani desde 1873, quien le dio su nombre botánico actual, no obstante a que había sido descrito originalmente por Hipócrates en sus tratados. Actualmente se le denomina neurolatirismo y ocurre en su forma aguda, entre los 15 y 30 años y con una frecuencia de 12 a 20 veces más en hombres que en mujeres.

En su estado agudo, se presenta de la siguiente manera: los primeros síntomas son una sensación de pesadez en las piernas y sensación de debilidad acentuada en lapsos subsiguientes. Estando de pie, los músculos de las piernas se vuelven trémulos, espásticos y rígidos. Pasos cortos son tomados al caminar sobre los talones. Muchos de estos síntomas son confundidos o asociados con lesiones de los tractos piramidales laterales de los folículos de Guil del cordón espinal, pero se deben a este mal.

Cuando esta sustancia es administrada o recibida por los pollos, le produce refracción del cuello que se vira para atrás convulsivamente. Una inyección de 48 mg. de este tóxico produce muerte instantánea. Hay cientos de páginas en la bioquímica sobre esta dañina sustancia que recibimos en alimentos tan importantes como es el pan, las pastas y todo tipo de confitería en que se usa la harina de trigo que se les da a comer a los niños.

Algunos de los tóxicos aislados lo es la legume L. odoratus que da por nombre a la condición que se desprende del latirus sativus. También, en menor grado, en otras semillas como las de lino, calabaza, girasol, ajonjolí y alfafa, por sus altos contenidos de cyanoalanina y ácido diaminobutírico, producen síntomas neurotóxicos. Un ácido similar, diaminopropiónico, que combinado con estos producen la condición antes mencionada y que se denomina osteolatirismo odorático u odoratismo, produce deformaciones y anormalidades del esqueleto como (kyphossis), cifosis, escoliosis, deformidades de las costillas, de la espina dorsal y hernias del esófago así como fallas reproductoras, disecciones y aneurismas de la aorta. Todos estos cambios han sido rastreados, hasta alteraciones de colágena, algunos de los cuales pueden ser confundidos con tipos de artritis reumatoidea, ya que afectan las formas y las coyunturas.

Estudios hechos con radioisótopos revelan que los cambios primarios son fallas en la formación de los sulfatos de condroitina A y C, su complejo, con las proteínas, resultando en fribrogénesis. No se sabe a ciencia cierta por qué en unos individuos daña el sistema nervioso mientras que en otros ataca los huesos. No obstante, la sustancia responsable del latirismo en los humanos no ha podido ser aislada para su estudio en específico.

Otra sustancia tóxica se deriva de la habichuela o frijol faba (habas), produce la condición denominada fabismo, la cual es estudiada por su peligroso daño, ya que está probada su tendencia a producir anemia hemolítica aun cuando el grano haya sido cocido. La peor connotación es que dicho mal junto a los otros disturbios que produce, es transmitido por vía genética materna, de tal manera, que los hijos con solo oler el polen de la faba en el aire, desarrollan la condición o les produce alergias. Dicha condición se encuentra más comúnmente entre los negros de Estados Unidos que cargan el defecto enzimático causado por la ingestión constante y generacional de este grano por sus antepasados. Nuestras observaciones nos llevan a concluir que hay un parecido muy grande entre este tipo de daño y el que causa el gluten del trigo en nuestras generaciones.

Hay muchas otros tipos de granos y cereales que contienen diferentes tóxicos que le hacen daño al sistema cuando se ingieren. Hay muchas otras formas de granos o semillas como las almendras y nueces secas que afectan en menor y/o mayor grado a todo el que los consume.

Nuestras Observaciones

De acuerdo a la investigación que hemos hecho, y que comenzó en 1977, observamos claramente y constatamos el daño que los granos secos le producían a miles de personas. Estas venían en busca de ayuda por problemas de salud que la medicina moderna no había podido resolver.

A través de dicho estudio, pudimos observar como los enfermos mejoraban de casi todas sus condiciones, cualesquiera que fueran, tan solo con quitarles de la dieta algunos de los alimentos que a diario consumían. Se les eliminó las carnes de todo tipo, los mariscos, las harinas refinadas, el azúcar, los granos y cereales. Seguimos la tradicional idea naturista. Al principio les sugerimos la ingestión de granos secos y cereales en abundancia para sustituir las carnes. No hay lugar a dudas, que con solo eliminar las carnes se producía un notable alivio en la condición, pero luego sobrevenía un estancamiento que nos era muy difícil superar. Esta inercia se podía romper con dosis masivas de vitaminas y minerales, lo que creaba otra mejoría sustancial para volver de nuevo al estancamiento.

Algo nos decía que estábamos cerca, pero no sabíamos exactamente cuan cerca. Analizamos de nuevo la dieta de Génesis 1:29 a la luz de los textos originales, la dieta de los israelitas en su travesía desértica y finalmente encontramos la respuesta en la primera epístola de Corintios 15:36. En ella se expresa la costumbre y el pensamiento israelita con respecto a sus prácticas agrícolas. Lo que nos puso en el rastro de la verdad, que luego comprobamos en la bioquímica de los procesos digestivos, fue la toxicidad de los químicos señalados en las reacciones digestivas. Como hemos hecho con otros descubrimientos, los pusimos a prueba en el gran laboratorio humano que acudía a nuestras oficinas en busca de ayuda. Los resultados fueron realmente sorprendentes. Todas las condiciones, achaques y enfermedades conocidas y aun las desconocidas, que hasta el momento se habían estancado, retrocedieron totalmente como consecuencia de la implantación de lo que surgió como una nueva dieta.

Más y más información técnica, científica y teológica ha sido añadida cada día, lo que nos ha permitido diseñar la dieta perfecta, adaptada a la medida de cada persona enferma y necesitada de ayuda.

Muchos organismos con altos y muy buenos mecanismos inmunológicos, han creado mecanismos naturales de rechazo a las proteínas tóxicas reconocidas por el sistema como enemigas.[55] Dicho mecanismo de rechazo, rebasado al máximo por la cantidad tan alta de sustancias de desecho, actúa enérgicamente y da la señal de alarma contra el intruso. El primer síntoma que aparece en la mayoría de la gente es la inflamación. Puede manifestarse primero en las extremidades o en la espalda. En algunos casos se agranda el corazón y produce taquiarritmias o fibrilación intermitente, prolapso de la válvula mitral y otras anomalías cardiológicas que a veces nadie suele relacionar a la alimentación. Como único se pueden verificar estas relaciones patológicas a procesos digestivos o alimentarios, es mediante la experimentación *in vivo* con personas afectadas de todos esos males y una alimentación alcalina como la que proponemos.

55 Nantfgeflosfl; Modern Nutrition in Health and Disease.

Un solo problema afrontamos: ¿cómo instruir a tantas personas que sufren las desastrosas consecuencias primarias, secundarias y terciarias del desvío de las leyes originales que estableció la naturaleza? ¿Si hay alternativas ya exploradas, por qué no las utilizamos para el bienestar de la humanidad? ¿Qué intereses median que no permiten que una honesta orientación les llegue a los afectados?

Existen cuatro etapas o características en la especie vegetal, de las cuales podemos escoger tres que son apropiadas para el consumo humano y dejar la última para el propósito sagrado de reproducción, que es la semilla seca. Estas etapas son:

1. La planta germinada de la semilla

2. La planta en su estado adulto

3. El fruto tierno en cosecho y

4. La semilla seca que se siembra

No obstante, el hombre amparándose en sus beneficios económicos y en la comodidad que la vida moderna ha hecho aceptar como símbolo del progreso, crea el gran retroceso de invertir el orden natural. Así, se establecen costumbres malsanas, que no podemos justificar bajo ninguna razón, de comer el grano, que es su forma más dañina y tóxica. La naturaleza misma inhibe su uso, vedándola para el hombre, con todos los mecanismos defensivos que esta dispone para preservar las especies: la coraza de la semilla seca.

Pero el hombre ignora, viola y adultera las leyes naturales y los consume secos, aunque para ello tenga que hervirlos a altas temperaturas para ablandarlos, romper la coraza y destruir la armadura que la naturaleza les dio en el estado embrionario para proteger las especies y al hombre mismo, creando la ley de supervivencia de cada especie. Los resultados de dicha transgresión son: enfermedades, sufrimiento y muerte prematura. ¿Qué más se puede esperar?

Las Carnes, Otro Problema Alimentario

La alimentación juega un papel importantísimo en la vida de todos los seres vivos. Todos los especialistas verdaderos en cuestiones de salud, están de acuerdo en que las enfermedades están directamente relacionadas a la alimentación. Cada vez que se violan las leyes de la salud se incurre en una deuda que tarde o temprano tendremos que pagar, pues la naturaleza no pierde con el hombre y esa deuda acumula intereses.

Por lo tanto, todos los que se enferman es porque han violado, de una u otra manera, las leyes de la salud. Algunos al leer estas líneas pensarán que ellos no están enfermos, porque hay muchas violaciones que no son cobradas en el acto, pero con el paso del tiempo, aparecerán. Si usted consume carnes o productos relacionados y se siente bien, debe aprovechar esta información para librarse a tiempo de los riesgos inminentes. Debe recordar que:

"Toda carne es un cadáver y NO es alimento. Un pedazo de carne que es sacado del cuerpo de un animal, no es más que un producto en putrefacción que contiene ácido úrico y muchos otros venenos como hormonas antidiuréticas y estrógenos perjudiciales al organismo humano. De acuerdo a las leyes naturales debería ser enterrado para que en la tierra pudiera realizarse el proceso de putrefacción, pero jamás debiera ser ingerido por el hombre cuyo estómago necesita para el proceso de combustión y para la reconstrucción de los tejidos, sustancias orgánicas puras provenientes de las hojas verdes: alimentos vivos que den vida".[56]

El hombre nunca había consumido tanta carne, como ahora. El castigo a esta transgresión de las leyes naturales no se hace esperar, enfermedades de todas clases se suman a los problemas de la raza humana.

La carne no se hizo para consumo del hombre. Entre los tóxicos que transmite, están presentes varios elementos muy perjudiciales y dañinos a su salud. Se convierten en fuertes estimulantes (drogas) al ser metabolizados o hidrolizados por el organismo. Algunos de ellos son las purinas, la creatinina, la cadaverina y los estrógenos sintéticos que se les suministran a los animales en el alimento para hacerlos crecer y engordar. En algunos países europeos han prohibido su uso por su comprobado peligro para la salud, pero se usan libremente en América. Estos componentes hormonales hacen que tanto los animales que los ingieren, así como los humanos que los consuman, envejezcan prematuramente. Esa es la razón por la que un pollo, que en el campo tardaba casi un año en estar adulto, ahora se tarda unas cuatro o cinco semanas en alcanzar el mismo peso y tamaño. Lo mismo sucede con nuestros niños que comen carne, son adultos antes de tiempo. Su crecimiento es acelerado, su sistema hormonal es alterado y su metabolismo, muchas veces, no logra estabilizar todas las neuronas vitales a tono con el crecimiento. Por esta razón, se producen distintas anormalidades en los órganos.

Uno de los sistemas que más se afecta es el sistema nervioso, los sensoriales del cerebro y la pituitaria, desajustando a su vez otros órganos. Esta es la razón del incremento de problemas hormonales, cambios de la personalidad y de la identidad sexual, tal como ocurre en el incremento de la homosexualidad, que ha proliferado en los últimos años y que sigue su ritmo ascendente. Si usted quiere

56 Dr. Norman González Chacón

librar a sus hijos de estos males modernos, no les dé a comer carne. Hay una infinidad de problemas adicionales provenientes directamente del consumo de carnes como lo son las enfermedades o los desórdenes del sistema reproductivo. De igual forma, hay gran cantidad de problemas de infertilidad, de quistes en los senos, en ovarios, en la próstata y de los testículos, así como de cáncer en esos mismos órganos. Junto a los estrógenos, para acelerar el crecimiento, se usan hormonas antidiuréticas que producen otros trastornos como la celulitis, que afecta el cuerpo de las mujeres por la retención de líquidos y grasa en la piel.

Son muchos los investigadores y científicos que regularmente publican los resultados de sus investigaciones en relación con las carnes y su efecto en el organismo humano. Estos establecen la gran relación que hay entre el comer carne y contraer cáncer. Cabe señalar que desde 1979, el Comité de Nutrición del Congreso recomendó una dieta vegetariana para la nación americana. Sin embargo, debido a los grandes intereses que se oponen, no se le ha podido dar la noticia a la gente, para que estén en alerta sobre su salud.

Un factor que tenemos a nuestro favor, es el diseño de la boca del hombre, en comparación con los animales herbívoros y carnívoros. El hombre tiene una gran cantidad de saliva, indispensable en la transformación de las féculas. No así los animales carnívoros, que la tienen en mínima cantidad, ya que al desgarrar y deglutir los alimentos, se los tragan enteros, masticándolos solo al mínimo.

Otra señal se puede ver en la dentadura del hombre. Al ser comparados sus dientes con las de los animales, podemos observar que su dentadura se parece más a la de los herbívoros. Piezas dentales planas, estriadas con movimientos verticales y horizontales de mandíbula. Cualidades adecuadas para machacar y triturar los vegetales.

Muy diferente es a la boca de los carnívoros. Su dentadura esta provista de largos colmillos agudos, característicos de los animales que desgarran la carne y se la tragan casi sin masticar. Su estómago está provisto de potentes ácidos digestivos.

Cuando comenzamos a dar carne a los niños, podemos observar que estos la mastican hasta sacarle todo el jugo y luego la escupen. Muchos padres los obligan a tragársela en contra de su voluntad y se acostumbran a comerla. La insistencia doblega la voluntad. Pocos son los valientes que retan la tradición.

No fue hasta fines de la Segunda Guerra Mundial que las autoridades en nutrición de aquella época se dieron cuenta de que había una relación entre lo que la gente comía y su estado de salud. Se dieron cuenta de que la forma más efectiva de prevenir las enfermedades era a través de una nutrición adecuada. Muchas pruebas y experimentos se hicieron entre la población militar del ejército de los Estados Unidos, que se preocupaba en ese momento por detener la ola de enfermedades diversas que afectaban a los soldados. Por desgracia, las necesidades nutricionales de ellos, dado su riguroso y fuerte entrenamiento, distaban de ser las mismas del resto de la población. Por esa razón se hizo gran énfasis en el consumo de proteína. No pretendemos menospreciar el valor de dicho estudio, pero se ha comprendido que no se necesitan cantidades tan altas de proteína como se creía.

Es cierto que la proteína es necesaria en nuestro sistema. Lo que ocurre es que su uso ha sido exagerado. Se ha creado un mito por la importancia que se le ha dado como el más importante de todos los nutrientes. Pero no podemos decir que hay unos nutrientes que son más importantes que los otros.

Todos los elementos son indispensables en la nutrición.

Cada uno en su adecuada proporción, según se encuentran en la naturaleza. Siempre que le señalamos a alguien el daño que hacen las carnes, la pregunta que nos hacen en el acto es: ¿Y las proteínas de dónde las obtenemos? Este miedo general, de no tener las proteínas suficientes, es lo que hace que muchas personas las consuman en exceso. Esto ha influido de tal forma, que ya es común en la mesa del hogar o del restaurante los platos con abundante proteínas. Se tiene la idea de que mientras más proteína, mejor nutrición.

Quiero enfatizar que el exceso de proteína es más dañino que la falta de proteína. La sobrealimentación es causa de enfermedades tan peligrosas y severas como la desnutrición. Peor aún, pues es más fácil corregir una anemia, que una toxemia.

Es fácil descifrar el enigma de las proteínas si tomamos como ejemplo la alimentación de los animales más grandes y más fuertes de la naturaleza. Los de más resistencia física y agilidad son vegetarianos. Aun los más parecidos al hombre, como lo son el chimpancé y los de su especie, se alimentan de frutas y otros derivados vegetales, pero no comen carne. Si los monos son usados por los investigadores para experimentos y pruebas que luego han de ser aplicadas a la salud humana, ¿cuál es la razón que no le permite al hombre alimentarse de la misma forma que ellos? Las mismas pruebas han demostrado, que si por el contrario, alimentamos a los monos de la misma manera que a los humanos, estos se enferman más rápidamente y comienzan a padecer de enfermedades similares a las que sufre la gente.

Un chimpancé, un gorila o un simio cualquiera, doblan al hombre en resistencia física y energía, libra por libra, ¿de dónde sacan ellos las proteínas? El caballo, el elefante, el buey, el camello, ¿de dónde sacan la proteína? Cuando comemos carne, comemos hierba de segunda mano o lo que es peor, de segundas bocas y pre digeridas por los animales.

La carne no es el mejor alimento para el hombre (véase la tabla biológica de los consumidores).

Tal vez usted haya tenido la experiencia de tomar en sus brazos un niño robusto y aparentemente saludable que para su edad demuestra mucho crecimiento. Pero al levantarlo, lo encuentra vano o poco pesado para su volumen. Lo mismo le puede suceder con un niño aparentemente delgado y pequeño, pero a la inversa, este puede ser sumamente pesado para lo que demuestra.

Esta observación la encontramos repetida cuando tomamos en nuestras manos una pequeña gallina de campo criada suelta en el monte. Su peso es engañoso si la comparamos con las gallinas criadas en las granjas. Estas últimas son grandes y robustas, pero vanas en peso. Comparativamente, la gallina del campo tiene la carne dura pues hizo ejercicio toda su vida, descansó igual número de horas que las que se ejercitó y sus músculos son fuertes y sanos. Tardó casi un año en alcanzar su peso máximo, pero cada fibra de tejido de su organismo es resistente y sólida.

En cambio, la gallina de granja que se cría con fines comerciales tiene escasamente unas pocas pulgadas de espacio para moverse por lo cual no puede hacer el ejercicio adecuado. Sus músculos son flácidos y débiles y su tejido demuestra células grandes, pero en poca cantidad y sin la densidad suficiente. Es probable que esta gallina nunca haya dormido, por lo que la falta de descanso le produce fatiga celular. Al no poder reponer las células que se debilitan y que se reponen durante el sueño, se agotan. Esto es conveniente para el comerciante que vende su carne como la más tierna y blanda para cocinar, pero detrás de esta propaganda hay una verdad muy cruda y muy importante para usted hoy: esa no es la mejor carne.

Estos animales criados para fines comerciales con ese tipo de alimentos sintéticos o antinaturales, inyectados con hormonas, antibióticos y otros químicos antinaturales, son responsables, en parte, de la gran ola de enfermedades modernas que la ciencia no puede controlar.

El tejido muscular y orgánico que produce esta carne en las personas que la comen, es igual en estructura celular a la del animal de donde se originó. Esa es la razón por lo que nuestros antepasados tenían más resistencia a muchas enfermedades que nosotros. Por eso los atletas van declinando en resistencia física y vida útil. Por eso somos más flojos al trabajo duro; hoy se vive *"artificialmente"*. ¿Cómo vamos a pretender mejorar nuestra raza con semejante basura de alimentación, si lo que se consume son enlatados, preservativos químicos, colorantes artificiales, sabores artificiales, alimentos artificiales, químicos artificiales inorgánicos, y respiramos aire acondicionado artificialmente, etcétera, etcétera? Vivimos artificialmente.

Un animal cuyo proceso natural de crecimiento ha sido acelerado por hormonas, NO representa la mejor garantía para nuestra salud. La densidad o compactibilidad celular comprende la cantidad de células y la densidad del tejido y de las fibras de colágeno en relación al área de piel, órgano o sistema escogido para el análisis. El tamaño de la célula, así como el líquido intracelular y extracelular de donde esta se alimenta, dependen de este importante factor. A mayor tamaño de la célula, menos células, menor peso y estructura celular. A menor tamaño de células, más células por área, mayor densidad y peso, menos líquido y más defensas orgánicas por volumen.

Otro de los peligros que nos acechan al comer carne de animales muertos es la cantidad de ácido úrico y otras sustancias de desecho que se producen al comer carne y que nuestro sistema no puede eliminar o metabolizar. Estas quedan almacenadas en el organismo acumulándose en los órganos más débiles. En algunas personas se produce reversión del proceso natural de eliminación, bloqueándose el sistema de absorción. En otros, se puede notar una alta proteínosis o alta hemoglobina que muchos creen es indicio de buena salud. En realidad, es todo lo contrario.

Al igual que en los casos de absorción deficiente donde se produce anemia, los casos de alta incidencia de proteína o hemoglobina, están acompañados de otros síntomas muy parecidos. Estos pueden ser el agotamiento físico, caída del cabello en los hombres, insensibilidad sexual o síntomas reumáticos en las mujeres y cientos de síntomas variados. Clínicamente estos no son tomados en cuenta por los médicos por ser señales no detectadas a tiempo por los exámenes de laboratorio.

El ácido úrico es responsable de muchas condiciones de sufrimiento para los humanos. Es interesante notar que los únicos animales que son susceptibles a las enfermedades degenerativas de ácido úrico son los que se alimentan de carne. Algunas de estas enfermedades son la artritis, la gota, la psoriasis, los problemas cardiovasculares, como la hipertensión, la diabetes, la prostatitis, las venas varicosas, las migrañas, la senilidad prematura por arteroesclerosis y muchas otras. Las mismas son consecuencia directa de una alta incidencia de ácido úrico en la circulación, que muchas veces no se puede detectar en los laboratorios clínicos. Estos ácidos pueden hallarse depositados en el interior de muchos órganos mezclado con otras sustancias.

Muchas personas tienen la idea de que para disfrutar la vida, hay que comer y beber todo lo que le place. Esta es una idea equivocada y fatal, pues solo produce placer momentáneo y muchos problemas que se acumulan para el futuro. Vivir para comer, no es lo mismo que comer para vivir. Hay que saber hacer la diferencia, si se quieren evitar muchos problemas futuros. Por suerte, muchos se han dado cuenta a tiempo y están preparándose para abandonar sus hábitos incorrectos de alimentación.

El Balance De La Sangre

Definitivamente y como mencionamos anteriormente en este tratado, la acidez que producen algunos alimentos es un factor vital para la buena salud o para tener sangre limpia. Aquellas personas que comen carne tienen más dificultad en balancear su dieta de manera que su sangre mantenga su debido balance. Todos los que han tenido peceras o piscinas saben lo importante que es ese balance en el agua. Tanto la acidez como la alcalinidad deben ser medidas diariamente para comprobar el estado que las hace funcionar bien y reservar la vida de sus habitantes. Cualquier desbalance es peligroso, ya sea de un extremo a otro extremo.

La sangre que corre por nuestras venas es un líquido que requiere su pH balanceado por igual y debe estar en su perfecto equilibrio siempre. ¿Cuántas veces ha examinado usted el balance de su sangre en este último mes? El balance de la sangre depende exclusivamente del alimento que ingerimos. Es un poco difícil mantener un balance perfecto en nuestra sangre, si seguimos la tradición popular en cuanto a la alimentación, y no seguimos lo que en realidad es una dieta balanceada.

Una verdadera dieta balanceada no es la que provee exceso de proteínas y vitaminas al organismo, que recarga el sistema de ácidos tóxicos, difíciles de procesar. En una dieta balanceada no solamente se deben tener en cuenta los factores nutricionales, sino también la contribución ácida que esta lleva a la sangre. Por esta razón, algunos que son vegetarianos están tan desnutridos como los que comen carne, pero el factor determinante es el balance ácido-alcalino. El mismo nos produce una sangre pura que pueda llevar la verdadera salud y nutrición a cada célula.

Los alimentos deben ser clasificados en relación a este

proceso metabó1ico: ácidos o alcalinos. Alcalis son sales solubles y ácidos son agentes corrosivos que destruyen los tejidos. Los ácidos no deben mezclarse con las almidones o con las proteínas en una misma comida.

Los ácidos no necesariamente tienen que tener esa condición en su estado natural. Por ejemplo, una china (naranja) o un limón son ácidos en su forma natural, pero son alcalinos cuando se digieren solos. La carne es alcalina en su estado crudo, pero se vuelve ácida cuando se cocina.

Una dieta balanceada debe ser todo lo alcalina posible ya que el metabolismo acidifica en la digestión. Esto ocurre cuando las alimentos se mezclan con el ácido hidroclorídrico de la digestión, pues este es altamente ácido (pH 2-4).

Los métodos preventivos 1ógicamente indican que una dieta correcta, buenos hábitos de masticación y una buena higiene del colon son las únicas armas que podemos utilizar para reducir el riesgo de ser parte de las estadísticas negativas.

Se ha comprobado que el cáncer del colon en personas que no han recibido ni radiación ni quimioterapia es uno de los males más sencillos y fáciles de curar. Se ha notado que manteniendo el colon limpio mediante una higiene práctica diaria, no solo se renueva la capa epitelial rápidamente sino que también se produce una renovación celular en los tejidos de las otras capas que componen el tracto digestivo. A la misma vez, se ha podido observar, la gran rapidez con que la sedimentación sanguínea se reduce, dando lugar a cambios muy significativos en todo el sistema cardiovascular y, por consiguiente, en los riñones. Estos son lavados y enjuagados una y otra vez al paso de las grandes cantidades de agua fresca que recircula a consecuencia de la gran absorción que se produce. Las sales minerales insolubles a pH bajos de los líquidos corporales quedan en suspensión, y son descompuestos por la acción alcalina de dicho disolvente universal para ser eliminados fácil y rápidamente a través de los filtros urinarios.

Las pruebas indican que el balance ácido bajo que prevalece en la mayor parte de las personas es la causa del mal funcionamiento de los mecanismos reguladores de los electrolitos. Esta acción es disminuida en proporción al grado de acidez. Esto afecta directamente todas las funciones metabólicas primarias y secundarias y sus consecuencias se pueden apreciar en las actividades compensadoras de los órganos filtros que son imposibilitados de ejercer sus funciones saludablemente. De aquí parten las deficiencias orgánicas que surgen después de los cuarenta años, cuyas cifras de edad promedio descienden vertiginosamente cada año.

Ya se puede ver mujeres de veinticinco años o menos que sufren de menopausia prematura, así como a niños y adolescentes que padecen de diabetes, artritis y otras enfermedades degenerativas, características de la ancianidad. En cada generación se puede observar menos capacidad defensiva, así como más susceptibilidad a contraer condiciones que son resultado directo de las causas antes mencionadas.

PARTE V

PREVENCIÓN Y TRATAMIENTOS

CAPÍTULO 17

LOS TRES SISTEMAS Y EL ENFOQUE HOLÍSTICO DE LA MEDICINA NATURAL

El estudio de la fisiología y fisiopatología humana, desde la perspectiva naturista, es diferente al que se acostumbra en las escuelas de ciencia convencionales. Dado el caso que la filosofía naturista científica reconoce el organismo humano y lo analiza como un todo, al estudiar su funcionamiento orgánico, no puede soslayar la integración biológica de todos los órganos y sistemas en uno.

A diferencia de las ciencias convencionales que estudian los órganos y sistemas por separado, en la medicina natural se analizan las funciones de acuerdo a los tres sistemas, y cómo cada sistema utiliza sus órganos como instrumentos de funcionamiento integrado. La práctica médica convencional de segmentar el cuerpo humano y estudiar la función de cada sistema órgano por órgano es un granerror, que ha tenido como consecuencia la aparición de las especialidades. La especialización no sería problema si se considerara la función orgánica integrada, pero la realidad es otra.

Las especialidades en el campo de la medicina son, en parte, la razón del gran fracaso de la ciencia moderna para curar enfermedades. Cuando se separan los órganos para estudiar su funcionamiento individual, se pierde la más importante de las capacidades del cuerpo humano, que es la capacidad de compensación que tienen los órganos y sistemas y su poder de producir homeóstasis en condiciones adversas. No es tratando el síntoma como se cura la enfermedad. Señalamos anteriormente que el síntoma es la señal de que algo anda mal. Si localizamos la causa y la tratamos, la desaparición del síntoma será la señal de que la causa ha desaparecido.

De acuerdo al estudio que se hace del cuerpo humano en la Medicina Natural, los tres grandes sistemas son:

1. El sistema digestivo

2. El sistema circulatorio

3. El sistema nervioso

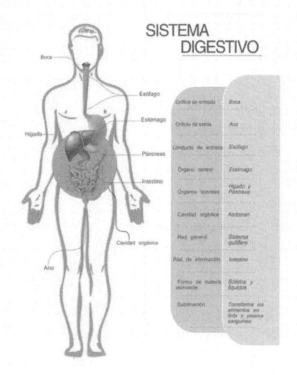

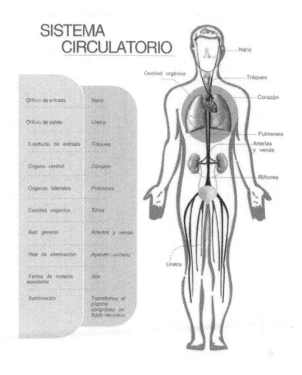

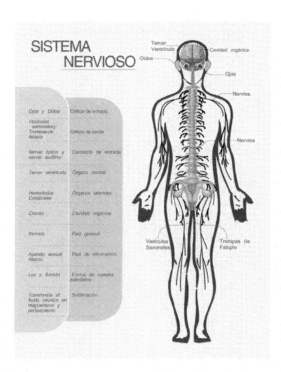

En estos tres sistemas, la Medicina Natural agrupa todos los órganos internos y sus funciones individuales y colectivas. Desde esta perspectiva, este es un estudio que nos ayuda a comprender de forma clara y precisa las funciones individuales e integradas de órganos y sistemas.

Es conveniente aclarar que aunque ésta es una aplicación diferente a la que realiza la medicina convencional alópata, todo el conocimiento que se aplica en nuestro estudio es compatible con los más adelantados conceptos que se vierten en los textos modernos de biología, fisiología y fisiopatología del cuerpo humano que se publican para las escuelas convencionales de salud y medicina. Estos conceptos, que en su mayoría son estudios responsablemente realizados, no son del todo descartados por la Medicina Natural. Al contrario, cuanto más conocimiento tenga el estudiante de estas ciencias, mayor será el grado de comprensión, entendimiento y de respeto que mostrará y desarrollará a medida que se vaya adentrando y comprendiendo el estudio de los tres sistemas, desde la perspectiva natural.

La organización natural de los sistemas es sorprendentemente lógica e inteligente. Hay una relación común en los tres sistemas. Cada uno de los sistemas tiene su orificio de entrada y su orificio de salida. Cada uno de ellos cuenta con órganos centrales laterales y poseen su red de eliminación. Por lo tanto, podemos pensar por un momento que son sistemas individuales. No obstante, cuando vemos sus funciones en la fisionomía general integrada, nos percatamos que tienen la capacidad de operar los unos para los otros integradamente, a la vez que pueden compensarse mutuamente cuando las circunstancias lo requieren o lo obliguen. Por ejemplo, en los casos donde por accidentes o cirugías se ha tenido que extirpar un órgano, los otros órganos y sistemas hacen sus ajustes pertinentes para compensar la ausencia del órgano afectado. También ocurre el fenómeno de compensación, cuando alguno de los órganos de uno de los sistemas se enferma.

Cada uno de los sistemas posee órganos que son indispensables e insustituibles. Esos son los órganos principales de cada sistema. Definitivamente el cuerpo humano no puede sobrevivir sin ellos. En el sistema digestivo es el estómago, en el circulatorio es el corazón, y en el nervioso es el tercer ventrículo cerebral.

Sistema Digestivo

1. El orificio de entrada es la boca

2. El orificio de salida es el ano

3. El conducto de entrada es el esófago

4. El órgano central es el estómago

5. Los órganos laterales son hígado y páncreas

6. La cavidad orgánica es el abdomen

7. La red general es el sistema quilífero

8. La red de eliminación es el intestino

9. La forma de materia asimilables son los sólidos y líquidos

10. La sublimación o conclusión es transformar los alimentos en linfa y plasma sanguíneo.

Sistema Circulatorio

1. El orificio de entrada es la nariz

2. El orificio de salida es la uretra

3. El conducto de entrada es la tráquea

4. El órgano central es el corazón

5. Los órganos laterales son los pulmones

6. La cavidad orgánica es el tórax

7. La red general son arterias y venas

8. La red de eliminación es el aparato urinario

9. La forma de materia asimilable es el aire

10. La conclusión o sublimación es transformar el plasma sanguíneo en fluido néurico

Sistema Nervioso

1. Los orificios de entrada del sistema nervios son ojos y oídos

2. El orificio de salida es el aparato sexual interno

3. El conducto de entrada son el nervio óptico y el auditivo

4. El órgano central es el tercer ventrículo cerebral

5. Los órganos laterales son los dos hemisferios cerebrales

6. La cavidad orgánica es el cráneo

7. La red general son los nervios y músculos

8. La red de eliminación es el sistema sexual interno

9. La forma de materia asimilable es luz y sonido

10. La conclusión o sublimación de sus funciones es transformar el fluido néurico en electricidad magnética y pensamiento.

En este estudio separaremos los tres grandes sistemas para fines de comprender sus funciones por separado, y luego los integraremos para observar su funcionamiento. De momento, o consideraremos el daño que le hacen a los sistemas las cirugías extirpadoras, las drogas químicas, los traumas o accidentes, la falta de descanso, la exposición a agentes químicos, abrasivos, quemaduras, agentes químicos inorgánicos y otras circunstancias que puedan afectar la función de órganos y sistemas.

Los sistemas deben estudiarse en el orden en que aportan y realizan su labor en la economía. Sistema digestivo, sistema circulatorio y sistema nervioso. Nótese que el sistema digestivo asimila el alimento sólido o líquido y los transforma en linfa y plasma sanguíneo. El sistema circulatorio toma la linfa y el plasma y lo convierte en fluido néurico. El sistema nervioso toma el fluido néurico y lo transforma en energía eléctrica, magnetismo y en energía y actividad sensorial.

El consumo de alimentos da inicio a la acción secuencial de órganos y sistemas, dando lugar a la homeóstasis y balance metabólico general. Cuando analizamos la importancia del funcionamiento adecuado de los tres sistemas, es que comenzamos a percatarnos del grave daño que se le hace al cuerpo humano cuando en vez de reparar el daño orgánico de un órgano enfermo, procedemos a extirparlo quirúrgicamente.

Cuando falta el apéndice, las amígdalas, el bazo, la vesícula, la matriz, los ovarios o la próstata, los sistemas se desbalancean y el organismo sufre serias sobrecargas en las áreas afectadas y en sus contrapartes orgánicas. Es cierto que el cuerpo humano sobrevive a la falta de alguno de estos componentes, pero la compensación requiere de grades ajustes que, en cierto modo, incapacitan o reducen la calidad de vida del afectado.

La capacidad de tolerancia y compensación de los sistemas se pone a prueba cada vez que un órgano falta o se enferma debido a que otros órganos tienen que tomar su lugar y llevar a cabo las funciones. Por ejemplo, un caso muy común es el de la extirpación de la vesícula biliar. Este órgano es parte del sistema digestivo y su función principal es ayudar al hígado a controlar la bilis de acuerdo al tipo de grasa o alimentos ingeridos. La vesícula biliar ayuda para que el hígado haga su función de metabolizar las toxinas y las grasas de una forma más eficiente. Cuando falta, las grasas pasan íntegras al hígado y de este a las arterias, debido a que la transformación de los alimentos en plasma sanguíneo va a ocurrir sin las modificaciones biliares vitales que impiden que ciertas grasas saturadas no obstruyan el sistema circulatorio. Por lo tanto, la ausencia de vesícula biliar, que es parte del sistema digestivo, se va a reflejar en forma adversa en el funcionamiento del sistema circulatorio.

Además de grasas insolubles, llegarán al sistema circulatorio sin modificar, toxinas y proteínas de gran tamaño que emulsificarán la sangre y se unirán a moléculas de grasa, de calcio y de radicales libres que obstruyen las arterias, sobrecargan la función de los riñones, elevan la presión arterial y sobrecargan el corazón.

Como la medicina moderna no reconoce la función de los sistemas, porque estudia los órganos por separado, la mayoría de los cirujanos que extirpan la vesícula biliar les dicen a sus pacientes, posterior a la operación, que ya pueden comer toda la grasa que deseen por que la vesícula no se va a oponer. De esta manera, la falta de un órgano vital puede desajustar el sistema al que pertenece, con gran deterioro y daño a los otros sistemas. Una persona sin vesícula es un candidato a problemas circulatorios graves si no hace ajustes de inmediato en su alimentación. Los problemas circulatorios afectan tanto las piernas como el cerebro y los medicamentos usados convencionalmente para bajar la presión, evitar la coagulación de las plaquetas de la sangre y evitar infartos o derrames, tienen efectos secundarios sobre los otros sistemas.

De esta manera, se crea un protocolo educativo falso y engañoso que en poco tiempo comenzará a dar señales de enfermedad en otros órganos. Pero la incompetencia educativa de la medicina moderna le hará creer a la gente que las nuevas enfermedades que van surgiendo no tienen que ver nada con estos tratamientos y que son genéticas, casuales o inevitables.

Hemos señalado solo algunos, quizás los más comunes, de los daños que le hace al sistema la falta de la vesícula biliar. Existen, por lo menos, unos diez o doce riesgos adicionales que se pueden añadir a la falta de la vesícula biliar.

Si se hubiera adoptado una alimentación sana y natural antes de operar la vesícula, no solo se hubiera evitado la cirugía con todos sus riesgos, sino que también se hubieran evitado los otros daños como consecuencia de la falta de la vesícula. El tratamiento natural que se debe aplicar en una vesícula enferma, es el mismo que en una cirugía en la que se extirpa, para evitar los problemas señalados. En ambos casos, se trata de una dieta donde la eliminación de grasas, de condimentos fuertes, de mariscos y de granos secos es un gran paso de prevención.

Si hay piedras grandes que no pueden salir por el ducto biliar, la persona puede vivir toda una vida con ellas en la vesícula sin que produzcan dolor. Mientras no se consuman los productos mencionados o grasa saturada, la vesícula no se contrae ni causa dolor. En cambio, si las piedras son pequeñas y pueden bajar por el ducto biliar, el tratamiento para eliminarlas es sencillo y con el tiempo, la vesícula las elimina y se regenera.

Para ello, se debe hacer el cambio y las modificaciones señaladas en la alimentación. Además, se estimula la eliminación de piedras, ya que al mantener el intestino limpio ya que el ducto biliar por donde las piedras descienden, conecta al intestino delgado. Si se mantiene una higiene constante, la cual evita el estreñimiento, la succión que provoca el paso acelerado de las materias fecales a través del intestino, provocarán la dilatación del ducto y la eliminación del estreñimiento y el movimiento peristáltico compulsivo se puede provocar utilizando el té de sen o senna y de boldo, diariamente por espacio de varios meses hasta que se sientan las piedras bajar o se compruebe, mediante sonogramas o rayos x, que se eliminaron.

Otra alternativa, muy sencilla y eficaz, es la lavativa o enema de café a diario. El uso del enema de café provoca una succión mayor que la que normalmente produce el vaciado natural y la expulsión de las piedras se logra en menos tiempo. Se puede hacer un enema de café diaria en la mañana, después de ingerir una cucharada de aceite de oliva y un vaso pequeño de jugo de piña, para romper el ayuno. La piña, en el estómago vacío, provoca la contracción de la vesícula y el aceite de oliva lubrica el paso para que las piedras puedan descender sin problema. Esta práctica se puede repetir por tiempo indefinido, con mucho beneficio para todos los sistemas y sin que se produzcan efectos secundarios nocivos. Todo lo contrario, los efectos secundarios que se pueden obtener de esta práctica, son todos positivos, deseables, saludables y de alta dosis preventiva.

La mayor parte o casi todos los órganos que la medicina moderna extirpa quirúrgicamente, son órganos apéndices de alguno de los sistemas y, por consiguiente, aparentan que no son necesarios para continuar una vida normal. Por tal razón, la gente continúa viviendo sin vesícula, sin apéndice, sin amígdalas, sin tiroides, sin próstata, sin matriz y sin ovarios. No obstante, la falta de uno o varios de estos órganos en los sistemas, provoca grandes movimientos de compensación en los sistemas y en particular, en el cerebro, que pueden cambiar el rumbo y destino de todos los que sean victimizados.

Por ejemplo, la falta de las amígdalas, que son filtros vigilantes de bacterias en la garganta, causará ajustes y cambios en el movimiento defensivo del sistema inmunológico y de los riñones. La persona que haya sufrido la extirpación quirúrgica de las amígdalas, debe cuidar constantemente sus vías urinarias y vigilar el funcionamiento adecuado del corazón y de los pulmones. Estos estarán expuestos a infecciones recurrentes.

En el caso de las histerectomías, en la que se remueven quirúrgicamente la matriz y los ovarios, las víctimas de este tipo de ocupación, sufren serios y grandes trastornos de su sistema nervioso y del cerebro. Si observamos la gráfica de los sistemas,[57] podemos identificar que el órgano central de este sistema es el tercer ventrículo cerebral y los órganos laterales son los dos hemisferios cerebrales. Por tal razón, la mujer que sufre la extirpación de uno o todos sus órganos reproductivos, al poco tiempo de la cirugía, comenzará a mostrar cambios en su carácter, depresiones emocionales, pérdida de memoria, de visión y de audición. Además, pérdida de hueso, trastornos endocrinos, dificultad para descansar, falta de energía, dolores musculares; mayormente en cuello y espalda y muchos otros síntomas en los otros sistemas, que estarán resentidos durante el tiempo que la naturaleza tarde en compensar o estabilizar parcialmente el problema que le crea a los otros sistemas la falta de sus órganos excretorios.

Cada uno de estos problemas señalados y otros que no discutiremos por ser menores, se manifiestan de diferentes formas y circunstancias por la falta de uno o algunos de estos órganos. Por ellos, la persona sufre un sinnúmero de problemas orgánicos y emocionales que requerirán de otros tratamientos y medicamentos. La razón principal es que la energía nerviosa no tiene forma de salir y provoca grandes trastornos del sistema nervioso que afectan los otros sistemas. Los ajustes orgánicos, que la naturaleza debe hacer para producir la compensación, son altamente complicados y toman tiempo y mucha energía. Algunas mujeres nunca logran compensar ni balancear sus sistemas. Por lo general, el problema endocrino comienza desde el hipotálamo a la glándula pituitaria del cerebro, se extiende a la tiroides y de ahí comienzan los problemas de metabolismo.

En muchos casos, los primeros síntomas de este

---

57 Ver páginas 292, 293, 294

síndrome son la retención de líquido en el sistema circulatorio, la falta de peristalsis o estreñimiento en el digestivo y los cambios bruscos de temperamento en el sistema nervioso central. A veces, se siente depresión severa y de pronto se produce ansiedad o ataques de pánico, seguidos por episodios de insomnio intermitente, agotamiento y descontrol de las emociones. El médico lo achacará a la menopausia y le recetará medicación al respecto. De inmediato puede sentirse un leve alivio que durará unos días y luego, la situación regresará agravada.

El tratamiento natural para este tipo de problemas debe administrarse antes de la cirugía extirpadora[58] para evitar la mutilación del sistema nervioso central. Cuando una mujer comienza a tener problemas en su sistema reproductivo, es señal de que existen descontroles hormonales que deben ser detectados y corregidos. En la mayoría de los casos, la formación de quistes endometriales en los ovarios o cervicales, es indicio de altos niveles de estrógeno y pérdida o falta de la hormona progesterona. Esta, compite desfavorablemente con los estrógenos porque la presencia dominante de estos impide la producción normal de otras hormonas y el buen funcionamiento del sistema reproductivo. Los estrógenos exógenos, provenientes del ambiente y de la alimentación moderna, dominan los órganos y estimulan el crecimiento de quistes y tumores. Los estrógenos exógenos son responsables, junto a la alimentación antinatural, del incremento de cáncer de matriz, de ovarios y de senos, en las mujeres; y de la próstata y de los testículos, en los hombres. Además, los altos niveles de estrógeno se acumulan en el tejido graso y forman densas capas de grasa en las regiones glúteas, en los abdominales y en los senos. Esto puede ocurrir tanto en mujeres como en hombres. Podemos señalar que la presencia de grasa abdominal es relativa a problemas de estrógeno y, por consiguiente, a trastornos del

---

58 Palabra creada para denominar una cirugía en la que se extirpará algún órgano.

metabolismo de las grasas y de la circulación.

Los problemas de depresión y trastornos del sistema nervioso central no son exclusivos del sexo femenino. Cuando se le extirpa la próstata o los testículos a un varón, la respuesta depresiva del sistema nervioso es generalmente mayor que en las mujeres. De inmediato y, progresivamente, se va a notar el incremento de problemas de sueño, irritabilidad del carácter, depresiones severas, falta de arrojo y entusiasmo por la vida y por nuevos proyectos y empresas. Esta tendencia emocional ha llevado a muchos hombres al suicidio.

Si atacamos el problema en su inicio, justo antes de que sea necesaria una intervención quirúrgica, podemos incrementar la calidad de vida y la estabilidad emocional; al restablecer el buen funcionamiento de todos los órganos y sistemas.

El buen funcionamiento del sistema central depende del buen funcionamiento de los otros sistemas y del propio sistema nervioso que debe tener sus entradas y salidas funcionando eficientemente en toda edad. Antes que la próstata de señales de agotamiento o inflamación, hay que cuidar los otros sistemas. Por tal razón, la suplementación adecuada de alimentos nutritivos de asimilación simple, acompañados de minerales como el calcio, el zinc, amino ácidos como i-lisina, l-arginina (Argiplex) y de una buena dosis diaria de progesterona natural para neutralizar los estrógenos y de testosterona natural para incrementar la respuesta sexual, tonificar nervios y músculos y aumentar las funciones del aparato sexual interno, es altamente recomendable para prevenir daño a esos sistemas y órganos.

La suplementación de los sistemas es cada vez más importante dado el caso que los hombres comienzan a perder potencia sexual desde los 28 años y esta pérdida se incrementa fuertemente entre los 35 y los 50. Uno de los indicadores naturales que avisa de inmediato que ya existe pérdida de potencia sexual es la pérdida de visión y audición, el crecimiento del abdomen y el aumento de peso.

No existen dos casos iguales, pero hay elementos que son comunes para la mayoría y dentro de esa diversidad de factores estamos tomando los más comunes y frecuentes. No obstante, los factores alimentarios en todos los casos, son decisivos para un buen funcionamiento orgánico.

La eliminación total de todo tipo de carnes, huevos y sus derivados es imprescindible para detener la entrada y acumulación de sustancias estrogénicas. Algunas personas recurren al uso de mariscos para compensar la costumbre de comer carne en la dieta. Esta práctica no siempre es exitosa porque la mayoría de los mariscos que se consumen hoy día provienen de acuíferos donde se crían para consumo humano y el principal elemento para acelerar el crecimiento es el estrógeno. Por tal razón, muchas personas que recurren a este tipo de alimentación, que supuestamente tiene cualidades afrodisíacas, no ven resultados rápidos y efectivos en su tratamiento para estabilizar una próstata hipertrofiada o mejorar la disfunción eréctil. La alimentación ideal para este tipo de problemas es sencilla, pero poderosa en efecto: frutas y vegetales con un énfasis mayor en el consumo de tubérculos.

Lo interesante de todo este asunto es que cuando se adopta un régimen alimentario como el que recomendamos, todos los órganos y sistemas se beneficia por igual. El sistema digestivo comienza un proceso de regeneración celular en el que cada órgano restaura y limpia los residuos tóxicos que se han acumulado por años. La digestión, a nivel de estómago, hígado y páncreas mejorará en eficiencia y en capacidad impartiendo vida a todos sus órganos asociados.

Cuando el sistema digestivo funciona en su máxima capacidad de eficiencia, el sistema circulatorio recibe el beneficio de substancias antioxidantes y de aceites naturales que limpian la red de arterias y venas y remueven de la sangre la peligrosa sedimentación que se deposita en las paredes arterias. Esta sedimentación dificulta el libre flujo de sangre al cerebro, a los órganos reproductivos y a todos los demás sistemas. Cuando el intestino le llega sangre limpia y pura, los órganos digestivos se restaurarán rápidamente en sus funciones vitales y el sistema nervioso devuelve el beneficio cuando el cerebro detecta los cambios efectuados en los otros sistemas. Este proceso se denomina "homeostasis" y es la suma del buen funcionamiento de los sistemas en conjunto que produce el balance orgánico por excelencia.

No todos los órganos pueden ser extirpados quirúrgicamente. Existen funciones específicas de determinados órganos que no pueden ser compensadas por otros órganos ni sistemas. Las funciones particulares de cada sistema deben ser efectuadas por ese sistema. No pueden ser sustituidas. En el sistema digestivo se pueden extirpar el apéndice, la vesícula biliar, tres cuartas partes del estómago y secciones del intestino. En el sistema circulatorio se pueden extirpar un riñón, un pulmón y la vejiga urinaria, pero la calidad de vida y su funcionamiento, se ven seriamente afectados.

El sistema nervioso es el que más sufre extirpaciones quirúrgicas. La medicina moderna se ha dedicado a mutilar el sistema reproductivo de las mujeres y por esa razón, pueden existir millones de mujeres en el mundo que han perdido sus órganos reproductivos. Ante esta realidad, no es de extrañar que un 75% de los pacientes psiquiátricos, que reciben tratamiento por depresión severa, sean mujeres. Estas cifras nos dan una idea del problema social que se crea como consecuencia de la práctica médica de "resolver" problemas mediante cirugías extirpadoras. La mayoría de los médicos que realizan estas operaciones no tienen una idea del problema que le crea a la familia y a la sociedad, cuando descartan otros posibles tratamientos y le imponen a sus clientes la cirugía como opción. La víctima de esta catástrofe universal dejará de ser cliente consecuente del obstetra, y se convertirá en paciente asiduo del psiquiatra.

El daño mental y físico de la mutilación del sistema reproductivo afecta, en primer lugar, las relaciones de pareja, luego el impacto es a toda la familia y finalmente, a la sociedad. Podemos decir que la magnitud del problema, las cirugías de matriz y ovarios pueden ser catalogadas como una epidemia catastrófica. Por lo general, cuando se extirpan los ovarios, el primer órgano que comienza a afectarse visiblemente, es la glándula pituitaria. Al no recibir las señales hormonales de los ovarios, le imprime órdenes más enérgicas a la tiroides. Al no obtenerse respuesta, la tiroides se agranda para producir un volumen mayor de hormona tiroidea para estimular la acción ovárica. En esta etapa de compensación, la persona sufre de cambios metabólicos y hormonales.: udoración excesiva, aumento de peso corporal, engrosamiento del cuello y cambios bruscos de carácter, irritabilidad, cansancio, insomnio intermitente, sequedad de la piel, y otros.

En estas etapas, muchas mujeres preocupadas por tantas molestias acuden al médico, quien ordena un análisis de las hormonas tiroides. Al detectarse los cambios químicos existentes y comprobarse el mal funcionamiento de la tiroides, este prescribe medicación al respecto. "Sintroid" es la marca más común de las hormonas tiroides y, por lo general, es la que se prescribe inicialmente. Por algún tiempo, la "Sintroid" aparenta resolver el problema, pero siguen surgiendo achaques nuevos que aparecen y desaparecen intermitentemente. Los mismos síntomas que acompañaron el trastorno de la tiroides intercambian roles protagónicos de forma alternada, pero consecuentemente. Después de un tiempo, la tiroides vuelve a agrandarse y esta vez los síntomas son diferentes: dolores musculares y de espalda y adormecimiento de las extremidades.

La compensación sistemática desata una serie de reacciones orgánicas dirigidas a compensar la falta de ovarios y de matriz. La naturaleza realiza un esfuerzo supremo para remediar la ausencia de los órganos extirpados y la pituitaria, que es la glándula directora de la orquesta hormonal, le solicita ayuda a los otros dos sistemas; el digestivo presta los servicios del hígado. Este deja pasar cantidades altas de colesterol para formar estrógenos, los cuales estimulan a los ovarios en el proceso de ovulación. El esfuerzo del sistema digestivo (en este caso el hígado), por cooperar y ayudar a resolver el problema, eleva los niveles de colesterol y densifica la sangre circulante, lo que causa problemas circulatorios, adormecimiento de las extremidades y calambres. La linfa espesa y pegajosa deja residuos grasos en las arterias y venas del sistema circulatorio, que afecta todos sus órganos por el colesterol circulante. Si este problema no es atendido con progesterona, como resultado, se llevará la carga al corazón, lo que inicialmente elevará la presión arterial.

Algunas mujeres en estas etapas sufren tanto trastornos nerviosos como achaques físicos. Los trastornos nerviosos, que mencionamos anteriormente, se pueden agravar y desencadenar ataques de pánico o depresiones severas con episodios de ansiedad y gran irritabilidad. Toda la familia sufre el impacto emocional del sufrimiento de su esposa y madre. La acumulación de estrógenos, al no haber matriz ni ovarios, causa serios trastornos del metabolismo. La acumulación de grasa y residuos de calcio en el tejido mamario permite que se formen quistes en los senos, inflamación y cambios en la densidad del tejido. Mientras se detectan todos estos problemas, y los medicamentos que se administran durante esas etapas, crean acumulaciones quísticas que con el tiempo, podrían convertirse en cáncer.

Los años que pasan en lo que se van detectando todos estos problemas, sumado a los medicamentos que se administran durante esas etapas, van creando acumulaciones quísticas que pueden convertirse en cáncer con el tiempo.

La solución a estos problemas es de carácter personal. Las víctimas del sistema tienen que hacer ajustes en su estilo de vida y de alimentación. Pueden comenzar con una dieta libre de productos estrogénicos como leche, huevos, pollo, carnes y sus derivados. Al detenerse la entrada de los estrógenos exógenos se obliga al organismo a consumir la grasa y los estrógenos encógenos acumulados en el tejido graso. Debido a que el colesterol es precursor de las hormonas sexuales, es conveniente revisar el colesterol y si aparece alto, implantar un programa de medicamentos y progesterona natural para reducirlos a niveles normales.

Dos o tres aplicaciones de progesterona por día, en el área de la tiroides, del ombligo y de los senos, protegerán lo suficiente como para detener el crecimiento peligroso de tejido mamario, reducir las acumulaciones de grasa y estimular un proceso de rejuvenecimiento general y que restaure las funciones hormonales en desbalance y produzca una homeostasis general. Debido a que los altos niveles estrogénicos no permiten un buen aprovechamiento de calcio, se debe acompañar el uso de la proge3sterona con calcio de buena calidad, sílice y los amino ácidos L-Arginina, L-Lisina y L-Carnitina. El cambio en la suplementación y en la dieta, estimulará un proceso de desintoxicación que debe acompañarse con dos cápsulas al día de Detoxiplex. Se usa una cápsula en la mañana y otra en la tarde. También se pueden utilizar las plantas medicinales que tienen propiedades desintoxicantes como el diente de león, el boldo, el llantén y la raíz de maguey.

Los cambios hormonales en mujeres cuyos ovarios comienzan a declinar o son extirpados son evidentes. El órgano que primero se resiente es la glándula tiroides debido a que la señal de los ovarios se hace débil o no llega. La tiroides comienza a aumentar de tamaño para enviar una señal de alerta de más intensidad a los ovarios. Este crecimiento de la tiroides es interpretado como una enfermedad de la tiroides que requiere cirugía de inmediato. Las personas afectadas con este problema necesitan altas dosis de progesterona natural, acompañado de yodo marino (kelp) y L-Tirosina, que es el aminoácido que estimula la formación de la hormona hipofisiria, de tiroxina y de calcitonina, altamente necesarios por un buen funcionamiento hormonal.

En casos muy particulares, es conveniente retirar de la dieta otros productos que puedan retrasar y obstruir el proceso curativo. En estos casos se deben eliminar los productos de soya, los granos secos y las semillas, por su contenido de sustancias goitrogénicas y estrogénicos que pueden afectar el buen funcionamiento de la tiroides. Otra precaución que hay que tomar es la de separar los alimentos por su química natural. Las raíces y tubérculos que crecen debajo de la tierra no deben consumirse en una misma comida con los aéreos y frutas que crecen arriba de la tierra. Al cumplir con esta regla importante, notará un gran incremento de energía en el sistema general, que repercutirá tanto en la rapidez con la que el sistema se recupera como en el estado anímico del paciente.

El cambio en la alimentación es un factor clave. Los centros importantes de estudio e investigación en todo el mundo, están publicando sus observaciones en el campo de la nutrición vegetariana. Se ha producido gran acumulación de información que da fe de la eficacia de los cambios alimentarios y su relación con diferentes enfermedades.

La alimentación a base de frutas y vegetales ha sido la base del tratamiento que muchos enfermos de los riñones han optado para evitar la diálisis. La escuela de Medicina de John Hopkins en Maryland, hizo un estudio de este tipo de dieta con pacientes renales en etapas II y III, que ya estaban siendo acondicionados para diálisis. El resultado fue excelente. Ninguno de los pacientes que hizo la dieta requirió diálisis.

Lo mismo aplica a personas con enfermedades del hígado como cirrosis, hepatitis y otras que se sabe terminan tempranamente con la vida del paciente. Al adoptar la dieta natural simple o mono dieta, se pueden observar rápidamente los cambios que se operan en el sistema y la recuperación casi inmediata de las condiciones existentes.

La monodieta es un tipo de ayuno que le permite al paciente ayunar comiendo. Es excelente para personas que por alguna razón no pueden sostenerse ayunando con agua. Existen tres tubérculos que por sus características químicas son simples y fáciles de digerir y pueden ser usados durante el proceso que dure la recuperación del paciente, no importa el tiempo que tarde este en volver a su normalidad.

Algunos enfermos que se acostumbraron a la monodieta, continuaron permanentemente en ella, por años, aun cuando ya se habían curado de sus enfermedades. Estos han tenido excelentes resultados y durante todo el tiempo que se han mantenido en este ayuno mononutricional, se han sentido muy bien y los resultados de sus laboratorios químicos han dado testimonio de ello.

Algunos de estos eran pacientes de cáncer terminal para los cuales no había esperanza. Otros estaban en espera de trasplantes de hígado, otros de riñón, algunos ya se habían despedido de sus familiares porque estaban desahuciados por la medicina moderna. La mayoría de ellos aún viven, para la fecha que escribo esta información, veinte y treinta años después de la recuperación.

El estudio de los tres sistemas orgánicos de nuestro cuerpo nos ayuda a entender los beneficios de una alimentación sana y sencilla. Con muy pocas excepciones, el ayuno es la mejor y más eficiente medicina y la mono dieta permite recibir los beneficios del ayuno sin la torturadora hambre que se sufre y sin la preocupación que le crea a los familiares del paciente saber que no está ingiriendo comida.

El trauma de comer es uno de los convencionalismos más equivocados de la sociedad moderna y la han obtenido de la escuela de los médicos, que han creado la idea de que tan pronto un paciente comienza a comer, es la señal de que está recuperando. Esto no es así en la mayoría de los casos. Un gran por ciento de las autopsias realizadas a los restos de personas que padecían enfermedades, revelan que justo antes de morir habían ingerido comidas suculentas. Estos hallazgos que, para la ciencia moderna son parte de la naturaleza humana, y lo celebran como la última cena del enfermo, es una señal clara de lo equivocada que vive la gente con respecto al alimento que ingieren. Cambiar esas mentalidades creadas por el monstruo científico requiere una gran tarea educativa.

¿Cuántos casos usted conoce de enfermos que han pedido comer su comida favorita y luego de haberlas ingerido han cerrado sus ojos para siempre? Pues la familia piensa qué quiso antes de morir y a nadie se le ocurre pensar que murió por haber comido.

La mejor medicina para todo enfermo es el ayuno y hay muchas formas de ayunar. Debemos escoger el más adecuado para cada caso en particular. Tanto el tipo de ayuno como su duración, deben ser cuidadosamente seleccionados de acuerdo a las necesidades del paciente y las condiciones en que éste se encuentre.

Hay que tomar en cuenta el estado del hígado y de los riñones para determinar el tipo de ayuno. Por ejemplo, una paciente intoxicada con medicamentos prescritos por largo tiempo, necesita ayunar con dosis constantes de agua destilada. Esto ayudará a diluir y procesar los residuos químicos a través de los riñones, sin que estos sufran el impacto químico y sin que haya deshidratación general y pérdida excesiva de minerales y potasio.

El ayuno con agua es un buen depurador, pero requiere vigilancia constante y otras ayudas externas como la sauna o baño de vapor, baño de tina en sumersión, fricciones con toallas tibias o frías y masajes con aceites esenciales o plantas medicinales. Otras ayudas internas que se pueden incluir son la lavativa (enema) de café, de plantas medicinales, de electrolitos con nutrientes, de calcio diluido o de agua destilada pura. Ninguna persona debe intentar ayunos sin la ayuda y supervisión de un profesional de la salud entrenado debidamente para este tipo de medicina. Durante el ayuno pueden surgir diferentes tipos de situaciones que solo el terapeuta profesional puede ayudar a estabilizar cuando ocurre una crisis inesperada.

La expulsión de químicos acumulados durante mucho tiempo puede causar que la persona pierda el sentido y se desmaye. Pueden ocurrir bajones súbitos de los niveles de azúcar en sangre y muchas otras situaciones inesperadas que requieran atención especializada y medidas correctivas de emergencia. Por tal razón, la persona que se inicie en el ayuno debe probar por tres días si tiene la capacidad física y orgánica de extenderlo por más tiempo. No obstante, hay que ejercer vigilancia constante de parte del personal que acompañe el paciente, pues pueden surgir situaciones inesperadas en cualquier momento.

Los diferentes tipos de ayuno son alternativas para los distintos casos que se puedan encontrar. Uno de los más sencillos y sin peligros de grandes complicaciones lo es el ayuno de tubérculos. Este tipo de ayuno mono dietético puede

ser aplicado a casi todo los casos con gran efectividad y sin mayores consecuencias de vigilancia porque las crisis no son tan graves como para que haya vigilancia constante.
Además, la persona acostumbrada a comer mucho y que no tiene hábitos de ayuno, puede hacerlo sin mayores sufrimientos.

La ventaja del ayuno mono dietético es que se puede prolongar por días, semanas, meses o años de acuerdo a las necesidades y al estado del enfermo y el tipo de enfermedad. Un cáncer no se cura con un ayuno de treinta días, pero se puede curar con una dieta de ayuno en un año o menos. Por lo tanto, esta puede ser la vía primaria para depurar los organismos sin pasar por los períodos críticos de hambre que desaniman a la mayoría de los que ayunan.

El ayuno mono dietético contiene todos los nutrientes que el organismo necesita para funcionar normalmente y excluye toda sustancia que pueda obstruir los filtros y retroalimentar de toxinas los sistemas.

Un repaso al estudio de los tres sistemas, de acuerdo a la gráfica de nuestra contra-portada, nos recuerda que el sistema digestivo provee la materia asimilable a los otros sistemas. Por ello establece un orden de prioridades que sugieren las pautas a seguir en el proceso de limpieza y regeneración. Este es el sistema primario de asimilación y su principal labor es de proveer materiales asimilables a los otros sistemas. Por tal razón, el alimento que se consume es tan importante para toda la economía biológica del cuerpo humano. La calidad y la pureza del alimento que se ingiere determinan la calidad de vida, el funcionamiento adecuado de todos los órganos y sistemas y el periodo de vida que se crea y que determina si todos han de funcionar adecuadamente por los años de vida que resten.

Podemos estudiar todas las funciones del sistema digestivo en los libros de fisiología y fisiopatología para conocer todo lo que la ciencia ha podido descubrir al respecto. Pero lo único que nos ayudará a comprender correctamente la relación del alimento y estado de salud es el estudio naturista de los tres sistemas. "Somos lo que comemos y nos sentimos de acuerdo a lo que ingerimos. Se come para vivir, pero no se debe vivir para comer".

PARTE VI

CONCLUSIONES

Dr. Norman González Chacón

CONCLUSIÓN

Quizá se preguntarán por qué este libro y por qué en este momento en particular. Nunca es tarde o prematuro para plasmar los principios de la Medicina Natural para la posteridad. Después de todo, es la afirmación de la naturaleza. La proliferación de prácticas médicas de las que les he hablado hace necesario que, por lo menos, aclaremos este ámbito de nuestras vidas para saber lo que es bueno y lo que es beneficioso para la salud. Lo que es un producto del comercio y lo que es de verdadera medicina.

Sin embargo, si nos hemos entendido hasta aquí, debe quedar claro que vivimos tiempos de crisis que exceden la necesidad usual de hablar y discutir la pertinencia de la Medicina Natural. Por un lado, existe lo que llamamos la crisis hormonal y, por otro, la industrialización de la salud. Ambos problemas responden a la mecanización de la agricultura y la modernización de la medicina.

Como si no fuera suficiente, vivimos un momento en que la experimentación y el conocimiento humano han llegado a un punto que literalmente adulteran la creación. A eso es que vienen a biotecnología y la experimentación genética. Imagínense cuales son las consecuencias de estas prácticas del conocimiento si ya sabemos que los estrógenos, la punta del iceberg de estas prácticas, tienen implicaciones tan profundas como la alteración de la anatomía, el discrimen por sexo y la proliferación de enfermedades que, francamente, la medicina moderna, con todo y sus avances, no les tiene explicación. Es más, es posible que muchas de ellas sean producto directo de esas prácticas médicas. ¿Qué podemos esperar con lo que se avecina? Claro que no podemos saber a ciencia cierta, pero como les he dicho, a través de este documento, la crisis hormonal es un gran indicador de lo que se avecina.

Ante lo que es una falta de consenso moral o quizá ante la confusión que vivimos, dado estos avances, es necesario que presentemos alternativas que pueden ofrecer luz. Ese es el rol de la Medicina Natural: restaurar el orden divino de la humanidad. En ese retorno al Creador, y las leyes que nos rigen en todo lo que proponemos en estas líneas introductorias. Esta propuesta no solo habla de lo que concierne a nuestra humanidad, sino a todos los recursos naturales que perecen en nuestros días. No cabe duda de que en la Medicina Natural, sus principios y filosofía está la solución a esta crisis que amenaza el desarrollo de la especie y la convivencia del planeta.

Como parte de este libro solo hemos presentado conceptos básicos de lo que es una filosofía de vida, ante lo cual trabajaremos arduamente en otros temas y aspectos de la Medicina Natural. El punto más básico que presenté aquí y que es necesario que entiendas es la propia concepción de la enfermedad que propone la Medicina Natural.

La enfermedad no es una serie de síntomas, muchas veces es el propio cuerpo buscando los recursos para ayudarse. La técnica de la Medicina Natural, lejos de intervenir con antibióticos, aúna fuerzas con la naturaleza para que esta misma resuelva el problema que enfrenta. Además, la presencia de bacterias o virus es señal de que hay basura orgánica, en algún lugar, por lo que tenemos que proceder a limpiar el organismo. ¿Cuánto se progresa en realidad si combatimos los propios esfuerzos del cuerpo para estabilizarse y curarse? Por eso, es necesario que una verdadera práctica de la medicina ayude al cuerpo a curarse. Es decir, que ataque las causas de la enfermedad (la basura orgánica) en vez de os síntomas que esta presenta. Para lograr este concepto básico de la Medicina Natural es necesario que observemos lo que comemos y que nos acostumbremos a prácticas, que si bien son criticadas por la medicina moderna, su historia es la mejor evidencia de que previenen y ayudan al cuerpo a curarse.

Este proceso no es fácil, pero los resultados y sus principios no solo nos crean una alternativa del vacío moral que vivimos, sino que nos harán vivir en armonía natural y con la naturaleza en vez de ir en contra de ella.

La crisis curativa, la forma en que el cuerpo se expresa mientras se cura a sí mismo, no es razón para detener el proceso que propone la Medicina Natural. Es un paso de avanzada y vanguardia hacia las mejores prácticas de la salud pública y el bienestar de todos. Todas las esferas de la sociedad están enfermas, todas necesitan alternativas curativas, y todas tienen que afrontar una crisis curativa.

En ese sentido es que he presentado las prácticas de la naturaleza. Son formas de estar en contacto con nuestro cuerpo y de ayudarlo en el trabajo de mantenerse saludable. Como he dicho, no podemos abarcar en un solo libro la infinidad de leyes y conceptos de la Medicina Natural. Aquí solo puede ofrecer una introducción y levantar una voz de alerta. Sin embargo, la Medicina Natural, la Naturología y la fe son para todo el mundo, sin distinciones algunas.

La Medicina Natural, sin embargo, no es un antídoto para resolver todos los problemas de la humanidad. Sí sabemos que la crisis que vivimos tiene una alternativa en la Medicina Natural. Una alternativa sencilla, de vanguardia y que restaura porque nos acerca a la naturaleza. Ese acercamiento lo hacemos como participantes activos y no como contempladores. Somos nosotros los que tenemos que cuidar activamente el "envase" que es nuestro cuerpo. Para eso es que existe la Medicina Natural y las Leyes de la Naturaleza. Necesitamos resolución y determinación para enfrentar los males que vivimos y evitar algunos peores. Con la Medicina Natural damos un paso firme porque combinamos la ciencia, la espiritualidad y la medicina.

Espero que con este libro se aclaren muchos de los dilemas que se discuten tan superficialmente en los medios y que de la misma forma tiene un espacio importante en las agendas que tenemos con nosotros mismos. Ya habrá otras publicaciones y otros documentos para ampliar lo que humildemente ofrezco como una introducción a la verdadera medicina. Nunca es tarde para comenzar cuando los problemas que se resuelven son de tanta importancia para la humanidad. Ello, porque la calidad de vida no es necesariamente una carrera contra el tiempo y la longevidad de otras eras o momentos históricos. Vivir saludablemente y con calidad, no es solo un número de una fórmula matemática, más o menos largo. Es la capacidad del cuerpo, mediante los recursos que le son propios, de lograr un balance interno y externo que le permita maximizar sus capacidades en armonía con su entorno, incluso, biológico, para no decir, su ambiente, sus semejantes, incluso con aquellos a los que se diferencia.

SOBRE EL AUTOR

El Dr. Norman González Chacón es pionero de la naturopatía en Puerto Rico, responsable por la aceptación de la práctica y uno de los defensores de la misma que logró su legislación.

Su práctica es la más grande en la isla, y una de las más efectivas a nivel mundial. Ha sido baluarte del avance de la naturopatía en la comunidad hispana de los Estados Unidos.

Es un ardiente propulsor del concepto de "volver a lo básico", especialmente en la naturopatía cristiana con bases científicas. Su práctica se destaca por su simplicidad, practicidad y rapidez.

Es investigador y desarrollador de la Iridiología Pentográfica Convergente, la Iridiología Instantánea y de las tecnologías computarizadas para sus diagnósticos.

Desarrolló el concepto del ayuno sustentado, concepto probado en su tratamiento.

Fue una figura clave en el desarrollo de los programas de educación universitaria para la obtención de Maestrías en Naturopatía. Actualmente dirige el Instituto Bioético Dr. Norman, dirigido a la educación continua de los profesionales de esta ciencia.

Entre las organizaciones e instituciones que fundó o ayudó a fundar se encuentran: La Asociación de Naturólogos Cristianos, Centena Natural Health Spa y su contraparte, Centena Institute of New York, los Movimientos de Ministerios

Médicos Misioneros en la Florida, Nueva York y Puerto Rico, la Asociación de Profesionales de la Naturopatía de Puerto Rico y la estación de televisión y sus afiliadas TIVA - TV Media Networks.

Tiene en su haber varias publicaciones, entre ellas: Introducción al Naturismo, La Medicina Natural y la Crisis Curativa, Manual de Bioenergética, American Journal de Medicina Natural, Guía de Medicina Natural, Naturismo Moderno y la revista Alternativa Natural.

Desde la década de los '80 hasta el presente, se mantiene activo como figura pública con programas de radio, televisión y videos digitales. Además, es colaborador de los medios de comunicación escrita tanto en revistas como periódicos locales e internacionales. Es también un probado conferenciante, ofreciendo seminarios y conferencias a nivel mundial sobre una gama de temas de la Naturopatía.

El Dr. Norman González Chacón es graduado con un Doctorado en Naturopatía de la Universidad Internacional Natural De la Ciencia Del Hombre en Ecuador en 1979, y ese mismo año recibe su Doctorado en Naturopatía de la Brantidge Forest School en Inglaterra. En el 2007 se recibe como Doctor en Naturopatía en la OMMA, y en el 2012 recibe el mismo grado en la Universidad de California FCE.

En Puerto Rico opera con la licencia para la práctica de la naturopatía #6 de la Oficina de Reglamentación y Certificación de Profesionales de la Salud.

MATERIAL DE LECTURA ADICIONAL

A raíz de haberse publicado el informe de la OMS sobre medicinas tradicionales en el mundo, nos percatamos de la falta de los elementos principales que se necesitan para incluir estas ciencias en los sistemas de salud existentes y que se puedan integrar apropiadamente sin prejuicios. Según la OMS, no han podido lograr que "el cada vez mayor uso de la MT/ MCA no esté acompañado por un aumento en la cantidad, la calidad y la accesibilidad de la evidencia clínica para respaldar las afirmaciones de la MT/MCA". Otra aseveración preocupante de la OMS es en relación a los métodos usados: "Por lo que no se ha dado un desarrollo paralelo de pautas y métodos, tanto nacionales como internacionales, para valorarlos".

Es obvio, que la preocupación de la OMS por la salud general de pueblos y naciones la lleva a comprometerse a buscar evidencia científica y a crear metodología idónea para elevar a las MT/MCA al nivel científico requerido para que sea aceptada por el establecimiento.

Esa labor práctica y científica ha sido realizada por el Instituto Bioético de Medicina Natural de Puerto Rico, y desde hace dieciséis años ha establecido las bases científicas, la metodología y la filosofía que le dan el rigor científico y las razones del éxito y eficacia que han permitido que en este país, las medicinas MT, y MCA y MN sean parte del sistema de salud oficial del gobierno.

Historia:

En diciembre de 1997, el Gobernador de Puerto Rico, un médico cirujano pediátrico de profesión, firmó la ley que reglamenta la naturopatía y la elevó al rango de profesión de la salud. Aunque la ley no fue un modelo perfecto que permitiera que todas las practicas inherentes a esta se incluyeran, ha servido para demostrar los beneficios que dicha legislación le ha otorgado al pueblo de P.R.

La ley y la intervención de la legislatura se debió a la persecución que los naturópatas recibieron de la clase médica del país, que los acusaban de violar la ley de la práctica médica. Se llevaron varios casos a los tribunales y se procedió con acusaciones formales contra un gran grupo de los naturópatas que practicaban naturopatía.

El pueblo de Puerto Rico se indignó con las acusaciones a individuos que les habían estado rindiendo excelentes servicios de salud de forma efectiva y económica. El tribunal supremo falló en contra de los naturópatas y el Gobernador intervino buscando soluciones salomónicas que calmaran la ansiedad del pueblo por la pérdida de servicios de tan gran necesidad y estima.

Se nombró una comisión gubernamental para estudiar todos los aspectos, tanto positivos como negativos, de esta situación. La comisión tenía cuatro médicos de diferentes especialidades, dos legisladores, un miembro del interés público y dos naturópatas. Uno de los naturópatas, el Dr. Norman González Chacón, había sido uno de los acusados por práctica ilegal de la medicina y el gobernador lo nombró para representar a los afectados por las acusaciones.

Para esa fecha Dr. Norman, llevaba una práctica intachable de casi 30 años y de mucho éxito, y había sido el primero en abrir una clínica oficina de naturopatía urbana en San Juan, capital de P.R. Dr. Norman llevó la carga de presentar y convencer a la comisión de la validez científica y de los métodos y practicas naturopáticas que podían ser incluidas en la ley para su eventual aprobación.

Los médicos presentes, entre los cuales se encontraban la Secretaria de Salud del país y el Presidente de la Universidad del estado de Puerto Rico, hicieron todo lo posible, junto a los otros médicos y legisladores, para disuadir, con todo tipo de subterfugios, la fuerte presentación que Dr. Norman hizo de la validez científica y conveniente de cada práctica naturopática y de cada una de las reclamaciones sobre las terapias naturales. En la Comisión Evaluadora, se aprobó finalmente un proyecto aceptable que ha reglamentado a la naturopatía por los últimos 16 años.

El trabajo de Dr. Norman, hijos y asociados no se limitó a la comisión. Para defender cada postulado, Dr. Norman tuvo que buscar y crear una justificación científica lo suficientemente fuerte y clara, como para convencer del grupo de médicos que antagonizaban y luchaban para que la ley no se aprobara. La evidencia científica presentada por la representación naturopática de Dr. Norman fue contundente e imposible de derrocar.

Los conceptos que se presentaron ante la Comisión Evaluadora fueron y siguen siendo hitos de incalculable valor para fundamentar una metodología universal, y una filosofía lo suficientemente fuerte científicamente como para elevar las medicinas naturales tradicionales al nivel de la medicina alópata, con ventajas y beneficios superiores cuando se aplican adecuadamente:

Ejemplos:

1. No producen daño

2. No son invasivas ni violentas

3. No tienen efectos secundarios

4. No son tóxicas

5. No sedimentan la sangre

6. Son muy económicas

7. Son altamente efectivas

8. Son fáciles de aplicar

9. No requieren costosos equipos tecnológicos

10. No requieren de extrema preparación académica

Debido a que Puerto Rico es miembro de la OMS y ha sido el primer país en el mundo moderno en oficializar y reglamentar la medina natural tradicional (naturopatía o naturología) y convertirla en una alternativa viable para mejorar la salud poblacional, hemos adelantado a partir de la aprobación de la Ley 211 de 1997, en definir importantes aspectos de las ciencias de la salud y de su vigencia y pruebas científicas que la sostienen.

Además, se cuenta en Puerto Rico con 3 universidades que tienen cursos a nivel de doctorado. una en medicina naturopática y maestrías respectivas de las otras en naturopatía tradicional. Este avance se debe a la reglamentación oficial y a la existencia de un canal de televisión nacional que educa en salud natural las 24 horas al día los siete días de la semana.

Una de las universidades tiene los cursos de naturopatía a distancia por internet y la otra es de naturaleza presencial. El canal de televisión se transmite por sistemas de cable, por aire y por internet: (TivaTv.com).

En resumen: La isla de Puerto Rico se adelantó por más de diez años al informe de la OMS y ha creado suficiente evidencia científica comprobable, para validar cada una de las reclamaciones que por tradición y de forma empírica o aleatoria se han sostenido en la práctica de las MT/MCA, y de unificarla a nivel de todo el mundo.

Creemos que podemos insertarnos en el estudio y validación de estas importantes medicinas y así ayudar a la OMS a lograr su objetivo.

El trabajo del Dr. Norman González y de sus hijos que siguen sus pasos, no se ha detenido desde su participación en la Comisión Evaluadora, y actualmente sostiene varios programas de televisión y radio y es profesor de la Universidad UNINI y asesor de la junta de naturopatía. El Dr. Norman González hijo, es profesor de la EDP University además de sostener una práctica profesional altamente exitosa y compartir la programación de salud del canal de televisión TivaTv, que dirige otro de los hijos, Edwin, quien se ha destacado en la fase electrónica de las comunicaciones.

A propósito, las siglas de Tiva son las últimas cuatro letras de las palabras Alternativa, Educativa, Pro- activa, Interactiva, Comunicativa, Sanativa, Curativa, Creativa, Efectiva, Formativa, y Positiva. Por lo que el canal de salud lleva un mensaje positivo y muy efectivo de todos estos términos.

El trabajo colectivo y constante de los Drs. González ha logrado que se eleve el rango de la medicina natural de una creencia aleatoria a una ciencia natural comprobable, cuyos principios básicos se ajustan a las leyes de la física, la biología y la fisiología del cuerpo humano. En su organización se establecieron siete principios básicos:

1. El principio de inmunidad natural innata versus inmunidad adquirida.

2. El principio de formulación fitoterapéutica que establece la posología fitoterapéutica para cada caso.

3. El principio que establece el protocolo y la metodología del tratamiento.

4. El principio de interpretación común a ambas medicinas del laboratorio clínico convencional.

5. El principio de la terminología que establece un lenguaje común para médicos y naturópatas entenderse científicamente.

6. El principio de referencia médica clínica que hace común a ambas medicinas toda la evidencia científica de los estudios disponibles.

7. El principio que establece una filosofía básica para preservar los conceptos puros y protegerlos de prácticas espurias mediante un código de bioética clínica y filosófica.

Al aplicar estos 7 principios básicos, la medicina natural tradicional se convierte en el medio curativo y preventivo más poderoso y científico en las manos del profesional de la salud para tratar todo tipo de enfermedades. Se divide en dos grandes fases:

1. La fase preventiva

2. La fase curativa

La fase preventiva es primariamente educativa y lleva como objetivo principal enseñar los principios básicos de una alimentación sana y un estilo de vida idóneo que promueva los mejores hábitos y prácticas salubristas. Según el informe técnico 916 de la OMS; "Dieta Nutrición y Prevención de Enfermedades Crónicas" de 2003 en Ginebra; la alimentación juega un papel importantísimo en la prevención y tratamiento de enfermedades comunes como la obesidad, la diabetes, las enfermedades cardiovasculares y el cáncer. Si esto es así, no podemos considerar las terapias naturales y la medicina tradicional como únicas alternativas sin darle su lugar a la alimentación. Por lo tanto, ¿es una tan importante como la otra? La respuesta es sin lugar a dudas que no, pues ambas tienen su lugar tanto en la fase preventiva como en la correctiva. Al buscar la causa de cualquier enfermedad, el profesional debidamente entrenado encontrará el punto físico donde se produce la causa. Este acierto ayudará grandemente en el tratamiento, pero si aún persiste la causa de la causa, el mal regresará nuevamente. La causa de la causa es la alimentación y hasta que no se cambien los hábitos de alimentación, no tendremos un proceso curativo culminado en salud integral sin recaídas.

La OMS tiene la información clave en el informe del cual nos remitimos, y solo falta poner cada cosa en su lugar e integrar la alimentación al resto de los protocolos de medicina tradicional MT/MCA.

En la unión de estos dos elementos está el poder curativo que no existe en la medicina convencional alópata. Al sumar, potenciamos las fuerzas de la naturaleza con procesos biológicos de alto rendimiento que están siendo discutidos en muchos foros científicos, y la efectividad de los procesos es proporcional matemáticamente al esfuerzo energético que se realice.

En el Instituto de Medicina Natural Bioético de P.R., los doctores naturópatas han realizado un estudio abarcador de más de 30 años y de sobre cien mil personas en los que la alimentación ha jugado un papel más preponderante que la suplementación y medicación con hierbas. Este estudio comenzó seleccionando diferentes alimentos que por su naturaleza, tienen características específicas que pueden ser usados para diferentes propósitos curativos o como parte de un ayuno en donde se restringen alimentos con contenido de gluten o de proteínas de difícil absorción.

Para hacer la clasificación se realizó un estudio único en su tipo en el cual se hizo una clasificación de alimentos por su índice digestivo y de saciedad. Tomando el índice digestivo/ saciedad se procedió a confeccionar una serie de menús para los diferentes tipos de enfermedades. No pasó mucho tiempo sin que se observaran diferentes reacciones que, en los distintos grupos, produjeron resultados sorprendentes según los que se anticipaban, en la escala en que se dieron, y con la intensidad y efectividad que ocurrieron. Pero la experiencia adquirida que nos llevó a realizar el experimento, fue suficiente para crear una nueva teoría alimentaria que ha arrojado resultados extraordinarios de gran impacto y efectividad curativa.

Los resultados del experimento nos permitieron accesar información vital que puede revolucionar el campo de la nutrición y de la medicina en todos los niveles de especialización.

Enfermedades crónicas como la diabetes, la hipertensión, la fibromialgia, el lupus, el cáncer y el VIH, desaparecen cuando eliminamos de la dieta común los alimentos de las clasificaciones b en adelante y mantenemos al paciente en la clasificación A.

A la inversa de la expresión, aplicamos la clasificación A a los enfermos de las condiciones que mencionamos, y en un término razonable de tiempo que puede variar de 10 a 90 días, curan totalmente o mejoran notablemente de sus enfermedades. Si a ese tipo de restricción alimentaria le añadimos las hierbas medicinales y las terapias naturales que son propias de las MT/MCA, los resultados se aceleran en tiempo y esfuerzo.

Estas conclusiones no son tan nuevas e innovadoras; El informe sobre "Dieta, Nutrición y Prevención de Enfermedades" casi llega a las mismas conclusiones que nos sorprendieron en el Instituto Bioético. Los 30 años que nos ha tomado el experimento, nos ha confirmado una y otra vez, miles de veces, que los resultados al aplicar el ayuno sustentado o la restricción alimentaria, elevan el porcentaje de efectividad más allá del noventa por ciento.

Por lo tanto, después de experimentar en miles de casos, con fórmulas herbarias, terapias naturales, acupuntura, quiropráctica y otras modalidades de alternativa, no hemos visto nada más rápido, económico y efectivo que la combinación de este tipo de ayuno y todo lo demás que sea necesario. Pero el factor alimentario es clave en el proceso curativo y le hemos llamado Ayuno Sustentado porque en el transcurso del tratamiento el paciente ayuna de todo lo que retrasa el proceso curativo, y solo ingiere los alimentos del grupo A para saciar el hambre y alimentarse satisfactoriamente durante el proceso y un poco más, antes de añadir los ingredientes del grupo B.

Mientras trabajamos en el proyecto, nos fuimos apercibiendo de una gran cantidad de estudios científicos que confirmaban nuestros hallazgos y le daban fortaleza científica a nuestro esfuerzo, el cual se fue extendiendo y adquiriendo fama por los resultados extraordinarios que se producen tan pronto alguien opta por entrar al tratamiento. En la misma medida que el paciente sigue las instrucciones y se acoge al plan que se le asigna, que es un protocolo específico para cada caso que depende de las condiciones, el peso, la edad y el diagnostico, así vemos los sorprendentes resultados en todos los casos.

Por esa razón, el informe de la OMS sobre "Dieta, Nutrición y Prevención de Enfermedades Crónicas" que fue el informe de un grupo de expertos que apostaron su experiencia y trabajo, viene a ser el complemento que la misma Organización Mundial de la Salud necesita para completar el trabajo sobre las Medicinas Tradicionales Complementarias y de Alternativa que nosotros, por la experiencia adquirida en el campo de la salud en el que hemos marcado por medio siglo, le llamamos: Medicina Natural.

Otros Beneficios:

En nuestro contacto con los pacientes enfermos que acuden a la clínica, tenemos que orientarles y educarlos sobre el significado de los resultados del laboratorio clínico convencional debido a que para muchos, nuestra clínica es la última alternativa que buscan para resolver sus problemas y traen, en su mayoría, un abultado récord medico de documentos y exámenes de todo tipo. Para complementar nuestro exitoso trabajo, tenemos una interpretación nutricional del laboratorio clínico convencional, que se complementa sumariamente con las fórmulas de hierbas y con la alimentación específica para el caso.

La interpretación nutricional no la inventamos, solo la descubrimos estudiando la forma en que fueron diseñadas originalmente. Nuestro concepto ha revolucionado la forma convencional de ver los resultados de las pruebas de sangre y de orina, así como otras pruebas clínicas que tienen un nuevo significado de acuerdo a la nueva cosmovisión clínica que hemos desarrollado y que no es tan nueva, porque responde a su creación original que es nutricionalmente química. Esta nueva forma de ver esta información clínica nos permite establecer un lenguaje común entre médicos y naturópatas para mantener el puente entre ambas medicinas para beneficio del paciente. Además que hace efectiva y práctica la aplicación de los remedios naturales, la alimentación y la suplementación indicada como parte del tratamiento integrado.

Otro avance que hemos realizado, que nos adelanta el trabajo de ayudar a la OMS en establecer un lenguaje común y una metodología universal para todos los practicantes del mundo, es la formulación farmacológica de hojas y extractos de plantas medicinales con la posología integrada, y listos para usarse universalmente.

Nuestro trabajo de medio siglo se ratifica con el éxito de los tratamientos, y la efectividad de las formulas y productos medicinales que se cultivan orgánicamente en las zonas vírgenes del amazonas y se procesan y envasan frescas por métodos modernos de preservación, que las mantienen en su estado natural sin pérdida de sus propiedades medicinales.

Por el éxito que hemos cosechado en años de trabajo y estudios, nos sentimos optimistas de poder ofrecerle al mundo de la salud opciones nuevas sobre la base antigua original de las medicinas tradicionales. Estas opciones integran todos los campos del saber en que ha incursionado la medicina moderna en busca de soluciones, que por su naturaleza farmacológica no las ha encontrado, pero están presentes y a la disponibilidad de la humanidad en la forma más simple, económica y eficaz: en la naturaleza, en la alimentación, en el ejercicio de sus prerrogativas y en el hombre mismo.

REFERENCIAS ADICIONALES

1. World Health Organization. The atlas of heart disease and stroke. [Internet]. Ginebra: WHO; [citado el 11 de abril del 2005].

2. Segura L, Agusti R, Parodi J, Valencia AG, Cuellar GJ, Osorio JL y col. Factores de riesgo cardiovasculares en el Perú (Estudio Tornasol). Rev Perú Card. 2006;17(2):82-128.

3. Fernández-Britto J, Barriuso A, Chiang M, Pereira A, Toros H, Castillo JA y col. La señal aterogénica temprana: Estudio multinacional de 4934 niños y jóvenes y 1278 autopsias. Rev Cub Invest Biomed [Internet]. 2005 Jul-Sep [citado 13 Abril 2008]; 24(3).

4. Berenson G. Childhood risk factors predict adult risk associated with sub clinical cardiovascular disease. The Bogalusa Heart Study. Am J Cardiol. 2002;90(10C):3L-7L.

5. Seclen-Palacin J, Jacoby E. Factores sociodemográficos y ambientales asociados con la actividad física deportiva en la población urbana del Perú. Rev Panam Salud Pública. 2003;14(4):255–64.

6. Carbajal I. Estado nutricional y consumo de energía y nutrientes en un grupo de adolescentes de Lima y Callao. Tesis de bachiller de nutrición. Universidad Nacional Mayor de San Marcos, Lima. 2001.

7. El Centro de Información y Educación para la Prevención del Abuso de Drogas (CEDRO). Global youth tobacco survey in Huancayo, Lima, Trujillo and Tarapoto, Peru. Lima: CEDRO; 2001.

8. World Health Organization. Global School health initiative [Internet]. Ginebra: WHO; [citado el 12 de abril del 2006]

9. Dirección de salud IV Lima Este (DISA Lima Este). Análisis de situación de salud-ASIS. Lima: DISA Lima Este; 2005.

10. Braunwald FK, Longo H. Principios de Medicina Interna. 16a ed. New York: Mac Graw-Hill; 2005.

11. National High Blood Pressure Education Program Working Group on High Blood Pressure in Children and Adolescents. The Fourth Report on the diagnosis, evaluation and treatment of high blood pressure in children and adolescents. Pediatrics. 2004;114:555-76.

12. The Food and Agriculture Organization of the United Nations. Human energy requirements. Report of a joint FAO/WHO/UNU Expert Consultation. Rome. 2001.

13. Organización Mundial de la Salud. Serie de informes técnicos: Dieta nutrición y prevención de enfermedades crónicas. Ginebra: OMS; 2003.

14. The Food and Agriculture Organization of the United Nations, World Health Organization. Human vitamin and mineral requirements. Report of a joint FAO/WHO expert consultation. Bangkok. Thailand. Update of March 12, 2002.

15. Gidding SS, Dennison BA, Birch LL, Daniels SR, Gilman MW, Lichtenstein AH, et al. Practitioners dietary recommendations for children and adolescents: a guide for practitioners. Pediatrics. 2006;117:544-59.

16. United States Department of Agriculture. Center for Nutrition Policy and Promotion. The Healthy Eating

Index: 1999-2000 [Internet]. Acceso el 7 de octubre del 2007. Disponible en: http://www.usda.gov/cnpp/healthyeating.html

17. Pajuelo J, Canchari E, Carrera J, Leguía D. La circunferencia de la cintura en niños con sobrepeso y obesidad. An Fac med. 2004;65(3):167-71.

18. Must A, Dallal GE, Dietz WH. Reference data for obesity: 85th and 95th percentiles of body mass index (wt/ht2)– a correction. Am J Clin Nutr. 1991;54 (5):773.

19. Freedman D, Serdula M, Srinivasan S, Berenson G. Relation of circumferences and skinfold thicknesses to lipid and insulin concentrations in children and adolescents: The Bogalusa Heart Study. Am J Clin Nut. 1999;69(2):308-17.

20. National Cholesterol Education Program. Report of the Expert Panel on Blood Cholesterol Levels in Children and Adolescents. National Institutes of Health publication no. 91–2732. Washington, DC: US Department of Health and Human Services; September 1991.

21. Williams DE, Cadwell BL, Cheng YJ, Cowie CC, Gregg EW, Geiss LS, et al. Prevalence of impaired fasting glucose and its relationship with cardiovascular disease risk factors in US adolescents, 1999–2000. Pediátrics. 2005;116:1122-6.

22. Organización Mundial de la Salud. El método progresivo de la OMS/OPS: Vigilancia de los factores de riesgo para las enfermedades no transmisibles. Ginebra: OMS; 2001.

23. Uzcátegui R, Pérez J, Aristizábal J, Camacho J. Exceso de peso y su relación con presión arterial alta en escolares y adolescentes de Medellín, Colombia.

ALAN. 2003;53(4):376-82.

24. Paterno CA. Factores de riesgo coronario en la adolescencia. Estudio FRICELA. Rev Esp Cardiol. 2003;56(5):452-8.

25. American Heart Association [Internet]. Ginebra: Youth and Cardiovascular Diseases Statistics. [citado el 20 de febrero del 2008]. Disponible en: http://www.americanheart.org.

26. Sorof J, Daniels S. Obesity hypertension in children: a problem of epidemic proportions. Hypertension. 2002;40:441-7.

27. Freedman DS, Dietz WH, Srinivasan SR, Berenson GS. The relation of overweight to cardiovascular risk factors among children and adolescents: The Bogalusa Heart Study. Pediatrics. 1999;103:1175-82.

28. Drukteinis JS, Roman MJ, Fabsitz RR, Lee ET, Best LG, Russell M, et al. Cardiac and systemic hemodynamic characteristics of hypertension and prehypertension in adolescents and young adults. Circulation. 2007;115:221-7.

29. Organización Mundial de la Salud. Informe sobre la salud en el mundo 2002. Ginebra: OMS; 2002.

30. World Heart Day. Children, adolescents and heart disease [Internet]. WHD; 2006[acceso el 7 de noviembre del 2006]. Disponible en: http://www.worldheartday.com

31. DiFranza J, Rigotti N, McNeil A. Initial symptoms of nicotine dependence in adolescents. Tob control. 2000;9(3):313-9.

32. Organización Panamericana de la salud. La obesidad

en la pobreza: un nuevo reto para la salud pública. Washington, DC: OPS; 2000. (Publicación científica 576).

33. DuBose KD, Eisenmann JC, Donnelly JE. Aerobic fitness attenuates the metabolic syndrome score in normal-weight, at-risk-for-overweight, and overweight children. Pediatrics. 2007;120:262-8.

34. Durán P, Piazza N, Trifone L, Agnestein C, Casavalle P, De Grandis S y col. Consenso sobre factores de riesgo de enfermedad cardiovascular. Obesidad. Arch Argent Pediatr. 2005;103(3):262-81.

35. Daniels SR, Arnett DK, Eckel RH, Gidding SS, Hayman LL, Kumanyika S, et al. Overweight in children and adolescents pathophysiology, consequences, prevention, and treatment. Circulation. 2005;111:1999-2012.

36. Ferranti SD, Gauvreau K, Ludwig DS, Neufeld EJ, Newburger JW, Rifai N. Prevalence of the metabolic syndrome in American adolescents. Findings from the Third National Health and Nutrition Examination Survey. Circulation. 2004;110:2494-7.

37. Pajuelo J, Bernui I, Nolberto V, Peña A, Zevillanos L. Síndrome metabólico en adolescentes con sobrepeso y obesidad. An Fac med. 2007;68(2):143-9.

38. Wärnberg J, Nova E, Moreno L, Romeo J, Mesana M, Ruiz J. Inflammatory proteins are related to total and abdominal adiposity in a healthy adolescent population: the AVENA Study. Am J Clin Nutr. 2006;84(3):505-12.

39. Pajuelo J, Bernui I, Rocca J, Torres L, Soto L. Marcadores bioquímicos de riesgo cardiovascular en una población adolescente femenina con sobrepeso y obesidad. An Fac med. 2009;70(1):7-10.

40. Freedman DS, Kettel L, Serdula M, Dietz WH, Srinivasan SR, Berenson GS. The relation of childhood BMI to adult adiposity: The Bogalusa Heart Study. Pediatrics. 2005;115:22-7.

41. Chardigny JM, Destaillats F, Malpuech-Brugère C, Moulin J, Bauman DE, Lock AL, et al. Do trans fatty acids from industrially produced sources and from natural sources have the same effect on cardiovascular disease risk factors in healthy subjects? (TRANSFACT) study. Am J Clin Nut. 2008;87(3):558-66.

42. Douglas P, Zipes M, MACC. Heart Disease Medicine. 7a ed. New York: Elsevier; 2005.

43. Torresani ME, Raspini M, Acosta O, Giusti L, García C, Español S y col. Consumo en cadenas de comidas rápidas y kioscos: preferencias de escolares y adolescentes de nueve colegios privados de Capital Federal y Gran Buenos. Arch Argent Pediatr. 2007;5(2):109-14.

44. Cavadini C, Siega-Riz AM, Popkin BM. US adolescent food intake trends from 1965 to 1996. Arch Dis Child. 2000;83:18-24.

45. Peterson G, Aguilar ID, Espeche M, Mesa IM, Jáuregui P, Díaz H y col. Ácidos grasos trans en alimentos consumidos habitualmente por los jóvenes en Argentina. Arch Argent Pediatr. 2004;102(2):102-9.

46. Monge-rojas R, Rivas H. Total dietary fiber in urban and rural Costa Rican adolescents⍰ diets. ALAN. 2001;51(4):340-5.

47. Lorenzana P, Bernal J, Dehollain JP, Blanco R. Consumo de frutas y hortalizas en adolescentes de un colegio privado de Caracas, Venezuela. An Venez

Nutr. 2002;15(1):18-24.

48. Rodríguez M, Rondón A. Hipercolesterolemia en la población adolescente. RFM. 2000;23(1):50-4.

49. Grupo de estudio de insulinemia en adolescentes. Concentración de Insulina y lípidos séricos en adolescentes de preparatoria en Guadalajara en México. Salud Pública Mex. 2003;45 (supl 1):s103-s107.

50. Kraus WE, Houmard JA, Duscha BD, Knetzger KJ, Wharton MB, Mccartney JS, et al. Effects of the amount and intensity of exercise on plasma lipoproteins. N Engl J Med. 2002;347:1483-92.

51. Weitzman M, Cook S, Auinger P, Florin TA, Daniels S, Nguyen M, et al. Tobacco smoke exposure is associated with the metabolic syndrome in adolescents. Circulation. 2005;112:862-9.

52. Srinivasan SR, Frontini MG, Xu J, Berenson GS. Utility of childhood non–high-density lipoprotein cholesterol levels in predicting adult dyslipidemia and other cardiovascular risks: The Bogalusa Heart Study. Pediatrics. 2006;118(1):201-6.

Made in the USA
Columbia, SC
09 April 2018